N'ayez pas peur d'éduquer vos ados...

Infographie : Johanne Lemay

DISTRIBUTEURS EXCLUSIFS :

• Pour le Canada et les États-Unis :
MESSAGERIES ADP*
2315, rue de la Province
Longueuil, Québec J4G 1G4
Tél. : 450 640-1237
Télécopieur : 450 674-6237
Internet : www.messageries-adp.com
* filiale du Groupe Sogides inc.,
  filiale du Groupe Livre Quebecor Media inc.

• Pour la France et les autres pays :
INTERFORUM editis
Immeuble Paryseine, 3, Allée de la Seine
94854 Ivry CEDEX
Tél. : 33 (0) 1 49 59 11 56/91
Télécopieur : 33 (0) 1 49 59 11 33
Service commandes France Métropolitaine
Tél. : 33 (0) 2 38 32 71 00
Télécopieur : 33 (0) 2 38 32 71 28
Internet : www.interforum.fr
Service commandes Export – DOM-TOM
Télécopieur : 33 (0) 2 38 32 78 86
Internet : www.interforum.fr
Courriel : cdes-export@interforum.fr

• Pour la Suisse :
INTERFORUM editis SUISSE
Case postale 69 – CH 1701 Fribourg – Suisse
Tél. : 41 (0) 26 460 80 60
Télécopieur : 41 (0) 26 460 80 68
Internet : www.interforumsuisse.ch
Courriel : office@interforumsuisse.ch
Distributeur : OLF S.A.
ZI. 3, Corminboeuf
Case postale 1061 – CH 1701 Fribourg – Suisse
Commandes :   Tél. : 41 (0) 26 467 53 33
              Télécopieur : 41 (0) 26 467 54 66
              Internet : www.olf.ch
              Courriel : information@olf.ch

• Pour la Belgique et le Luxembourg :
INTERFORUM BENELUX S.A.
Fond Jean-Pâques, 6
B-1348 Louvain-La-Neuve
Téléphone : 32 (0) 10 42 03 20
Fax : 32 (0) 10 41 20 24
Internet : www.interforum.be
Courriel : info@interforum.be

Catalogage avant publication de Bibliothèque et
Archives nationales du Québec et Bibliothèque et
Archives Canada

Moraldi, Véronique

N'ayez pas peur d'éduquer vos ados : ce sont eux
qui vous le demandent!

ISBN 978-2-7619-2693-5

1. Parents et adolescents.   2. Éducation des enfants.
I. Gauvert, Michèle.   II. Titre.

HQ799.15.M67   2010   649'.125   C2010-940079-8

Gouvernement du Québec – Programme de crédit
d'impôt pour l'édition de livres – Gestion SODEC –
www.sodec.gouv.qc.ca

L'Éditeur bénéficie du soutien de la Société de développement des entreprises culturelles du Québec pour son
programme d'édition.

Le Conseil des Arts du Canada
The Canada Council for the Arts

Nous remercions le Conseil des Arts du Canada de l'aide
accordée à notre programme de publication.

Nous reconnaissons l'aide financière du gouvernement
du Canada par l'entremise du Programme d'aide au
développement de l'industrie de l'édition (PADIÉ) pour
nos activités d'édition.

01-10

© 2010, Les Éditions de l'Homme,
division du Groupe Sogides inc.,
filiale du Groupe Livre Quebecor Media inc.
(Montréal, Québec)

Tous droits réservés

Dépôt légal : 2010
Bibliothèque et Archives nationales du Québec

ISBN 978-2-7619-2693-5

Véronique Moraldi
Michèle Gaubert

N'ayez pas peur
d'éduquer vos ados...

Ce sont eux qui vous le demandent !

LES ÉDITIONS DE
L'HOMME

Une compagnie de Quebecor Media

Prologue

L'adolescence, qui autrefois n'intéressait personne, qui n'était même pas reconnue comme une quelconque problématique, fait aujourd'hui la une des magazines et les rayonnages des librairies croulent sous la charge des livres qu'on lui consacre. Si vous êtes perplexe et ne savez lequel choisir, filez au cinéma. Il serait étonnant que vous n'y trouviez pas votre bonheur. Cette année, une dizaine de films ont été consacrés à l'ado, au père de l'ado, aux révoltes de l'ado… aux professeurs de l'ado. Bref, l'adolescence questionne et il nous a même semblé qu'autour de nous, proches et moins proches perdaient un peu la tête, dramatisaient à l'extrême ce phénomène quand ils s'y trouvaient confrontés. Partout, on nous parlait de ce grand malaise de parents démunis ne sachant à quels saints se vouer.

Nous ne faisons donc pas œuvre de grande originalité en livrant un ouvrage de plus sur le sujet… sauf que d'emblée, nous avons décidé de conduire ce travail avec tout le recul et l'humour dont nous sommes capables, car Dieu sait s'il faut beaucoup de ces deux ingrédients pour parler des adolescents !

Tout d'abord nous constatons, statistiques à l'appui, que les trois quarts des ados vont bien, et qu'ils sont relativement à l'aise dans leur peau. Ils vont mieux que leurs parents en tout cas, qui eux, se disent exténués par les incessantes disputes et les conflits permanents ! C'est donc à vous, parents que nous nous adressons. Nous traiterons de la crise ordinaire et nécessaire qui va faire de votre petit un grand.

Ce qui vient immédiatement à l'esprit, c'est que cette crise fauche tout le monde en plein vol ! Comment expliquer ces soudains bouleversements, ce changement de climat qui comme la peste s'infiltre dans les foyers ? Dans un premier temps, les parents patientent, se documentent. « Ça va passer, ce n'est qu'un sale moment ! » disent les conseilleurs. On cherche des recettes, on réfléchit : « C'était comment quand j'étais petit ? » Hélas ! On ne se souvient pas, ou mal, ou plus. La mémoire nous joue des tours. « Et si on consultait un médecin, voire un psy ? » Aïe ! En toute dernière extrémité alors, car ces gens-là sont compliqués…

Voilà qui est dommage, car nous y croyons ferme à cette médiation-là, même si le but de notre propos n'est pas de remplir des salles d'attente déjà bien pleines ! Le psy n'est pas que pour les fous ! Les médias l'ont bien compris et essaient d'expliquer l'aide que peuvent apporter des professionnels sérieux et bien formés. Combien de fois avons-nous entendu : « Ah ! Si j'avais su ! Je serais venu plus tôt ! » ? Mais pour autant, aller chez le psy n'est pas inéluctable et nous espérons, à travers cet ouvrage, vous donner suffisamment d'éléments de réflexion pour éviter d'en arriver là.

Ces adolescents, qui sont-ils ?

Qui sont-ils, ces mutants ? Et cette crise, puisqu'on parle de crise, de quoi s'agit-il au juste ? Quitter l'enfance, c'est changer de peau, de corps, ne plus se reconnaître. C'est naître une seconde fois. Quitter l'enfance. C'est penser tout seul, différemment… trouver sa voie, sa vie, ses amis. Toujours dans le doute, parfois dans l'excès ou sous l'empire de la colère. C'est une épreuve difficile et complexe.

L'essentiel des consultations, au dire de tous les praticiens, ne présente pas toujours un tableau si noir. La plupart sont motivées par l'échec scolaire ou plutôt le désinvestissement de l'école, des études et par les difficultés relationnelles au sein de la famille : attitudes violentes, agressives, désobéissantes ou provocatrices.

Ah ! L'obsession des parents pour les études… Bien légitime, il faut le dire. Les difficultés grandissantes que connaissent les plus jeunes à s'insérer ces dernières années dans le monde du travail ont mis l'accent sur la nécessité de la réussite scolaire, qui devient l'une des principales préoccupations des parents. À juste titre, car cet échec recouvre, dans la plupart des cas, le signe d'autres malaises. C'est souvent le premier symptôme de rupture sociale, de contestation et, pardonnez-nous ce lieu commun, c'est souvent l'arbre qui cache la forêt. Il peut gâcher à l'avenir bien des possibilités et pénaliser très vite l'adolescent. Mais là encore, ne soyons ni pessimistes ni défaitistes, les potentialités non exploitées à ce moment-là peuvent ressurgir à un autre intactes. Pas de panique donc! Il y a des solutions.

L'autre grand souci des parents concerne les diverses manifestations de fragilité que sont les maux divers, perte du sommeil, mal de dos, mal de ventre, fatigue intense et plus gravement encore les dépendances : troubles alimentaires, drogue et alcool. Là encore, des remèdes existent, même si on a franchi le seuil dit «normal».

Bien sûr, nous n'oublions pas les quelque 25 pour cent d'ados qui vont très mal et dont le destin tourne parfois à la tragédie. Ces derniers temps, nous avons constaté la multiplication de véritables drames se soldant par d'irréparables suicides. Nous avons enregistré de nombreux cas d'anorexie, de déviances majeures, et surtout, de conduites alcooliques insensées, ou de non moins stupides jeux dangereux : jeu du foulard, jeu du train, jeu de morts et de défis... Quel que soit le cas de figure, ne fermons pas les yeux. Si le symptôme est entré en scène, c'est justement pour que nous les ouvrions !

Pour nous, thérapeutes, il est temps d'écouter. Et ce révolté, ce récalcitrant, va tout nous dire. Oui, c'est vrai, il ne voulait pas venir mais puisqu'il est là, il va tout nous raconter ! Et tant pis pour vous, pour nous... Il va nous asséner l'absurdité de nos conduites – on s'y attendait ! – nous dévoiler qu'il s'ennuie ferme dans notre monde de «c...» (vous avez le choix du qualificatif !), nous avouer que seuls ses amis le comprennent... Il va nous murmurer qu'il n'est pas aimé... parce qu'on lui préfère son frère... ou sa sœur... Qu'il souffre, qu'il a mal, que personne ne le comprend. On va lui répondre : «Alors, c'est pour cela cette violence ? Cette grève de l'école ? Ce mal-être ? »

Ce dialogue amorcé nous permettra à tous d'y voir plus clair. Nous éviterons peut-être le drame et adopterons des conduites plus adaptées. Pour autant, rassurons-nous encore, bien que l'adolescence demeure une étape difficile, la plupart des parents et des enfants la franchissent enrichis et sans trop de dommages, toutes possibilités de récupération et de résilience intactes.

L'adolescence, drôle de moment donc à analyser et à comprendre! Nous vous livrerons dans cet ouvrage nos réflexions, nos interrogations, parfois nos doutes, mais aussi nos certitudes. Car l'un des buts essentiels de ce livre est aussi de conforter les parents dans la légitimité d'éduquer leurs enfants.

N'ayons pas peur d'éduquer nos enfants, c'est notre devoir. Il faut oser remplir notre mission, savoir que certains conflits sont inévitables, qu'ils se dénoueront pour le grand bonheur de tous, parce qu'en fait le désir des deux parties est que cette histoire se termine bien. Comme celle qu'on nous racontait lorsque nous étions petits! Mais parents, sachez-le – pour que l'histoire tourne, si ce n'est au conte de fées, du moins pas au cauchemar –, si vous avez changé, vos enfants aussi. On ne peut plus s'adresser aux enfants, et à plus forte raison aux adolescents, comme on le faisait il y a 30 ou 50 ans.

Nous devons ce changement en partie au docteur français Françoise Dolto et aux nombreux spécialistes qui étudient la question, mais surtout, nous le devons à l'évolution de la société elle-même qui a tant modifié la donne. Cherchons du côté de cette évolution, de cette accélération du rythme de vie, du durcissement du monde du travail, du durcissement du monde tout court, qui a engendré cette nouvelle façon que les parents ont de «penser» leur enfant. *Ce nouvel imaginaire parental est à l'origine lui-même d'une redéfinition de la fonction parentale.* Cherchons également du côté du resserrement des familles, de l'évolution du statut de la femme, de l'accentuation du nombre des divorces et des familles monoparentales en manque de père et de repères. C'est aussi pour cela que l'enfant est devenu roi. Ne confondons pas conséquences et causes. Pour autant, déculpabilisons aussi les parents que nous sommes, débordés et déboussolés, qui parfois sont tentés par le laxisme ambiant ou baissent les bras devant des messages éducatifs contradictoires, en provenance d'éminences grises qui ont prouvé qu'elles ne savaient pas davantage comment s'y prendre. Comme pour confirmer la thèse de Freud qui disait qu'éduquer était un métier impossible[1] !

Pourtant, aujourd'hui, à la lumière de ce qui arrive, des plâtres essuyés, de l'explosion du nombre des consultations adolescentes, nous pouvons dégager non seulement ce que nos adolescents veulent nous dire par leurs attitudes, comportements et symptômes, mais aussi ce qu'ils nous demandent impérativement, voire impérieusement de faire : les aimer et les entourer. Ces enfants surinformés, s'ils présentent des lacunes dans certains domaines, ont l'esprit vif et ouvert, et il faut que nous gardions présent au nôtre qu'on ne peut – au contraire de ce que certains prônent en ces temps où le sujet fleurit et la polémique enfle – retourner à l'Âge de pierre et imposer et contraindre sans expliquer. Cela, pour nous, ne peut plus fonctionner. C'est notre credo.

Alors, justement parce que c'est difficile et que le sujet est d'importance, il est inutile de perdre notre temps à gloser sans fin sur ce regrettable malentendu de « l'enfant roi » ou de chercher un quelconque bouc émissaire, mais il est urgent que chacun prenne ses responsabilités dans cette affaire et que tous se retroussent les manches !

Nous donnerons, dans la seconde partie du livre, des pistes et des conseils très concrets et très pratiques en matière d'éducation, en évoquant des situations vécues, non sans avoir essayé de décrypter auparavant ce que veulent nous dire nos adolescents et ce dont ils ont besoin. Des conseils concrets et des repères simples, afin qu'il ne vous reste que le plus dur à faire, le faire ! Agir, aimer, sans rompre le lien jamais.

---

1. Freud disait qu'il y avait trois métiers impossibles : gouverner, éduquer et psychanalyser.

PREMIÈRE PARTIE

Tout sur la crise d'adolescence : vérités et conséquences...

CHAPITRE 1

Quand survient la crise :
stupeur et incompréhension

La crise est aussi difficile à prévoir que l'arrivée du premier bourgeon sur l'arbre. Elle est comme le printemps, on se lève un beau matin et elle est là, sauf que si l'air devient léger au printemps, là, l'atmosphère s'alourdit. Elle est d'autant plus étonnante, cette crise, que les parents vivaient depuis des années dans un joyeux et insouciant partage de câlins, de déclarations d'amour, de jeux, de séances de cinéma, de marionnettes... Bref, depuis ce si beau jour où *le bébé est devenu une personne*[2], père et mère ont rempli leur rôle : veiller sur lui, le distraire, le stimuler, le bichonner, l'admirer, l'applaudir. Des années de bonheur, d'harmonie, de beaux jours. Oui, en vérité... Quoiqu'à bien y réfléchir, on aurait pu la voir venir... Parfois, il y avait dans l'air comme un frémissement : «J'ai pas envie... », «J'en ai marre ! Marre !»... de sortir, de travailler... L'ado en a souvent marre, ce sera sa rengaine !

Il boude pendant les repas familiaux si longs, si indigestes. Lui toujours prêt jusque-là à aider, en imitant au mieux les grands, refuse de faire son gâteau favori, traîne des pieds pour mettre le couvert. Tout semble lui coûter. Rien ne va plus ! Le sourire disparaît, la moue s'installe. Et ce corps qui n'en finit pas de se modifier, sans que là non plus, nous puissions définir avec exactitude le moment « T » où le grand chambardement va commencer. Là où les centimètres vont grimper, où les seins vont surgir, la voix chuter de trois tons ou s'installer brutalement dans les aigus, au point que vous soupçonnerez le plus petit de faire miauler le chat en lui coinçant

2. D'après le titre d'un livre de Bernard Martino, *Le bébé est une personne*, qui fit date en 1984.

la queue dans la porte. C'est là que vous comprendrez jusqu'à la racine du mot *adolescent*.

PUBERTÉ ET CHANGEMENTS PSYCHOLOGIQUES

Le mot «adolescent» vient d'*adolescens*, qui signifie croître, être en croissance... C'est la définition biologique de la puberté. Nos héros peuvent grandir de dix bons centimètres en un an. Vers 11 ans pour les filles, un peu plus tard pour les garçons. Du jour au lendemain, vous, mesdames, devenez leur «petite» maman. Ils vont aussi grossir, ce qui pose depuis quelques décennies des problèmes aux jeunes filles qui acceptent mal leurs nouvelles formes et continuent de rêver aux jeans taille rétrécie de leur jeune âge.

Les problèmes alimentaires pointent en général leur nez à ce moment et peuvent devenir préoccupants. Le développement du système nerveux entraîne également une instabilité neurologique qui explique leur maladresse motrice. C'est le moment où ils cassent tout, où tout leur échappe des mains! Un (e) éléphant (e) dans un magasin de porcelaine!

LORSQUE SURGIT LA SEXUALITÉ, OU «DIS PAPA, C'EST QUOI L'AMOUR?»

Il est important de préciser avant tout que l'essentiel de la structuration du futur homme et de la future femme se fait autour de la sexualité. Le changement essentiel dans le passage de l'enfant à l'adulte, c'est l'évolution de son sexe et sa maturité.

Or, le développement des caractères sexuels est sûrement pour tous, parents compris, le plus délicat à vivre. Il n'est pas seulement physiologique, il annonce une série de questions très souvent angoissantes pour les uns comme pour les autres. Angoissante cette exigence du corps qui surgit et ne vous laisse pas en paix! Écoutons les premiers émois du personnage du roman de Mathieu Lindon, *En enfance*, où le héros essaie d'apprivoiser son sexe: «Il a quelque chose entre les cuisses, quelque chose qui est définitivement à lui...

rapidement vient une deuxième, une troisième, une énième fois, le plaisir ne s'use pas. Il sent qu'il y a un risque là-dedans, lorsque sa mère entre dans sa chambre, pendant qu'anxieux et avide, il se livre à ce frottement, il a acquis le réflexe de le cacher et rien ne dément cette nécessité. "Qu'est-ce que tu fais?" dit-elle soupçonneuse. "Rien", dit-il en se levant[3]...» On ne saurait mieux dire.

Nous voilà, nous, parents, soudain au pied du mur. Nous ne pensions pas que cela arriverait si vite, même si nous savions que nous n'y couperions pas. Empêtrés que nous sommes nous-mêmes dans nos propres pudeurs et nos inhibitions, nous allons tenter d'expliquer avec détachement la nouvelle vie sexuelle qui attend ces chéris! Soyons honnêtes, en général, la prestation n'est guère brillante, sauf si notre propre mère nous a donné dans notre enfance de bonnes clés dont alors, nous nous resservirons. Après tout, les bons conseils vivent longtemps, même si les mentalités changent. Hélas, cela ne fut pas souvent le cas! La plupart du temps, notre maman a plutôt été muette sinon sourde sur le sujet... pour ne pas dire aveugle.

Malgré tout, nous nous essayons (courageusement) à faire mieux: «Mon fils, ma fille, tu es désormais, un homme, une femme...» Non? Quelle découverte! Jusque-là, même si nous nous trouvons un peu... classiques, tout va bien. La suite est affaire de goût! Deux versions sont utiles, une fille n'est pas un garçon, comme dirait monsieur de La Palisse! Allez, entraînez-vous!

La version féminine donne à peu près ceci: «Je te montre comment on se protège de ces pertes de sang, tu ne dois pas t'inquiéter, c'est normal, ça arrive à toutes les femmes!» Ce qui suit varie en fonction des familles et selon que les mères sont plus ou moins à l'aise dans le domaine...

La mère coincée va en rester là. À des considérations biologiques: le fonctionnement du corps humain, les maladies, les schémas de la reproduction. La mère délurée va aborder les risques du métier: «Désormais, il faut faire attention à ne pas avoir de relations

---

3. Mathieu Lindon, *En enfance*, Paris, P.O.L., 2009.

sexuelles!» ou si elle est encore plus à la page : «de relations sexuelles non protégées!» Elle abordera le terrible sida, les maladies sexuellement transmissibles. La «petite fille» comprend et écoute, ou pas.

La plupart du temps, les échos de la cour de récré et les films à la télé l'ont déniaisée bien avant que maman ne s'y essaie et bien plus tôt que maman ne l'a été elle-même... D'ailleurs, c'est à la prochaine récré que la petite va bien rigoler, quand elle racontera tout ça à ses copines et qu'ensemble elles vont soupeser votre déclaration en la circonstance.

Dans le secret du cabinet du psy, entendez ce qu'elles disent... La romantique, qui veut connaître le grand frisson : «Si vous aviez vu sa tête, à ma mère... trop grave! Mais qu'est-ce qu'elle croit, avec sa leçon de morale? J'veux pas coucher sans amour moi!» Celle-là, l'amour, elle veut le rêver. Elle attend plus ou moins, sans le dire, le prince charmant... Les contes de fées le lui ont dit. Il était une fois, une pauvre Cendrillon, affublée de deux méchantes «sœurs» et d'une marâtre! Attention, première leçon : une marâtre! Car une vraie mère ne saurait se conduire ainsi... Petite, elle écoutait sagement en suçant son pouce, pendant que la voix de maman disait la récompense de la bonté, les bienfaits du travail, les nobles valeurs... qui faisaient que le prince ne pouvait que la retrouver même cachée, même transformée sous une peau d'âne, comme l'héroïne du même nom. Celle qui, pour échapper à papa, demande tous les jours une robe de couleur magique : couleur du Temps, couleur de la Lune.

Échapper à papa! C'est pour les psys, cette interprétation-là! Notre chérie ne l'a pas encore saisie, perdue dans la contemplation de la beauté des robes. Elle n'a pas encore lu l'ouvrage de référence de Bruno Bettelheim, *Psychanalyse des contes de fées*[4]. Elle n'a retenu que l'histoire du prince sur son beau cheval blanc et la dernière phrase : «Ils furent heureux et eurent beaucoup d'enfants.»

Bien sûr que de nos jours personne ne s'attend à le voir débouler à cheval, le prince, et que nos héroïnes ont changé de *look*, mais

---

4. Bruno Bettelheim, *Psychanalyse des contes de fées*, Paris, Robert Laffont, 1976.

elles rêvent toujours de l'homme idéal. S'il fallait en dresser le portrait, nous le résumerions ainsi : beau, évidemment, cultivé… et riche… oui, riche ! Elles s'en défendent – elles savent bien que l'argent ne fait pas le bonheur – mais un sac de marque qui vaut plus d'un mois de salaire, c'est toujours bon à prendre ! Quant au cheval ? Facile, vous devinez ? C'est la belle moto ou la belle auto ! Les annonceurs publicitaires l'ont parfaitement compris.

L'aventurière qui veut tout vivre, elle, hausse les épaules : « Moi je ne veux pas m'engager à mon âge, je veux faire des expériences… Elle m'a rien appris, ma mère ! Si elle croit que je l'ai attendue… » Les deux discours coexistent avec toutefois une longueur d'avance pour le prince ! Et vlan, une fois sur deux, si ce n'est dans tous les cas, la mère est… à côté de la plaque !

Cet épisode-là est si mythique que même les humoristes s'en sont emparés et qu'ils le rejouent souvent sur les scènes de nos théâtres, provoquant des rires libérateurs. Il n'y a pas de film sur l'adolescence qui ne nous joue pas la scène de l'explication : tu es une femme maintenant !

Pour les garçons, le scénario est un peu différent. En général, c'est le père qui s'y colle, convoqué par la mère, obligé par cette dernière : « Tu dois lui parler, il est temps que vous ayez une vraie conversation entre hommes ! » dit-elle sur un ton qui ne souffre pas la contradiction. Papa est surpris, car il a bien l'impression d'avoir de vraies conversations avec Junior ! Le foot, le tennis… le concours sur le score de tous les matchs de basket ! Obéissant, il s'exécute, car les femmes en savent plus long sur ces nécessités-là : « Tu sais mon fils, tu es grand maintenant, d'ailleurs tu gagnes tous les sets que nous disputons au tennis… maintenant, il faut te conduire comme un homme… élever les bébés quand on est jeune, c'est dur… » Et il sait de quoi il parle ! C'est toujours trop tôt !

Junior a du mal à comprendre qui sont les bébés en question, mais il fait bon être dans la voiture, seul avec papa. Les bébés resteront abstraits et la conversation entre hommes agréable. Papa avait l'air un peu coincé tout à l'heure, mais maintenant, il sifflote. Il a l'air satisfait. C'est *cool* ! Oui, oui, Papa a parlé, on dirait qu'il va mieux.

Ne pensez pas que nous vous prenons pour des parents idiots, car nous sommes aussi des parents… (choisissez le qualificatif!). Non, vous êtes juste des parents normaux! Mais c'est ainsi que vos enfants nous rapportent les faits, et si vous pensez avoir fait passer un message, ce n'est peut-être pas celui que vous croyez… Surtout que la vraie question, celle qui les taraude n'est que rarement abordée. Ce qu'ils voudraient savoir le plus souvent est d'ordre existentiel, philosophique, intime: «C'est quoi ce qui m'arrive? Comment je vais me débrouiller avec toutes ces nouveautés?»

Ce qu'il faudrait leur dire pour être juste ce serait: «Eh bien mon grand, il va falloir trouver tout seul, parce que dans ce domaine, papa n'est pas incollable. Il n'en sait pas plus que sur la sexualité des dinosaures ou sur la raison pour laquelle les nuages ne tombent pas!» Heureusement, toutes ces questions qui n'ont pas trouvé de réponse dans leur petite enfance, si ce n'est un laconique et définitif «parce que!» ont appris à nos adolescents la patience et ils vont y répondre tous seuls.

Peut-être même qu'à ce moment-là, nos enfants se réjouissent en douce de notre embarras, décelant nos premières limites ou nos premières difficultés à aborder certains sujets. Peut-être comprennent-ils pour la première fois que pour les grands aussi, la vie et le sexe ne sont pas choses banales, que Google ne répond pas à tout.

Vous allez peut-être nous rétorquer que ce sont là des problèmes d'un temps révolu, que désormais la communication au sein des membres d'une famille est facilitée, dédramatisée. Seulement un peu… Les thérapeutes sont toujours étonnés de noter que cette communication dont on nous parle tant, cette liberté de ton et de sujet, que l'on a soi-disant acquise en France après 1968, n'est pas généralisée. On parle toujours peu dans certaines familles et parfois beaucoup trop dans d'autres. Ce qui ne fait pas une moyenne.

Toujours en France, les centres spécialisés (planning familial, lieux de parole pour adolescents, infirmeries de lycée), s'ils notent des modifications dans les comportements, ne constatent guère de changements en profondeur. Les bonnes questions, celles qui obsèdent l'adolescent, ne sont pas posées dans le contexte familial, et pour cause! Les animateurs des centres de jeunes demandent fréquemment des formations à ce sujet, car ils sont très souvent interpellés. Les demandes sont souvent crues, liées à l'angoisse que causent des scènes de film ou des sites Internet:

- «À quel âge peut-on faire l'amour?»
- «Quelles pratiques sont permises, peut-on tout faire quand on aime?»
- «Je l'aime tellement que nous voulons déjà un enfant... C'est normal?»
- «C'est quoi aimer quelqu'un?»
- «C'est quoi être infidèle?»
- «C'est quoi le plaisir?»

Que les parents qui veulent répondre lèvent le doigt. Que ceux qui ont répondu à ces questions de leur ado nous jurent que la discussion n'a pas tourné au fiasco total... Nous ne les croirons pas! «Mais tu dates ma pauvre mère...» ou pire: «T'es pas normale!», voilà ce que les mères récoltent souvent après avoir tenté un bout d'explication.

La mère ringarde s'appelle Nathalie ou Julie... Son fils de 16 ans veut qu'elle parte en week-end pour qu'il «squatte» avec sa petite amie la maison familiale, histoire de faire un brin de vie commune avant de s'installer ensemble! La mère, bien sûr, s'y oppose, arguant qu'on ne dort pas dans le lit de sa propre mère avec sa petite amie, fût-ce pour une expérience et pour un week-end! La réponse ne se fait pas attendre: «Ringarde, Man! T'es ringarde! Tous les copains le font! Même papa est d'accord...»

Suit une bordée d'injures. Heureusement, cette mère-là, sans état d'âme à ce sujet, se raccrochera à son bon sens et à son intuition profonde comme à autant de bouées de sauvetage, bouées fortement agitées par les propos et noms d'oiseau sortis de la bouche de son Trésor. Elle clôturera le débat houleux en disant qu'elle sait (par expérience!) que toutes ces expériences justement peuvent se faire tout aussi bien ailleurs, et que la vie sexuelle future des tourtereaux n'est pas en danger pour autant. Bien sûr, elle ne peut leur vanter les charmes de l'amour dans le pré ou sur la plage au petit matin, car ils n'imaginent même pas que Mère ait pu avoir des expériences de ce genre, coincée comme elle est ! Mais elle sait que sa sexualité n'a pas trop souffert de cette clandestinité et que ses propres parents auraient vu pareillement d'un mauvais œil une telle pratique sous leur toit. Pour une fois, elle ne fera pas différemment de la génération précédente sous prétexte que les temps ont changé. Attitude qui n'est pas si facile à justifier à une époque où il est normal de vivre sa vie sexuelle très tôt chez ses parents, pour de multiples raisons, que nous verrons plus loin dans cet ouvrage.

LA VÉRITÉ VENUE D'AILLEURS

En France, l'Éducation nationale, en général en retard par rapport à l'évolution de la société, répond de façon traditionnelle aux questions disons… «convenables» ou «politiquement correctes». Ce qui est déjà une avancée. Plus intéressante est l'excellente brochure éditée en juin 2007 par l'Institut national de prévention et d'éducation pour la santé qui ose aborder des sujets plus *hards* comme la masturbation, le plaisir sexuel, les pratiques sexuelles, l'impuissance, la frigidité, l'éjaculation précoce, la contraception et la prévention. La difficulté est de se la procurer, cette fameuse brochure ! Aucun des ados que nous avons consultés ne l'a jamais aperçue… C'est dommage car elle est bien faite. Autant de questions que les ados ne peuvent que se poser et ne poser nulle part. Quelques périodiques relaient parfois correctement ces sujets. Ce sont surtout les filles qui les lisent. La pudeur des garçons (faut-il vraiment parler de pudeur ?) les pousse vers des livres moins chastes, plus pornographiques… Ils n'ont pas le même imaginaire que les filles. La masturbation est chez eux une pratique plus fréquente et ce genre de lecture est stimulante, de même que le film porno du samedi soir, vu en cachette quand les parents ont la bonne idée d'aller au cinéma.

Il y a beaucoup à dire sur ce sujet. Les pourfendeurs sont choqués de l'image de la sexualité qui s'y dévoile, les féministes, de l'image de la femme qui y est dégradée, les esthètes, de la médiocrité des images. Peu d'opinions positives mais beaucoup de spectateurs… en grand secret et dans la crainte d'être surpris. À l'écoute de leurs jeunes patients, les thérapeutes sont souvent frappés par deux choses : leur ignorance des articles de loi qui régissent la sexualité et qui les protègent, et l'existence des structures qui gèrent la santé sexuelle en toute discrétion (trop grande ?). Porter plainte pour des attouchements ou des viols et violences reste une honte souvent insurmontable. Nous nous souvenons de nombreux cas d'attouchements sexuels découverts par les parents, que les enfants nous supplient de ne pas dénoncer : « Ma mère est choquée, mais c'est pas grave, moi je ne veux pas en parler. » En parler, c'est risquer la moquerie des autres et la stigmatisation définitive ! Elle traîne dans beaucoup de têtes encore, l'idée que si ces choses-là arrivent, c'est qu'on les a cherchées !

D'une façon générale, en matière de sexe, les ados sont joliment pudiques. Nous nous moquions plus haut de notre embarras et de nos difficultés à bien répondre pour vous signifier maintenant que l'important n'est pas dans la bonne réponse, mais dans la qualité de l'écoute. S'ils le souhaitent, car d'eux-mêmes ils n'aiment pas parler de leur vie sexuelle. Ils n'aiment pas nos questions et surtout pas nos moqueries et nos réflexions grossières. Qui n'a gardé le souvenir cuisant et rougissant de la question stupide posée lors du repas de famille : « Alors mon grand… les filles, ça marche ? »

Tel le joli exemple de Henry Bauchan : « Elle m'a dit tu as un béguin pour elle… Je suis devenu tout rouge et tout le monde a ri aux éclats… » Et l'auteur de conclure : « pas une fois je n'ai pu desserrer la bouche pour lui dire un mot. Quel mot venu de quelle langue, de quel pays caché, puisque l'amour entre enfants n'était qu'un béguin qui faisait rire[5]. »

La sexualité, l'amour sont des denrées rares, à manier comme une porcelaine de Chine : attention fragile ! Et nous rajoutons « attention danger », en raison de l'existence de cette multitude de sites pornographiques qui se déploient sur Internet sans contrôle (ou

---

5. Henry Bauchan, *Le boulevard périphérique*, Paris, Actes sud, 2008.

presque) et qui laissent nos ados face à de drôles de jouets. Denrées rares donc mais galvaudées, abîmées…

LE BESOIN DE LIBERTÉ : « IL EST LIBRE MAX ! »

« Dis, Maman, je sors ce soir, oui ou non ? »

L'ado a le chic pour demander cela au dernier moment, quand, bien sûr, vous êtes absorbée par la déclaration d'impôts à laquelle vous ne comprenez rien, quand vous vous prélassez dans votre bain ou quand vous avez des mots avec votre conjoint qui veut aller au foot pendant que vous tiendrez compagnie à belle-maman que l'étourdi a conviée à dîner…

La demande vous paraît exagérée, d'autant que vous vous souvenez que le cher petit est déjà sorti EXCEPTIONNELLEMENT le soir d'avant. Principe d'économie, plus il y a de demandes, plus c'est cher, il sait qu'il faut être finaud. La stratégie est de passer en douce, car même si les arguments positifs ne manquent pas, il faut les rendre crédibles et surtout rassurants. Et les justifier, et penser à répondre aux questions qui vont tomber.

« Je peux aller dormir chez « Machin », « Machine » ?

Personne ne connaît Machin, et on ne sait pas où il loge ! Mais comme tout le monde va dormir chez lui : « Enfin, Maman, tu l'as vu il y a un an à la fête, tu sais bien ? » C'est loin un an et Machin… vous cherchez… Tous les jours vous voyez un nouveau Machin. Ils se ressemblent tous… ces Machin ! Le « plan » reste très flou… et peu « sécurisé ».

Après mille et un arguments, soit vous cédez et vous passez une nuit blanche, soit vous refusez et vous êtes « pas normaux » ou de « vrais réacs ». Jurons et portes qui claquent, chambre fermée à clés ! Ça vous apprendra… Et vous, de vous faire la réflexion que les adolescents sont des enfants grands comme des adultes qui veulent faire des choses dangereuses comme des adultes avec des raisonnements d'enfants et une lucidité aussi peu développée. Et encore que les ados sont des enfants tout puissants à surveiller comme le lait sur le feu, à la seule différence qu'ils sortent tard la nuit et échappent à votre champ de vision, alors que les enfants de huit ans, on les « boucle » à la maison et *basta* !

Heureusement que vous ne savez pas tout ce qui leur arrive ou a failli leur arriver chez Machin ou Machine… ni comment il use de ses permissions et de sa vie en liberté ! Liberté ! Combien de fois le mot sera jeté en pâture ? « Je suis libre, laissez-moi, lâchez-moi ! »

Voici quelques réflexions rapportées concernant la LIBERTÉ bafouée ainsi que l'INJUSTICE criante, qui va de pair :

- « Ils refusent tout, me traitent comme un bébé, m'enferment dans leur prison ! »
- « Mes parents votent à gauche, mais c'est des fachos ! »
- « On se demande s'ils comprennent ma vie… Complètement bornés, nuls ! »
- « C'est décidé, je ne leur adresserai plus la parole, ils sont allés trop loin ! »

Parfois la décision prend effet, la vie s'assombrit, le ciel se noircit et vos insomnies pointent leur nez. Cet état-là, nous l'appelons le dépit ou la stupeur parentale. C'est une situation très déstabilisante pour l'ensemble des protagonistes, car personne ne reconnaît plus personne.

LA STUPEUR PARENTALE : « IL N'Y A PLUS D'ENFANT ! » OU « OÙ EST PASSÉ MON PETIT ? »

C'est à ce moment-là, d'ailleurs, que vous allez regretter si fort le temps béni de l'enfance, et penser aussi que « dur, dur », c'est vraiment trop dur cette ingratitude et cette soudaine ambiance qui règne à la maison. Il ne dira pas un mot pendant deux ou trois jours, les portes continueront à claquer. Et l'œil, cet œil, il est terrible… de mépris. La surprise est partagée. Il s'attendait à une attitude compréhensive, il se heurte à votre refus. Il fourbit ses armes, la guerre sournoise va commencer. Une guerre d'usure… une guérilla au quotidien. La pire. Les plus petits de la fratrie, s'il y en a, sont en général terrorisés par le conflit et par le fait qu'ils ne savent quel parti prendre. Les parents, agacés, ne s'occupent plus d'eux. Le grand frère ne leur parle plus – comme s'il leur en voulait aussi et les trouvait fautifs – ou bien il essaie de leur prouver que leurs géniteurs sont des «nuls». Des deux côtés, les plus petits sont «plombés» et l'atmosphère à la maison aussi. Deux camps s'opposent. Un qui veut bien aider son enfant à grandir, mais sans perdre ses repères. L'autre qui va ruer de toutes ses forces comme un animal attaché pour se libérer.

PARENTS PERDUS SANS BOUSSOLE

Nous y sommes, c'est le moment où les cartes se brouillent, où les jeux de rôle ne fonctionnent plus. L'heure où les questions se posent. C'est le moment où les parents ne se sentent plus aimés, ni les enfants d'ailleurs. «Ce n'est pas possible que mon fils m'aime alors qu'il m'agresse de cette façon!» se dit la mère. «Tu ne m'aimes pas puisque tu ne me donnes pas ton autorisation, puisque tu ne veux pas me faire plaisir à moi, ton fils! Je t'en voudrai toute ma vie!» se plaint le fils. C'est le moment où tout le monde se retranche derrière son dépit ou se drape dedans. Que se passe-t-il?

C'est donc cela, la crise! On ne s'entend plus, dans tous les sens du mot. L'adolescent crie les deux mains collées sur ses oreilles: «Je ne veux pas t'entendre! Je ne veux pas t'entendre!» Inutile de continuer à hurler, il est hermétiquement fermé à la discussion et surtout au discours de son père ou de sa mère. Pendant ses insomnies, le pauvre parent fouille dans sa mémoire, mais il constate, s'il est sincère, qu'elle est bien défaillante: «De mon temps, oui de mon temps, c'était pas pareil.» Pas pareil, heureusement! Grâce au temps, rien n'est jamais pareil, vous, adultes, le savez bien! Certes cela ne remonte pas à l'époque glaciaire, votre histoire, mais depuis se sont écoulées quelques années et sont intervenus quelques avancées et quelques changements… et puis surtout, des spécialistes se sont penchés sur cette énigme: l'adolescent.

LES NOUVELLES DONNES, OU L'ORIGINE SUPPOSÉE DU CHAOS

Ces nouvelles donnes ne sont pas si nouvelles. Disons qu'elles ont une petite moitié de siècle. Elles démodent ce temps où les enfants n'avaient pas leur mot à dire, où, quand les conflits faisaient rage, la rupture était la seule issue. Depuis, les psychologues sont venus avec leurs théories et leurs conseils, leurs méthodes et leurs leçons. Ne voyez aucune ironie dans le propos : nous, auteurs, en sommes !

L'enfant est une personne

Les psychologues l'ont décrété : *l'enfant est une personne*. Cela est si vrai que, si besoin était, nous le réaffirmerions avec encore plus de fermeté. L'enfant est une personne et doit être traité comme tel, protégé quand il est en danger, et choyé et aimé et écouté. Que nos propos soient sans équivoque dès le départ.

L'enfant a des droits, il est nécessaire d'assurer sa protection. Surtout qu'en ces temps-ci, il semble qu'on utilise de plus en plus son innocence ou sa naïveté pour satisfaire nos perversions et plaisirs ignobles. Les parents craignent tant cette maltraitance qu'ils ont tendance à l'exagérer et à communiquer leurs peurs à leurs adolescents. Le «trop» tue le simple bon sens, l'instinct de l'enfant ou de l'adolescent. Et par la même occasion, le bon sens et l'instinct aussi de ces mêmes parents qui dramatisent. Il faut dire qu'ils ne sont guère aidés pour apaiser leur paranoïa par le concentré de cas tragiques distillé chaque jour par les chaînes d'information de la radio et de la télévision.

«Elle me serine toujours de faire attention... Je ne vais jamais nulle part toute seule, se plaint la jolie adolescente, ou alors il faut que je sorte en pantalon pour lui faire plaisir, même quand c'est la canicule ! Tout ça pour la rassurer, ma pauvre mère ! Elle flippe tellement que c'est communicatif, je finis par avoir peur aussi et par voir des drôles de types partout dans la rue !»

Malgré tout, soyez prudents ! Qu'on se le dise : c'est lorsque votre vigilance baisse que l'enfant est en danger, là où, en apparence, il court le moins de risques, c'est-à-dire en terrain connu. Les confidences que nous recueillons à ce propos mettent toujours en scène les proches, famille et amis, hélas…

Le nouvel imaginaire des parents : de l'enfant sage à l'enfant fort

La nouvelle donne, ce n'est pas seulement le discours des psys. C'est aussi cette nouvelle façon de rêver votre petit, que vous avez instituée, vous, parents, et que nous entendons dans nos cabinets à secrets. *L'éducation commence vraiment avant le berceau.*

Il n'y a pas si longtemps, dans les années 1970, lorsque les femmes enceintes parlaient du futur Bébé, nous entendions ceci : « Je veux qu'il soit sage, bien élevé, qu'il ait un beau métier. » Aujourd'hui, dans les années 2000, la tonalité n'est plus la même, le ton nettement moins serein : « Je veux qu'il sache se débrouiller, qu'il soit fort, ne se laisse pas marcher sur les pieds ! » En somme, qu'il sache se battre, quitte à taper d'abord sur le petit copain avant d'être frappé. Ne devez-vous pas vous attendre à ce qu'un jour un tel enfant vous marche sur les pieds à vous aussi, parents ?

Au-delà de l'anecdote, que représentait l'enfant sage il y a trente ans ? Un enfant qui obéissait, qui répondait aux désirs de ses parents, qui travaillait bien à l'école, qui reproduisait le schéma familial avec une projection « correcte » dans l'avenir, c'est-à-dire un mariage et des enfants. Bref, une image… d'Épinal. Autant dire qu'il n'était pas envisageable qu'il ait une sexualité hors norme dans l'avenir, ni une profession bizarre. Pas d'artiste, pas de saltimbanque. Garçons et filles devaient être différents. Les filles se contenteraient, par exemple, d'enseigner, et bien évidemment de ces métiers qui ne les entraîneraient pas trop loin du foyer. Cette éducation était assortie de parents peu loquaces et peu abordables détenant une autorité certes contestée, mais en douce… et surtout, malgré tout, une autorité.

Le monde a changé et la conception que nous en avons aussi. Cette nouvelle donne est sociologique. Et nous pouvons imaginer que ce changement dans le désir parental va peser sur l'éducation de l'enfant et forcément sur celle de l'adolescent, modifier les comportements des pères et des mères.

Un enfant qui ne se laisse pas marcher sur les pieds... Un enfant qui saurait se battre... un enfant fort, réactif. Le contraire de l'enfant docile ? Loin de critiquer, nous restons un peu perplexes. Comment ces parents vont-ils s'y prendre pour réussir ce projet éducatif...

TOUT ET SON CONTRAIRE SUR L'AUTORITÉ, OU COMMENT S'Y PERDRE....

Les ouvrages ne manquent pas pour dénoncer l'autorité comme néfaste pour la créativité, l'épanouissement de l'enfant et nommer maltraitance tout ce qui est « contre » le désir de l'enfant. Dire « non » sans explications est devenu impossible, dire « non » avec explications aussi difficile, dire oui à tout, suicidaire. Bref, ces cinquante dernières années, on a entendu toute une pléiade de conseils. En France, certains pédiatres très écoutés conseillent, devant l'ampleur des dégâts, des « pratiques musclées[6] ». D'aucuns prétendent, puisqu'il faut des coupables, que c'est la faute aux enfants de 68. Entendez par-là, les enfants de cette génération perdue qui a consacré « l'enfant roi », concept venu d'outre-Atlantique à peu près à la même époque. Un enfant gâté, pourri par le confort moderne !

Tout et son contraire, répétons-le. La « génération 68 », en France, ne se réclamait guère du modèle américain, mais elle exigeait désormais de la considération pour tous. Et pour traduire ceci, le docteur Françoise Dolto parut, fit des émissions de radio, lança le complexe du homard[7], devenant rapidement la bête noire des dresseurs d'enfants.

---

6. Aldo Naouri, *Éduquer nos enfants, l'urgence aujourd'hui*, Paris, Odile Jacob ; et Didier Pleux, *Planète Dolto*, Paris, Odile Jacob, 2008.
7. Le complexe du homard a été développé par Françoise Dolto. Elle soutient que l'adolescent est comme un homard qui aurait perdu sa carapace, d'où son extrême fragilité.

FRANÇOISE DOLTO, LA « MAL COMPRISE »

Que n'a-t-on dit et écrit suite aux ouvrages et aux interventions radiophoniques de Françoise Dolto, dans les années 1970! Nous vous prévenons d'avance, nous la soutenons toujours – si tant est qu'elle ait besoin de nous. Il semble surtout que nous n'avons rien lu comme ses détracteurs. Elle est, en effet, à l'heure actuelle, au centre d'une véritable polémique à l'occasion du centième anniversaire de sa naissance.

« L'enfant est un roi » ? Nous n'avons rien entendu de tel. L'enfant doit être accueilli avec respect, comme tout être. Oui, bien sûr. Il comprend, il voit, il s'exprime, il existe, il n'est pas si fragile, il vit avec ses besoins, ses désirs, ses pulsions. Il a même tendance à vouloir les réaliser. Quoi d'illogique dans cela ? Quoi de surprenant ? Mais il n'a jamais été question de répondre sur-le-champ à ses désirs, à ses pulsions. *Françoise Dolto a souhaité que l'on articule le désir et la règle.* Pour elle, tous les désirs sont légitimes mais tous ne sont pas réalisables. Elle a surtout voulu, et rendons-lui grâce pour cette formidable avancée, nous obliger à nous questionner, nous, parents responsables. Savons-nous ce que nous disons, faisons et anticipons et quelle place nous donnons à l'enfant ?

Ce faisant, elle nous a conduits à réfléchir au tandem parent/enfant et à la qualité de la relation. La qualité de la relation, sa nature, son analyse… Cela nous semble toujours pertinent et plus que jamais, en ces temps où l'amélioration de la communication dans la relation nous paraît être l'un des grands remèdes à la violence dans les familles.

Françoise Dolto a su les écouter, ces enfants, elle a même fait preuve d'un génie particulier en la matière, mais elle n'a jamais prôné le laisser-faire. Elle a prôné d'imposer la règle avec fermeté mais en respectant la personne de l'enfant. Elle a critiqué le parent démissionnaire, trop exigeant, non respectueux. Bref, celui qui ne fait pas son « travail ». Pourquoi le message a-t-il souvent été compris différemment ? Nous avons quelques pistes qui ne sont pas inutiles dans cet ouvrage sur l'adolescence et apportent un éclairage pertinent.

L'HISTOIRE DU TRAUMATISME, OU « FAUT PAS LE TRAUMATISER, LE PAUVRE PETIT ! »

Une première piste nous paraît résider dans cette notion de « traumatisme ». Souvent mal compris, ce mot a cristallisé tout le malaise que l'enfant pouvait éprouver. C'est le nouveau venu, né de la psychanalyse, l'enfant de Sigmund Freud. Le mot « traumatisme » est tellement inscrit maintenant dans le langage courant, qu'il en a perdu sa deuxième moitié et qu'on ne parle plus désormais que de **trauma**.

Le trauma, donc, est la terreur des parents, des enseignants, des éducateurs. Le trauma définit tout. Il englobe et recouvre tout. Tout ce qui déplaît à l'enfant mais sans souci de degré. Foin de nuances, petit ou gros trauma, même combat ! Ainsi, est traumatisante, l'attitude de l'institutrice qui colle au piquet le bavard et celle du condisciple de la crèche qui s'accapare le jouet… Ce n'est pas faux, puisque le trauma est évalué par celui qui le vit et effectivement non quantifiable et qualifiable pour l'étranger, fût-il le parent !

Prenez l'exemple de cette maman qui demande à sa fille de 15 ans si elle a souffert du divorce de ses parents alors qu'elle avait 8 ans. « Non, non je ne me souviens pas du tout avoir souffert de quoi que ce soit, je ne m'en souviens même pas de ce divorce ! Je me souviens juste que nous avons déménagé », répond la désormais adolescente. Refoulement ou absence de trauma ? Il faut dire que le divorce avait été rapide, que les querelles conjugales s'étaient toujours déroulées hors de la vue de l'enfant. Alors ? Pourtant un divorce, ce n'est pas rien ! De sorte que nous ne pourrions, sans remplir des pages et des pages, dresser la liste des traumas possibles et imaginables, décrits comme tels et entendus lors de nos consultations, au grand étonnement parfois des enfants présents !

Vous l'avez compris, le trauma étiqueté comme tel est rarement le bon. Le vrai trauma, par définition, s'avale, se cache, se refoule et aller le chercher relève de la cure analytique. N'en faisons pas pour autant une querelle sémantique. Une chose est sûre : les parents ne veulent pas traumatiser leurs enfants. Et ce ne serait pas si grave – ce serait même très bien ! – si cela ne se traduisait pas le plus souvent par une telle peur, qu'elle les paralyse et leur ôte tout bon sens.

LES RÈGLES

Les règles qui découlent de ce qui vient d'être énoncé se déclinent ainsi :

- Ne pas contraindre son enfant ;
- Répondre à toutes ses attentes ;
- Le défendre envers et contre tous.

Ne pas contraindre son enfant

Toujours plus… C'est l'histoire de deux petites filles charmantes de 6 et 8 ans, dont la mamie est venue aider pendant une semaine la maman, sa belle-fille, qui vient d'accoucher. Les petites s'occupent une grande partie de la journée à regarder les dessins animés. La grand-mère se prive depuis plusieurs jours de regarder le journal du soir parce que les dessins animés, on le sait, c'est *non-stop* et que les petites refusent qu'on interrompe leur programme. Un soir la mamie se révolte et dit : « Aujourd'hui, je vais regarder les infos car j'ignore complètement ce qui se passe dans le monde depuis plusieurs jours ! » et elle s'apprête à changer de chaîne. Là dessus, une des petites filles se lève et part en trombe se plaindre à sa maman qui est dans sa chambre : « Elle va pas nous embêter toute la semaine, celle-là ! » lui dit-elle. La grand-mère, qui a tout entendu, rétorque depuis le salon : « Non ! ELLE ne va pas vous embêter mais ELLE va regarder les informations ET CE N'EST PAS NÉGOCIABLE ! »

C'est là que l'on constate que les concessions que la grand-mère avait faites plusieurs jours durant n'avaient pas servi à grand-chose ! En matière d'éducation, nul atermoiement et nul sacrifice !

Répondre à toutes ses attentes ; ne pas le frustrer

Si l'on applique à la lettre cette règle, cela peut conduire à des situations folles, comme celle de cette petite fille si jolie et si tendre, au visage encadré de boucles blondes qui lui donnaient l'air d'un ange. Eh bien justement, le soir venu, ce petit ange, comme l'heure du coucher avait sonné, éprouvait le besoin, pour s'endormir paisiblement, de dire au revoir à toute sa chambre, entendez bien à chaque objet de sa chambre. Elle disait : « Au revoir la fenêtre ! Au revoir la poupée! Au revoir le lapin! Au revoir la commode! Au revoir le cheval! Au revoir le tapis! Au revoir la lampe! Au revoir la couverture! Au revoir l'oreiller!»... et étreignait ainsi tout ce qui, à sa portée ou à celle de sa maman, pouvait être étreint. Résultat: le coucher de la petite princesse durait deux heures, montre en main. Bien sûr, vous nous direz que c'était le moyen pour la petite fille de lutter contre l'angoisse de la séparation, de faire que les démons de la nuit ne la prennent pas tout de suite... «Longtemps je me suis couché de bonne heure[8]...» a dit un plus célèbre que nous. Bien sûr, mais c'est sa pauvre maman qui tombait de sommeil avant elle et qui avait fini par vivre chaque soir comme un pensum, bien qu'elle adorât sa petite poupée. D'ailleurs, c'est bien parce qu'elle la chérissait tant qu'elle supportait cet immuable scénario vespéral. Si c'était ce qui lui faisait plaisir, il n'aurait pas fallu risquer, en ne se prêtant pas à ce rituel, de la frustrer, de la traumatiser, de la faire pleurer cette enfant... De toute façon, cela ne durerait pas toute la vie. En attendant, la mère avoua à son psy la torture qu'elle s'infligeait à elle-même et qu'elle n'en pouvait plus...

La culpabilité parentale

Ainsi franchit-on un pas supplémentaire dans la dérive lorsque ces fameuses attentes des enfants, auxquelles sont censés répondre les parents, sont en fait créées de toutes pièces par les parents eux-mêmes lorsque ce qu'ils imaginent des désirs de leur progéniture est, en fait, le fruit de leurs propres fantasmes, qui prennent naissance sur un merveilleux terreau, celui de leur propre culpabilité. Culpabilité de les laisser uniques en ne leur «donnant» ni frère ni sœur, ou bien de ne pas leur accorder suffisamment de temps, ou encore simplement d'avoir fait d'eux un tel support de projection que l'agenda d'un ministre débordé semble «ajouré» comparativement à celui des chérubins: cours de musique, de danse, d'escrime, d'aviron, de renfort en maths, en langues, etc. Tout cela, pour être au *top*, ou dans la course, si vous préférez. «Aujourd'hui, c'est si

---

8. Première phrase de *À la recherche du temps perdu,* de Marcel Proust.

dur, la compétition est terrible, il ne suffit pas d'être bon, il faut être le meilleur » ou « Bien sûr, cela coûte cher mais nous n'en avons qu'un, alors… » nous disent les parents bien intentionnés. Tout cela, vous le comprendrez bien, exige quelques compensations.

D'ailleurs, en Allemagne, la dernière tendance est d'emmener les enfants de 4 mois à 16 ans dans des salons de beauté et des hôtels qui leur sont réservés. Ces enfants, que leurs parents pensent stressés comme des *managers,* doivent partir en vacances dans des hôtels de luxe avec spa, massages et bains au chocolat pour une peau soyeuse. Il est nécessaire de leur faire du bien à ces enfants sous pression. Ainsi, si l'enfant est devenu roi, c'est parce qu'on l'a fait roi, qu'on l'a ceint d'une couronne lourde à porter, et madame Dolto n'y est pas pour grand-chose. D'ailleurs, on constate que le phénomène[9] va au-delà des frontières de la France.

Le «pommader» comme un lord

« Victimes » de l'augmentation du niveau de vie et du confort, les parents se sentent coupables de se faire plaisir, de s'accorder des compensations à un labeur bien souvent acharné dans un monde du travail dévoreur d'énergie où chacun doit, en outre, accéder au développement de ses potentialités, ce qui lui laisse peu de temps pour être présent au côté de son enfant de façon effective. Le cercle vicieux est en place.

C'est aussi paradoxalement parce que l'adulte est lui aussi devenu un individu, une personne unique qui doit se réaliser et qui ne vit pas que pour et à travers son enfant, et qui culpabilise pour cela, que la donne a changé, et aussi parce que la société de consommation est une des dernières idoles à laquelle nous rendons un culte, car les sacrifices que nous y perpétrons nous lavent de nos frustrations et de tout soupçon d'être de « mauvais parents ». CQFD !

« Quand je m'achète de jolies choses pour moi, je culpabilise un peu, alors j'achète une jolie tenue à ma petite fille ! » nous dit cette maman trentenaire. L'enfant est un double. La mode du « mini-

---

9. Didier Pleux, *Génération Dolto, op. cit.*

moi» est née! Ainsi, les stylistes devenues mamans ont été prises de l'envie charmante et très narcissique que leurs petites filles soient habillées comme elles et, afin que d'autres mères puissent connaître ce bonheur ineffable de se promener dans la rue avec au bout de la main leur «mini-moi», elles ont créé, pour les toutes petites filles, des tenues identiques à celles des mamans. À l'heure où elles devraient grimper aux arbres et faire des trous à leurs pantalons, les voilà affublées de minijupes, de collants en matières très précieuses et très fragiles. De vraies petites femmes fatales en modèle réduit. Une manière de continuer à jouer à la Barbie au-delà du temps requis... L'enfant, prolongement narcissique du parent, n'est-il pas pour l'occasion instrumentalisé, considéré comme un objet par ce dernier, bien plus qu'un enfant roi?

Le défendre envers et contre tous, le couver comme un poussin

Partant de là, combien de récits de fâcheries entre amis n'avons-nous pas entendus à cause des enfants respectifs, devenus *casus belli!* «S'il se permet de dire quoi que ce soit à ma fille, je ne le reçois plus chez moi!» dit cette mère après que son meilleur ami s'est permis de faire une remarque «désobligeante» à sa fille qui ne participait jamais au débarrassage de la table à la fin du dîner. Cela avait tout de même fini par une gifle. Oui, une gifle! Vous imaginez une gifle du meilleur ami à la fille? *Que nenni,* c'est la mère qui a donné une gifle à son meilleur ami pour défendre sa progéniture! Voilà comment dix années de solide amitié entre adultes tombent aux oubliettes. L'enfant protégé, quant à lui, compte un camarade de moins! Quel dommage! Quels dégâts même!

Les professeurs, eux, sont bien souvent cantonnés au rôle de «gentils gardiens». Et nous ne parlons pas ici du cas particulier des enseignants exerçant dans des établissements situés dans des zones difficiles, dites, en France, Zones d'éducation prioritaires, qui sont confrontés à des adolescents évoluant au sein de familles en difficulté, bien souvent issues de l'immigration. Pourtant, ce cas servira notre démonstration, lorsque nous donnerons notre avis et dispenserons nos conseils en matière d'éducation, dans la deuxième partie de cet ouvrage.

Donc, même sans parler des zones d'éducation difficiles, nombreux sont les enseignants qui déplorent que sur une heure de cours, ils fassent 25 minutes de discipline. «Comment transmettre le savoir dans ces conditions?» se plaignent-ils. «On fait autre chose que de l'enseignement.» «Vos enfants sont gentils, nous disent les professeurs, mais ils sont immatures, on se croirait à la garderie!» «Tout ce qui n'est pas obligatoire devient une sanction, alors que ce devrait être une chance, comme les heures de tutorat ou de soutien en dehors des heures normales de cours.» Et les enseignants de faire la liste de tous ces capteurs de leur attention qui détournent les jeunes neurones de leurs cours et contre lesquels ils ne peuvent rien: Internet, MSN, et Facebook! Ah! Facebook, nous y reviendrons!

Retour à la discipline. Les professeurs paraissent plus démunis de nos jours qu'autrefois. Si le portable sonne et que l'enseignant le prend à son propriétaire, il faut qu'il le laisse à la vue de tous et le restitue dès la fin du cours. «Nous n'avons pas le droit de confisquer le matériel, nous l'empruntons juste le temps du cours», nous confie un enseignant. Même si certains parents exigent plus de discipline à l'égard de leur enfant, d'autres sont très procéduriers et l'administration a peur. C'est le cas des parents de cet ado, à qui le professeur avait «emprunté» son portable, et qui a réagi immédiatement ainsi: «Vous savez quoi? Je vais aller voir le conseiller principal d'éducation tout de suite, comme ça, ce sera vite réglé!» Il est effectivement rapidement revenu avec ledit conseiller dans la classe, lequel a rappelé le règlement à tous ces jeunes gens, à savoir que les téléphones portables sont interdits en classe, mais a demandé au professeur de rendre l'appareil à l'élève parce que le règlement interdit de le confisquer. Si vous avez déjà assisté à une réunion parents d'élèves-professeurs, vous avez peut-être perçu, comme nous, un concert de sonneries de portables, ceux des parents cette fois: «Discipline que l'on ne s'impose pas à soi-même est bien mal ordonnée» ou la question de l'éducation par l'exemple… Les professeurs ont aussi peur de noter trop sec. Ils disent aux parents: «Ne vous inquiétez pas si vos enfants ont de mauvaises notes, c'est le passage en seconde, le changement de niveau, c'est normal!» Ils craignent de «faire aux enfants des réflexions» qui seraient mal prises. Et les médias se font l'écho de faits divers qui encouragent peu à embrasser la carrière d'enseignants : professeurs battus, insultés par les parents eux-mêmes parfois, taux de dépression élevé dans cette catégorie socioprofessionnelle.

Ce qui est certain, c'est que les dégâts vont s'accentuer si les parents persistent dans la surprotection, car ainsi, peu à peu, ils vont poser tout autour de leur enfant un cordon protecteur censé le prémunir contre tous les supposés dangers : le copain de la crèche, l'éducateur, le professeur, l'Autre en général. On imagine alors cet enfant devenu tout puissant et en même temps si fragile et dépendant... au centre de son cordon. Ce qui augure de l'avenir.... Hors du cordon point de salut, et à l'intérieur du cordon, quel enfermement !

Voici donc comment, en étant parent, on peut emprunter une voie sans issue alors qu'on était parti avec en tête un tel désir légitime de bien faire. Car ces enfants protégés, surprotégés[10] peuvent devenir ces adolescents à problème que nous rencontrerons plus tard dans notre étude, parce qu'il est bien entendu que les pires maux de l'adolescence ne naissent pas spontanément avec elle. Ils sont en sommeil (ou en éveil) chez le petit enfant et heureusement, cette période difficile est parfois le moment où les problèmes de l'enfance trouvent l'occasion de se résoudre. Malheureusement, elle est aussi le moment où ils peuvent s'amplifier. Gardons bien en mémoire, toutefois, qu'une éducation bien conduite pendant l'enfance, si elle n'évite pas la crise d'adolescence, est un facteur de passage facilitant et qu'il peut exister des adolescences sans drame, ou sans trop... de drames. Juste quelques ajustements qui demandent des efforts de part et d'autre : des parents comme des enfants. Mais examinons-le un peu à la loupe, cet ado qui est le nôtre, ou le vôtre, et que nous aimons. Oui, plaçons-le sous le microscope, observons ses comportements bizarres et surprenants, comme le font les entomologistes avec les coléoptères...

_____

10. Il est à noter qu'à l'autre extrémité, les enfants dont on ne s'occupe pas vont également devenir des adolescents à problème.

CHAPITRE 2

L'ado sous la loupe

Le voilà donc, ce mutant... Après tout ce que nous venons de dire, le cercle de famille n'applaudit pas obligatoirement à grands cris. Récapitulons.

Il est plutôt grand, plutôt maladroit, plutôt ingrat, ou elle est plutôt jolie, plutôt très bien vêtue. En fait, elle peut aussi être en guenilles, en noir, en gothique ou en lolita. Il peut être beau comme Dionysos, ou plein d'acné. Elle peut être grassouillette, ou bien une crevette. Elle se regarde dans tous les miroirs, se trouve laide... Il vit dans sa chambre. Elle est sans arrêt au téléphone portable. Il n'y a pas d'ado type, mais des types d'ados, selon les modes et leur modèle d'identification. Nous abandonnerons les descriptions, car nous serions déjà hors course quand le livre paraîtra, les modes changent très vite et comme ils ont la dent dure, nous écoperions d'un : « Beuh, quelles ringasses ! » De même, nous ne reproduirons pas leur langage, ils détestent cela. Et si nous l'employons, ils nous retournent d'un air outré : « Comment tu causes Man ! » Sachez pourtant qu'ils nous paraissent souvent très créatifs et que nous les admirons souvent d'oser. Oser, rompre, inventer, mélanger les styles... Ils donnent de la vie à la maisonnée et aussi à nos salles d'attente. Car enfin les voici avec leurs petits et grands problèmes lorsqu'ils consultent, traînés par leurs parents.

Dès le début de ce livre, nous avons émis l'espoir que vous, lecteurs, n'irez jamais chez le psy avec votre enfant, même si vous êtes aux prises avec un ado. À cette fin, nous comptons bien démêler le normal du pathologique. Beaucoup de difficultés de cet âge délicat, où plus que jamais la présence et l'écoute des adultes sont indispensables, sont générées ou aggravées par un problème de relation et de communication avec les adultes justement, parents et enseignants. Les brèves saynètes que nous évoquons en ce début de chapitre sont des ébauches et rendent compte, par petites touches et de façon imagée, de la palette de comportements que l'on peut observer dans un cabinet de thérapeute, représentatifs d'un malaise adolescent plus ou moins profond, ou plus ou moins agressif pour les nerfs des parents...

PETITS ET GRAVES PROBLÈMES MÊLÉS, TELS QU'ILS NOUS SONT RAPPORTÉS

Il ne fait plus rien à l'école, sèche les cours, fume des joints, ne parle plus, vit dans sa chambre. Elle ne mange qu'une feuille de laitue par jour, et jamais à la table familiale, elle est obsédée par son corps, son image. Il fugue. Elle est dépressive, agressive, violente. Résultat de tout cela, une voix tendue nous demande un rendez-vous de toute urgence.

À notre « allô » très professionnel, la voix susurre immédiatement : « ... J'ai des problèmes avec mon adolescent, je ne peux plus rien en tirer... c'est urgent. » Nous, la psy habituée à l'urgence, mais jamais blasée : « Voulez-vous un rendez-vous ? » « Eh bien, je ne sais pas. Faut-il qu'il vienne avec moi ? » Nous, malgré toute notre pratique, toujours déconcertée : « C'est mieux peut-être ? »

Nous entendons ce que la voix ne nous dit pas : que ma foi, si c'était possible de ne pas venir, mais simplement de raconter là, sans se voir, la dispute d'hier soir... ça ferait aussi bien l'affaire. De raconter aussi comment cet ange s'est transformé en démon. Comment en si peu de temps, l'enfant qui faisait le compliment : « Ma Maman chérie, tu es la plus belle du monde, je t'aime et t'aimerai toujours » pour la fête des Mères, s'est transformé en plantigrade grognon ou muet, et en provocation ambulante, le cheveu long et poisseux et le pantalon au ras des fesses. Comment cette adorable petite fille qui essayait ses robes et ses chaussures à talons aiguilles, la trouve soudain très pathologique cette mère, pour ne pas dire «nulle à chier», l'appelle «la vieille», quand elle ne l'affuble pas de surnoms encore plus gracieux. «Je ne sais plus quoi faire, je ne peux rien en tirer.» Voici la phrase clé. Notez que le rendez-vous n'est pas encore sûr! Demain ou tout à l'heure on nous rappellera peut-être pour annuler: «Vous comprenez, il ne veut pas, il dit qu'il n'est pas fou! Mais je peux venir seule?»

C'est ainsi que l'ado, avec ou sans famille, se retrouve un beau matin dans notre bureau. Et c'est ainsi que nous assistons à un psychodrame dont il va falloir au plus vite démêler les premiers fils. Et rencontrer, connaître l'adolescent. En guise d'exemple, nous vous proposons quelques cas d'école.

Cette petite énumération pour insister sur la diversité des causes de consultation mais aussi pour dire que tout cas est UN en soi, qu'il ne ressemble à aucun autre, que les relations déjà construites sont uniques, que le psy doit s'efforcer, faire l'effort d'être à l'écoute de façon singulière, paradoxe pour nous qui essayons ici de placer l'ado dans une classification et de donner des conseils généraux! Même si ce livre n'est pas destiné aux professionnels, nous jugeons important de le dire, pour que chaque parent soit conscient que ce qu'il vit avec son adolescent est comparable à ce que d'autres parents vivent avec les leurs, mais aussi que son enfant ne saurait être catalogué et enfermé dans une définition unique: «l'adolescent». Nous entendons: «Ah ben oui! C'est un ado!», or l'adolescent est multiple, comme toutes ses mues successives.

Rendez-vous numéro 1 : le bel indifférent

Il est beau comme un dieu, cheveux longs et blonds, un sourire ravageur. Il a 16 ans, il vient de se faire renvoyer de l'école. Il s'en fiche, d'ailleurs. Sa mère vient de nous révéler que les éducateurs de nos jours ne valaient pas grand-chose... Vraiment, comment peut-on faire confiance à des adultes qui ne tolèrent pas l'insolence!

Nous ne disons rien (chose normale et connue, les psys sont payés pour ne rien dire). Pour le moment, son sourire disparu, la gueule d'amour contemple, l'air accablé, les rayons de notre bibliothèque, le regard dans les brumes du nord, et déjà nous voyons s'afficher sur son front lisse sa fatigue infinie et son ennui sans fond… Nous savons qu'il va falloir des tonnes de psychologie et tous les livres de la bibliothèque pour aller à sa rencontre.

Rendez-vous numéro 2 : le corps exposé, le corps qui crie ! Le corps malade

«Je ne comprends pas ! dit la mère, elle se taillade les bras.» Paule tire sur les manches de son pull… Silence.

Ce peut être aussi : «Je ne comprends pas ! dit la mère, elle ne mange plus, vomit tous ses repas, c'est l'enfer !» Anne sourit et hausse les épaules, elle se trouve très bien comme elle est ! Ou bien encore : «Je ne comprends pas ! dit la mère, elle ne veut pas sortir, car elle se trouve laide !»

Retenons ce «Je ne comprends pas…» Qui revient comme une rengaine. Bien sûr qu'on ne comprend pas. Si on comprenait, le problème n'existerait pas. Ces enfants ont tout pour être heureux, voyez-vous ! Sauf ce qui leur manque.

Rendez-vous numéro 3 : l'ado muet

Les deux parents sont présents. Ils parlent de leur fils, assis entre eux deux, comme s'il n'était pas là : « « Il » ne parle plus, «il» ne sort plus de sa chambre !» Nous finissons par demander comment se prénomme «ce grand jeune homme».

Rendez-vous numéro 4 : au bord de l'explosion, ou tous aux abris !

Les deux parents ont l'air exaspérés et très en colère, la jeune fille au moins autant. Les yeux brillent de part et d'autre, la violence se fait palpable, des éclairs traversent la pièce et c'est nous, la psy, qui songeons à nous réfugier sous le bureau !

Rendez-vous numéro 5 : le «petit divorcé»

Dans ce cas tout peut arriver, que les parents sans faire cas le moins du monde de l'enfant se disputent comme des chiens pour la pension alimentaire ou, qu'au contraire, ils se soucient à l'extrême des angoisses de leur enfant qui ne dort plus et s'inquiètent sur sa capacité à accepter les faits au point de lui demander l'autorisation de divorcer. Ils nous demandent : « Croyez-vous que notre séparation va le traumatiser à vie ? Ou bien « Et si on continuait à vivre sous le même toit pour ne pas bouleverser ses habitudes ? »

Rendez-vous numéro 6 : le disparu

Il y a bien sûr le spécial cas numéro 6, mais son protagoniste n'est pas dans le cabinet du psy, il erre en danger quelque part dans la ville ou à la campagne, délaissé, fugueur, en rupture avec tout un environnement social inacceptable. Il a rompu avec sa famille et essaie, dans un ailleurs, un autre milieu, de trouver sa place. *Dealer*, drogué, alcoolique, il a choisi la fuite. D'autres fois – par bonheur –, il a trouvé sa moitié, une belle histoire d'amour comme dans les livres, et il est parti de la maison pour la vivre pleinement. Au diable le lycée et son avenir, il veut vivre ! Comme un grand…

Comme un grand, c'est ce que veut l'ado et c'est pour cela qu'il crie. Une seule statistique, comme nous l'annoncions dans le prologue : 75 pour cent des ados vont bien et 25 pour cent ne vont pas bien. Ce sont ces 25 pour cent qui sont plus particulièrement concernés par les pages qui vont suivre.

Leur dénominateur commun est la souffrance, souffrance parce qu'ils n'arrivent pas à passer de l'autre côté, le côté où il y a du sens, celui où on se sent vivant… Ils sont entre la vie et la mort, à la recherche de la vie tout en défiant la mort en permanence, dans ce que l'on nomme « les conduites à risque ». Effectivement, on aimerait bien qu'un spécialiste avisé leur tende la main et qu'ils puissent la saisir. En attendant, ils dévissent au bord du précipice et ne veulent pas de nous, ou plutôt, revendiquent la légitimité de leurs comportements et portent comme un étendard leur mal-être. Ils n'ont que lui.

L'ÉCHEC SCOLAIRE

« S'il est tombé par terre, c'est la faute à Voltaire[11] ! » chantait le Gavroche de Victor Hugo, perché sur les barricades d'une très ancienne révolution. Champion toutes catégories des premières consultations : le cancre. Notre société aime désigner des coupables : les professeurs inaptes et ineptes, l'école « usine à crétins », les couches de soutien scolaire empilées sans succès, les mille et une réformes qui n'améliorent rien, nous connaissons aussi cette chanson plus contemporaine ! Tiens, justement, ces réformes paraît-il insensées et que nous voyons défiler en grand nombre en France ont tout de même un grand mérite : elles expédient tous nos enfants dans la rue. Elles les fédèrent. « Tous ensemble, ouais, tous ensemble ! » Enfin un cri de ralliement : « Tous ensemble, ouais ! », pour mettre le ministre au piquet.

En réalité, au moins la moitié des consultations tournent autour de l'échec scolaire, qui à lui seul nécessiterait un livre entier ! Mais ce n'est pas ici notre sujet, nous l'analysons, et le classons dans les conduites à risque parce qu'il fait symptôme. Il est ce qui apparaît, ce que l'ado expose, un début, une première intention. Il a souvent commencé dès l'entrée à l'école, il s'est aggravé au cours préparatoire et les cours de soutien n'ont pas été opérants. Le malaise peut s'enkyster jusqu'à la rupture et la perte de tout repère et lien social. Il cache alors une souffrance d'une autre nature.

Peu d'ados sont vraiment fiers de cette place, et quand ils la revendiquent, ce n'est que par provocation ! Généralement, l'ennui est cité en premier. Quel cauchemar que ces heures qui traînent en longueur, que cette sonnerie libératrice qui ne vient pas, que ces programmes débiles ! « Qui peut être intéressé par les présidents de la Troisième République française, non mais je rêve ! »

Si ce cauchemar a commencé très tôt, les difficultés d'apprentissage en lecture, en calcul, le manque de base et la difficulté à comprendre l'énoncé quand le vocabulaire est restreint sont des handicaps insurmontables que les professeurs dénoncent très fré-

---

11. Dans *Les Misérables*, de Victor Hugo.

quemment. Mais il peut aussi surgir brutalement chez les bons élèves! Le processus s'amorce en général vers la classe de quatrième, les notes sont moins bonnes mais encore acceptables. Les parents sont pour la plupart assez indulgents, comprenant que l'adolescent a d'autres centres d'intérêt. Il fait du sport, du théâtre. Ces saines distractions sont plus attrayantes, ils le savent bien, ils ont été jeunes aussi! Alors, ils se contentent de remarques gentilles et préviennent en douceur: « Attention tes notes chutent... »

Attention, dit aussi le bulletin: « Ne pas relâcher les efforts », ou « Peut mieux faire » Ah! ce « Peut mieux faire » si désuet, si éculé, que les professeurs s'obstinent encore à employer parce que l'élève a des capacités! Que de troubles il cause! Que de sens il renferme! Il note la désinvolture, la nonchalance, le je-m'en-foutisme. Il promet surtout une bonne engueulade, et creuse l'incompréhension. Il fait dire aux parents: « Tu as les capacités et tu n'en fais rien! » Autrement dit: « Tu es un feignant! »

Enzo, Hugo, Emma et Alice ne se reconnaissent pas dans ce terme, ils font ce qu'ils peuvent, ils croient travailler dur, eux! « Non, j'ai l'impression de travailler beaucoup... moi... », dit l'un. « Je fais ce que je peux... Si tu crois que tu vas me mettre la pression! », dit l'autre à sa mère. Je ne suis pas comme toi: toujours en train de travailler! » Et toc! Ils travaillent oui, mais à leur façon, et surtout, ce travail est trop superficiel. Ça suffit bien d'ailleurs, car il ne faut pas être le premier de la classe. Celui-là est un « con » ou un « vendu » (l'ancien « chouchou » ou « binoclard » d'autrefois). Pire: « C'est un intello! », ça c'est la pire des insultes (sur la vie de ma mère!), tout faire pour ne pas en être un, quitte à s'avaler en intraveineuse toute la série des *Loft story, Secret story, Star Ac'* et *Nouvelle star* (faut suivre et réactualiser!) de la Terre! Oui, parce qu'il faut être solide pour tenir cette place... on entend les remarques assassines: « Oh celui-là, c'est "la tronche", y a rien à en tirer, complètement autiste le mec! »

Petite parenthèse instructive, le crack ne vient pas en consultation, mais nous allons consoler le cancre... Il paie parfois cher ses prix d'excellence. Devenu adulte, il n'est pas rare qu'il confie à quel point c'était dur d'être si brillant. Telle Sophie, excellente élève « malgré elle », qui se faisait pardonner ses résultats magnifiques en passant toutes ses maigres économies à acheter ses amies ! En échange de cadeaux et de friandises, d'anniversaires somptueux où tout le monde se régalait tout en se moquant d'elle, elle était tolérée. Tolérée, mais pas dupe… et tellement malheureuse…

Dure leçon de la vie, cette fois ! On lui avait donc menti, être bonne élève ne permettait pas l'intégration, ne garantissait pas l'amour des petits copains. Il fallait encore autre chose. Et comment parler de cette solitude, de ce rejet… Monnayer, quémander de l'amour. Non, la place de l'excellence n'est pas plus confortable que celle du cancre. Sauf qu'elle handicape moins l'avenir professionnel.

Si le premier n'est pas envié, en revanche, il reste quelques bonnes places. Celle du pitre, celle de l'insolent sont en général appréciées et forcent l'admiration des copains, le « cacou », comme on dit en Provence. L'ado qui s'y place trouve un grand soutien. Il existe, il se fait remarquer, il sort de l'anonymat, il est applaudi, il est populaire. Il est porteur d'un drapeau, il défie les grands, il a l'audace et le courage. Il est grand.

Étrange paradoxe, puisque c'est exactement cette « grandeur-là » que les grands détestent et nomment « insolence » et qui, à ce titre, sera réprimandée. Comment s'y retrouver ? Quelle différence y a-t-il entre insolence et humour, entre être impoli et réactif ? Ces nuances ne sont pas faciles à percevoir pour l'ado ! Combien de fois avons-nous entendu qu'il ne comprenait pas pourquoi il était puni. « Moi, je n'ai pas voulu dire ça ! Et puis, Man, si tu la connaissais ma prof de français, c'est une psychopathe, tout le monde le sait, elle est hystérique et s'énerve tout le temps ! » Oui mais les adultes sont susceptibles, mon gars, et parfois fragiles avec ça et bien souvent pointilleux en plus. Les adultes sont les adultes ! Donc, le zéro de conduite ne passera pas mieux auprès des parents que le zéro en maths, qui passe très mal depuis que l'Éducation nationale en a fait bon gré mal gré un critère de sélection. D'ailleurs, en France, depuis quelques années, a été instaurée une note de conduite qui compte dans la moyenne, cela s'appelle la note de «vie scolaire». Elle évalue le comportement de l'adolescent au sein de l'établissement.

Quand les notes baissent, le bon parent va se transformer en précepteur. Et là, tout peut arriver, le meilleur comme le pire, c'est selon! Pour certains ados qui se pensaient délaissés, c'est tout bon de récupérer maman et papa, d'ordinaire si occupés, si peu disponibles et de les voir sécher sur le moindre problème, de les prendre en flagrant délit d'incompétence! Et que dire quand la copie faite par Papa va écoper d'une mention très passable: «Tu vois, je te l'avais dit que ce prof peut pas me saquer! T'as vu, même quand c'est toi qui as travaillé!» Ouais, bon... nous voulons bien, mais c'est surtout que le père est complètement *lost*: le temps a passé.

Ainsi, nous avons souvent vu des parents faire l'effort méritoire de reprendre carrément leurs études, à raison de plusieurs heures par jour, pour aider le petit, qui peut tranquillement bailler à son aise pendant que le grand sue sang et eau sur la métaphysique kantienne... Refaire l'école à la maison ce n'est pas une vie, croyez-nous, et surtout ce n'est pas la solution! Surtout quand le petit... euh le «grand» n'est même pas coopératif: «Si tu crois que je vais recopier tout ça! Non, mais tu as vu tout ce que tu as écrit... Abrège, parce que le prof, il lit que la première page.» Aïe, si le parent accrédite l'idée que le prof ne fait pas son boulot!

Vous voilà prévenus. Mais peut-être que votre courage l'impressionnera et que vous y gagnerez un peu de compassion! «Mon *pater* il est endurant, la vache!» Trois heures sur le devoir de physique peuvent vous redorer le blason, surtout si vous décrochez la bonne note... ce qui n'est pas gagné! Hélas! la plupart du temps, l'expérience est vouée à l'échec.

Plus haut, nous avons signalé que l'ado pense travailler dur. Nous en avons souvent rencontré qui passent des heures à leur bureau sans pouvoir se concentrer, d'autres «qui rêvent», d'autres qui «croient savoir» et qui «ont oublié le jour J». Peu ont intégré la bonne méthode de travail, celle qui est efficace et qu'il faut trouver, car elle n'est expliquée nulle part parce qu'elle est personnelle, absolument personnelle. Et cessons de dire et de croire qu'elle s'acquiert, qu'elle s'enseigne. Non, elle est presque spontanée, presque innée. Désolées! C'est là qu'est l'injustice. Certains la trouvent très tôt, d'autres ne la voient jamais. Et pourtant elle existe mais, pour ces derniers, c'est comme si elle flottait dans l'espace, introuvable. Comment travailler si l'on n'a pas trouvé l'outil? Faut-il étudier avec un papier et un crayon, faut-il tout écrire, faut-il apprendre par cœur?

Notre réponse va ressembler à celle donnée à la question sexuelle ou à celle, existentielle, du bonheur: «Cherche, toi seul le sais et si tu t'y arrêtes une seconde, tu vas trouver ce qui TE convient... il faut juste que tu en aies le désir et que tu acceptes la règle du jeu et le minimum de frustration qui va avec avant d'y trouver le fameux plaisir du travail bien fait! Un délice de fin gourmet, tu verras!» C'est la seule réponse que nous voulons donner tellement le sujet est épineux. Le désir et l'amour... la curiosité peut-être?

Ce n'est pas facile, le travail scolaire demande beaucoup d'efforts, les programmes sont lourds. Les élèves n'en voient pas toujours l'intérêt: «À quoi ça sert que j'apprenne l'histoire, je n'en aurai pas besoin!» Intérêt que nous ne prenons pas la peine de leur expliquer la plupart du temps. Quant aux langues anciennes, n'en parlons pas, limitons la casse! Ils le disent et le croient très sincèrement: «Qu'est-ce qu'on s'en tape de Voltaire, et d'abord dans quelle langue il parle celui-là, on comprend pas la moitié des mots! Et qui c'est cette coryphée[12]? D'où elle sort celle-là? Elle est pas dans la distribution?»

Oui c'est vrai, on s'en tape... Dans le fond, ils nous convaincraient presque ces enfants. Surtout quand nos chefs d'État le confirment! À quoi cela va-t-il bien pouvoir leur servir dans ce monde d'aujourd'hui et de demain? Pourquoi apprendre des choses inutiles? La réponse est dans la question. Pour rien et... pour tout! Leurs questions sont toutes simples, mais nous n'y répondons pas.

---

12. Le coryphée est le chef de chœur ou le chœur dans son ensemble dans les pièces du théâtre antique grec.

Comment expliquer que l'enseignement est un tout, que tout va et doit servir ? Comment leur faire comprendre que toutes ces choses servent à former une tête « bien faite », comme le disait Montaigne – eh oui, celui-là aussi, il date ! Même si elles semblent la remplir et l'encombrer pour rien, de prime abord, cette tête ? Comment leur dire que c'est encore la culture générale qui leur sera d'un grand secours plus tard, quand il s'agira d'avoir de bons exemples pour comprendre la vie ou l'amour ! Certains parents, en toute bonne foi, sont souvent du même avis que leurs rejetons, ayant eux aussi bien souvent émis les mêmes soupirs lors de leurs humanités. Quant aux autres, ceux qui ont pigé et conscientisent leurs manques, ce n'est pas mieux ! Leur attitude est pleine de ces regrets-là : « Surtout, ne fais pas comme moi, tu t'en mordrais les doigts ! » Ces mises en garde résonnent comme une menace guère stimulante. Qui voudrait apprendre sous la menace ? Qui, surtout, y trouverait de la joie ? Les joies de l'esprit ? Ah dites-vous, les joies de l'esprit ! Eh oui…

L'échec scolaire est impitoyable et souvent irréversible. Heureusement, la vie ne se bâtit pas sur la seule réussite scolaire et l'on assiste à de formidables résiliences et retournements de situation. Et pour nos ados, tout n'est pas terminé, ils sont jeunes eux ! Tout peut encore commencer. Quand ? Quand ils seront prêts à faire des compromis avec ce monde de brutes ! Leur prodigieuse mémoire pour les résultats du foot va alors fonctionner aussi pour les maths. Leur curiosité enfantine n'est qu'en repos, elle sommeille, prête à refaire surface, toute neuve. D'ailleurs, combien d'heures passent-ils sur leur ordinateur ? L'école est-elle plus difficile ? Non, bien moins. Mais elle ne s'inscrit pas obligatoirement dans un paysage heureux, dès que le collège arrive et que le vrai travail, ardu et difficile, commence à s'imposer. Parce qu'à cet âge-là, il y a mieux à faire ailleurs et qu'ils peuvent vivre d'autres expériences beaucoup plus amusantes et stimulantes.

Matéo, 15 ans, et partisan sans le savoir (il le jure !) de la philosophie hédoniste, déclare très sérieusement, car il a beaucoup réfléchi à la question pendant toutes ces années de collège où, telle une épée de Damoclès (tiens ? Qui est-ce celui-là, encore un vieux

Grec ? Ils sont partout décidément !), la menace systématique du redoublement a plané sur sa jeune tête : « Dans la vie, on devrait commencer par s'amuser quand on est jeune et après seulement, quand on est vieux, aller à l'école pour y apprendre tout ce qu'il y a à apprendre ! » Oui, c'est vrai, on l'a déjà dit, il y a mieux à faire... Mais alors, à quel moment caser l'apprentissage, mon grand, quand tu seras marié et père de trois enfants ? Ceux qui le font méritent tous nos applaudissements, car à ce moment-là, il faut tout mener de front : la vie professionnelle, les enfants, le couple... heureusement le désir les habite désormais. Nos « petits » veulent bien grandir, mais ils pensent encore que grandir est synonyme de LIBERTÉ, une liberté sans contrainte, celle qui n'existe pas mais à laquelle ils s'accrochent naïvement.

Pour les convaincre, les parents brandissent souvent la perspective du chômage. Les enfants de cette génération connaissent bien ce fléau. Certains l'ont vu s'installer, durablement hélas ! dans leur famille, chez un père ou une mère parfois très diplômés... Mais cette menace a été pipée par le fameux « diplôme ou pas, chômeur quand même ». C'est hélas vrai ! Combien de formations littéraires ou de sciences sociales débouchent sur un emploi ? Combien de docteurs ès lettres pointent à l'ANPE[13] ? On a tendance à conclure, même si ce n'est pas tout à fait vrai, que les diplômés sont au même rang que les jeunes sans formation. « Trop de diplômes pas assez d'expérience », leur disent les employeurs ou « Surdiplômés pour ce poste, vous nous coûteriez trop cher ! » leur font-ils comprendre. « De l'expérience, mais pas assez de diplômes », assènent-ils aux autres. Rien ne va jamais.

« Comment vivras-tu ? » osez-vous demander à l'ado. « Je m'en fiche, on verra plus tard, le fric. Le fric, c'est pour les cons. Moi, j'ai besoin de rien pour terminer au chômage comme tout le monde ! Le RMI[14] me suffit... » Au même instant, votre regard s'accroche sur les baskets grand luxe qui vous font la nique, modèle porté par

---

13. En France, Agence nationale pour l'emploi.
14. En France, Revenu minimum d'insertion.

la dernière vedette de la *Nouvelle Star*, le pull siglé, le pantalon qui coûte un mois de loyer à lui tout seul... Mais vous êtes une bonne psy, vous allez vous taire, vous savez qu'il va falloir ramer dur pour que ces contradictions émergent à la conscience du «petit». Il est honnête, il pense vraiment que vivre avec le minimum est possible. Expédions-le au supermarché...

Quand nous avons connu Clara, elle était en échec complet. Tous les profs étaient des ânes (nous adoucissons le qualificatif). Rien ne servait à rien! Aujourd'hui, après de nombreuses valses et hésitations, elle reprend ses études. Cinq années ont passé, elle doit passer l'examen d'entrée à l'université, mais désormais rien ne lui fait peur. Son cas est suffisamment fréquent pour être cité en exemple. Qui a dit que souvent l'ado varie? On pressentait dans ses colères une grande soif de savoir. Elle était collée au poste de télé et ne regardait que les plus belles émissions d'Arte[15]. Les déboires avaient commencé dès les premières classes. Difficultés avec la maîtresse? Difficultés avec le groupe? Une multitude de petites choses qui font un tout. Elle n'aimait pas l'école. En France, l'Éducation nationale n'aime pas les récalcitrants: la loi du grand nombre prévaut. On ne peut pas lui en vouloir, encore que...

LA VIOLENCE, LA PETITE ET LA GRANDE...

Première mise en garde parce que ce qui suit pourrait sembler être une charge contre nos ados. Mais la violence se cultive sur terrain fragile, elle a ses raisons, de vraies raisons repérables. Un très bon exemple est donné dans la pièce de théâtre de Jan Guillou, *La fabrique de violence*[16]. Il y a un début à tout. Quelqu'un commence le processus. Dans cette dramaturgie, c'est le père qui rosse son petit pour un oui pour un non, avec le silence complice de la mère qui bat en retraite dans sa cuisine quand le père frappe. D'autres cas

---

15. Chaîne de télévision culturelle franco-allemande.
16. Jan Guillou, *La fabrique de violence*, Paris, Pocket, collection blanche, 1992.

font tous les jours la une des journaux, enfants enfermés, enfants battus... L'injustice engendre la violence, qui se reproduit ensuite...

Clara pourrait encore nous servir d'exemple, tant elle a retourné contre les autres et elle-même sa folle colère. Elle se battait avec ses camarades, insultait quiconque la contrariait, ne supportait aucune réflexion, séchait les cours, a connu trop de conseils de discipline et de renvois. À la maison aussi, la violence était la règle. En résumé, elle était rejetée de partout, y compris par sa mère, pourtant dernier bastion patient et intelligent...

La violence vis-à-vis des parents

Des cas semblables sont fréquents, et il n'est pas rare de voir des parents totalement traumatisés par leur enfant qui règne en maître. Des parents qui sont la proie d'odieux chantages qui font remonter la culpabilité ou des peurs paniques : que l'enfant se tue ou menace de le faire, qu'il commette des actes graves, qu'il fugue.

Les échanges violents avec l'adulte commencent en général pour des sorties refusées ou des désirs non exaucés. « Ne me regarde pas avec cet œil noir ! » dit un père à son fils, dont les yeux clairs se sont tellement assombris qu'ils n'augurent rien de bon ! Parfois c'est plus dur : « Si tu me laisses pas sortir, je casse tout, je me jette par la fenêtre, tu le regretteras, tu n'avais pas à me faire naître, je n'ai rien demandé... Tu dois me supporter ! »

Les ados aiment le théâtre et ne reculent pas devant la tragédie. Le malheur est que parfois ils mettent ces menaces à exécution. Voilà pourquoi nous nous laissons prendre et l'on comprend que les plus désarmés des parents cèdent, remettant le salut de leur enfant entre les mains du hasard. Les thérapeutes spécialistes des problèmes familiaux sont persuadés que la violence dans la famille elle-même croît. Les enfants, frères et sœurs, reproduisant les comportements de l'école, se battent comme plâtre, au point qu'il faut les séparer. Ils se parlent sans aucun égard, usant de mots crus... la politesse va aux oubliettes ! Ils s'adressent à leurs parents de la même façon. Pas de jaloux !

Chantage, cris, tout était bon pour Félix, qui s'adonnait à diverses drogues. Pour se procurer l'argent de ses doses, il volait sa mère et le livret de caisse d'épargne de sa petite sœur, qu'il terrorisait. Quand il ne trouvait plus rien, il menaçait sa grand-mère qui cédait et lui donnait l'argent. Nous avons aussi vu Richard, signalé aux services sociaux parce qu'il jetait les plats à la tête de sa mère lorsque le repas ne lui convenait pas et que la journée avait été copieusement arrosée de bières. Et hélas beaucoup d'autres cas !

Le drame est que cette violence se retourne contre celui qui l'exerce, avec son lot de culpabilité. Il ne faut pas craindre de la stopper pour le bien même de l'acteur. C'est vrai qu'il n'est pas facile de lire cette soudaine haine dans les yeux de nos enfants contrariés et que nous sommes sensibles à leurs pleurs, habitués à répondre à tous leurs désirs. Le processus commence d'ailleurs bien avant l'adolescence, dès leurs premiers vagissements. Qui n'a pas vu un bambin se rouler par terre au supermarché du coin ? Et qui n'a pas dit, en le voyant, que cet enfant était vraiment mal élevé ? Puis, c'est notre tour, et nous ne trouvons pas plus que la mère que nous avons fustigée la réponse adaptée !

La violence grave, ou le passage à l'acte

La violence grave, c'est celle de ces récits de tueries que les médias nous rapportent, ces ados tueurs, cet adolescent de 17 ans qui a fait irruption, en 2009, dans son lycée en Allemagne et qui a tué 15 de ses camarades. Le profil, habituellement, est celui d'un « adolescent fragile », comme on dit, toujours en rupture avec la société. Celui-ci avait annoncé son geste la veille sur Internet, donnant l'adresse de son lycée et l'heure à laquelle il allait perpétrer sa tuerie. « J'en ai marre, on ne reconnaît pas mon potentiel ! » avait-il écrit sur son blog. L'adolescent, qui était suivi pour dépression à l'hôpital, avait arrêté son traitement. Il avait des armes à feu chez lui. On retrouve souvent cette familiarité avec les armes à feu chez ces ados tueurs : des parents chasseurs de gibier, un goût pour les jeux vidéo très violents, ainsi que pour les films d'horreur.

Un psy interrogé après le drame a dit très justement : « Il faut essayer de discuter à l'école pour qu'on ne reste pas sur une sensation de violence ou d'incompréhension. Il faut désamorcer les situations dans le cadre de l'école. Souvent, ces adolescents sont les têtes de Turcs de leurs condisciples, voire des professeurs. Insultés, tabassés par les autres élèves, ils conçoivent alors une haine contre l'humanité et un désir de vengeance. Ce sont des personnalités plus ou moins fragiles, s'identifiant à un « maître » bien souvent hyperviolent, parfois même adeptes du satanisme, fascinés par le mal, ayant déjà des passages à l'acte à leur actif. Les parents, comme les autorités ou les psys auxquels ils ont eu affaire, ont cru voir dans leurs actes « des conneries d'ado ». Mais dans ce cas, c'est autrement plus grave. Quelque chose est en route. Les parents occupés ne voient pas que le comportement change, qu'une espèce de délinquance se met en place et va en *crescendo*. Cela peut commencer par une escalade verbale ou des incivilités à l'égard des professeurs. Parfois, le jeune influençable fait une mauvaise rencontre, subit une mauvaise influence. On croit calmer le jeu avec des antidépresseurs, mais le dépressif ayant développé une grande indifférence à l'humanité et n'accordant plus d'importance à la vie nourrit une rage latente et se vengera avant de se donner la mort, exécutant un plan. Un chagrin d'amour peut avoir un effet déclencheur. Ces folies non détectées peuvent concerner des jeunes issus de familles dites « cultivées », des « fils de famille », selon l'expression consacrée. Les parents ne sont pas forcément mal traitants ou indifférents, mais il arrive qu'ils pratiquent le déni, ne veulent pas voir, ni reconnaître que leur enfant se trouve en grande difficulté. Loin de nous le désir de culpabiliser les parents, mais de les alerter raisonnablement.

En effet, tous les jeunes qui jouent aux jeux vidéo et regardent des films d'horreur ne sont pas candidats à perpétrer un massacre. La plupart savent faire la part du réel et du virtuel. Un de nos fils, qui « dégommait » régulièrement sur Internet un nombre incalculable d'ennemis cachés en embuscade dans des jeux de guerre et qui, piégé lui-même, était pareillement mort mille fois, était rentré tout retourné à la maison parce qu'il avait assisté à une scène de rue qu'il avait qualifiée d'horrible : un homme était sorti de sa voiture pour battre une femme en vélo parce qu'il s'était senti gêné par elle dans une manœuvre quelconque. Notre fils faisait bien la part du réel et du virtuel.

Au-delà de la fréquentation des armes à feu dans leur famille – car certains jeunes, qui n'en ont jamais vu chez eux vont se fournir sur Internet ou auprès d'autres jeunes –, on peut trouver aussi la cause de cette violence extrême et de ces passages à l'acte sur autrui, qui relèvent de la pathologie, dans l'histoire même de ces adolescents. C'est pourquoi la réglementation sur la diffusion des armes à feu et la traque des sites Web incitant à la violence ou à la haine, si elles sont indispensables, ne suffisent pas à enrayer ce phénomène.

Cette violence peut trouver sa source dans un manque d'amour, un manque d'attention, un manque de douceur ou de reconnaissance de la part des parents, qui sont à incriminer. C'est l'interprétation que semble faire l'Américaine Lionel Schriver dans son roman épistolaire *Il faut qu'on parle de Kevin*[17]. Elle y raconte l'histoire d'Eva, une intellectuelle qui interrompt sa vie de globe-trotter pour faire, à 37 ans, un enfant pour son mari. Seize ans plus tard, Kevin, son fils, va tuer neuf personnes de son lycée. Inspiré de la tuerie de Columbine, aux États-Unis, perpétrée par deux adolescents et qui fit 13 morts et 24 blessés en 1999, ce roman coup-de-poing pose les questions de la responsabilité des parents et de la société dans la fabrication d'adolescents tueurs. Au travers de lettres qu'elle écrit au père de Kevin, dont elle est séparée, Eva essaie de retracer les années qui se sont écoulées depuis la conception de leur enfant. Elle n'arrive pas à s'attacher à ce bébé qui, très tôt, lui paraît malveillant. Pour elle, s'il crie dans son berceau, c'est de rage et non de faim. Elle ne sait comment punir cet enfant très intelligent qui oppose un calme zen à toute privation. On ignore si elle n'invente pas cette malveillance pour justifier cette incapacité à aimer son fils.

---

17. Lionel Schriver, *Il faut qu'on parle de Kevin*, Paris, Belfond, 2006.

Elle dit qu'avant la maternité, elle imaginait qu'avoir un enfant était comme avoir un chien intelligent. Mère et fils vont se livrer à une guerre sans concessions. Le mari ne perçoit pas les comportements anormaux de son fils et met tout sur le compte de l'absence d'amour de sa femme. Cette même idée de duel mère-fils se retrouve inversée dans deux autres romans français devenus des classiques du genre, *Vipère au poing* d'Hervé Bazin[18], et *Noces barbares* de Yann Queffélec[19], des livres où la mère, qui n'arrive pas à aimer son fils, met en danger la vie de ce dernier. Dans le roman de Yann Queffélec, Nicole n'a de cesse de faire passer pour fou son fils Ludo, qu'elle a eu à 16 ans des suites d'un viol collectif, et de le faire enfermer dans un hôpital psychiatrique. Ludo étranglera sa mère, venue le chercher pour l'y conduire, dans un ultime passage à l'acte qui lui permet d'avoir enfin pour lui tout seul celle qui ne lui a jamais adressé le moindre geste de tendresse et pour qui il représentait une malédiction. Dans *Vipère au poing* d'Hervé Bazin, récit autobiographique de la lutte acharnée que le petit Jean a dû mener contre sa mère pour ne pas être envoyé en maison de redressement, l'enfant n'est pas passé loin du matricide. Au moins l'avait-il préparé. Il s'entraînait sur des oiseaux qu'il jetait violemment à terre. Il s'efforçait de devenir méchant et se servait de cette haine comme d'une boussole dans sa vie. Mais, cette fois, réjouissons-nous d'une superbe résilience car, dans la réalité, le petit Hervé n'est pas devenu un tueur, mais un écrivain célèbre qui eut sept enfants choyés.

Reste que la réalité égale et dépasse souvent la fiction et que la question est toujours d'actualité avec la persistance de ce phénomène aux États-Unis et au Canada, qui tend à se répandre également en Europe, plus récemment. Il semble malgré tout que les sociétés où les armes sont en vente libre, comme aux États-Unis, où cela «pétarade» très facilement, produisent davantage de ces adolescents tueurs. Phénomène aujourd'hui relayé par celui des «pères» tueurs, qui, frappés de plein fouet par la crise économique

---

18. Hervé Bazin, *Vipère au poing*, Paris, Le livre de Poche, 2004.
19. Yann Queffélec, *Les noces barbares*, Paris, Gallimard, coll. folio, 2003.

mondiale, perdent leur emploi et sont eux aussi victimes d'une forme de rejet! Quant à l'amour maternel, nous avons longuement expliqué dans un autre ouvrage qu'il n'était pas la règle et souffrait beaucoup d'exceptions[20]. Pour autant, tous les enfants peu aimés, mal aimés ou non aimés ne deviennent pas des tueurs, Dieu merci! Il faudrait repousser les murs des prisons et des hôpitaux psychiatriques. Qu'ils remplissent les salles d'attente des psys, où le premier sujet de consultation c'est maman, est déjà bien suffisant!

La violence contre les pairs : l'exemple venu d'en haut

La violence contre les pairs est cette violence ordinaire envers l'autre, le même que soi, et nous percevons bien quel apprentissage il faut mettre en place. En un mot : celui du respect. Il faut reconnaître qu'aujourd'hui elle est monnaie courante et fait, ici ou là, la une des journaux dans ses cas extrêmes. Un adolescent s'est fait battre à mort... à coups de marteau. Règlement de compte entre jeunes à ce qu'il paraît. Un autre a pris un coup de couteau pour une histoire de fille... etc.

Se jeter les gommes au visage, comme le disent les professeurs des petites classes, est dérisoire direz-vous! Oui, car il y a violence et violence, nous venons de le dire. Et pourtant toute violence doit être traquée, car aucune n'est anodine et qu'elle en porte toujours une autre, plus grave, en germe. Pour cela, il faut que nous, les adultes, commencions par donner l'exemple. Car la violence que l'adulte peut causer à l'enfant ou à l'adolescent est particulièrement odieuse. Nous qualifierons cette violence de verticale. Elle se cache, ne se révèle que dans le drame. Nous pouvons l'affirmer très fort ici : elle est fréquente. Quelques écrivains ou célébrités ont osé porter témoignage, les oreilles de tous les éducateurs et des psys sont bien ouvertes, la loi est bien en place. Pour les autres, le silence est presque toujours de mise. Depuis cette année (2009), en France, cette violence est vraiment prise au sérieux, comme le sont les victimes elles-mêmes qui ont le droit de se plaindre sans rougir et de

---

20. Véronique Moraldi, *La fille de sa mère*, Montréal, Éditions de l'Homme, 2006.

porter plainte contre leurs agresseurs : 80 pour cent des adultes auraient subi des attouchements dans leur enfance ou leur adolescence.

Alors, comment s'étonner de l'existence des «tournantes», de ce mimétisme, de cette répétition, de ces films tournés lors de viols collectifs que l'on va se repasser à loisir, entre hommes. «On n'a rien fait de mal, c'était pour rire ! » Ils sont étonnés ces ados, quand le juge les inculpe ! Leurs avocats sont toujours sidérés de constater que ces petits accusés n'ont aucune idée du mal commis.

«C'était pour rire ! » On a l'habitude de penser que ces attitudes sont réservées aux habitants des banlieues difficiles. C'est encore faux. Les téléphones et appareils photos peuvent se déclencher dans tous les milieux et nul ne sait comment se finit une soirée alcoolisée, même dans les beaux quartiers. Après tout, les adultes ne consomment-ils pas du sexe sur Internet de façon démesurée ? Voici ce que nous entendons dans nos bureaux insonorisés : des tentatives de viol, des attouchements, des gestes obscènes, des mains levées trop lestement. Oui, beaucoup d'ados sont victimes de nos problèmes d'adultes et, parce qu'ils sont honteux, ils n'osent même pas porter plainte et à peine se confier. «Mon prof de gym, (mon prof de piano, mon oncle…) se permet des gestes déplacés » ; «Mon père me tabasse et tape ma mère quand il boit. Le lendemain il pleure et il s'excuse en m'embrassant… »

La violence qui peut naître alors est multiforme : elle peut être contre soi ou contre la société. Elle a tous les visages. Il y a la violence de la bande contre la bande ennemie, au couteau, à la batte de baseball, celle qui tue et fait la une des journaux ! Il y a aussi la petite violence de la récré, bourrade et bousculade. Les collégiens en ont fait un jeu filmé. Ils ont une imagination et une ardeur efficaces pour les idioties ! C'est une sorte de passage à tabac, un rituel archaïque. On se mesure. On fait semblant de croire que c'est un jeu. La cour de l'école est un « ring de boxe, un champ de bataille », nous confiait tout récemment une directrice d'école. Alors, on poste les responsables aux quatre coins… En classe, même problème, on se jette les gommes et les crayons, on l'a vu, au lieu de se les donner normalement! Entendre parler le corps enseignant suscite de l'étonnement, même pour les plus blasés d'entre nous. Ce phénomène va en s'accélérant. Malaise social? Perte de repères? Il faut trouver des réponses. En attendant, il existe des établissements spécialisés pour soigner les enseignants malades de leurs élèves qui les agressent quotidiennement. Un jour, une agression de trop fait déborder le vase et c'est la dépression, ou l'accident, le prof poignardé, la bagarre qui tourne mal... Le suicide de celui qui est agressé ou battu régulièrement sans qu'on le sache.

Pour épater les copains, un adolescent a volé une voiture non loin de son lycée, a parcouru quelques mètres pour finalement perdre le contrôle et faucher un groupe de lycéens. Dans l'accident, une jeune fille a eu la jambe brisée. Quel est cet aveuglement? Que se passe-t-il dans la tête de l'ado à ce moment? Il cherche l'interdit, l'exploit: «Je suis quelqu'un! Je ne suis pas un bouffon!» La décharge d'adrénaline que cela lui procure est plus forte que la peur de la punition! Il faut savoir que l'un de nos quatre cerveaux n'est pas complètement achevé, à l'adolescence, il le sera à l'âge adulte: il s'agit du cerveau préfrontal. En langage simple, c'est le cerveau de la nuance, de la réflexion, de la relativité...

LA DÉFONCE, OU DÉCROCHER TRÈS VITE DE LA RÉALITÉ

De l'alcool au suicide, pour les 25 pour cent d'ados qui en bavent, la liste des dangers est longue. Une étude menée en 2008 par l'Observatoire régional de Haute-Normandie, en France, a montré que les lycéens de la région s'alcoolisaient en moyenne dix fois par an, mais de manière plus dure et plus rapide que sur le rapport de l'enquête de 2003, et avec des alcools plus forts.

L'alcool a toujours été la panacée de la transgression, champion toutes catégories du rite de passage, ami des arrosages des soirs de résultats d'examen où, pour fêter ça, la bière coulera à flots. L'alcool fait partie de notre culture. On arrose tout. Le bébé au baptême a droit au champagne. L'étudiant bizut doit prendre sa «cuite» et rentrer cartable[21]. L'homme, le vrai, doit boire et se mesurer à l'Autre.

Les accidents attribuables à l'alcool sont la cause la plus fréquente de décès parmi les ados. Un vrai fléau que cette manie-là donc, si valorisée que celui qui refuse la règle du jeu sera violemment rejeté. Certains vont s'inventer des maladies de foie, certificats médicaux à l'appui, pour être dispensés de cette torture! Les grandes écoles, pourtant fournies en QI de marque, n'échappent pas à la règle. On ne peut pas parler là d'échec scolaire ni de difficultés sociales! C'est bien de défonce qu'il s'agit.

La biture expresse

Comme nos ados ne manquent pas d'imagination, un nouveau jeu est né, qui fait actuellement fureur et qui porte le vilain nom de *Binge Drinking*. Il consiste à boire le plus possible en un minimum de temps, le gagnant étant celui qui tombe le dernier, mais que les premiers ne verront pas triompher puisqu'ils sont à l'hôpital dans un coma profond! Quelques exemples font la une des journaux. «Incompréhensible», disent les parents! Les ados sont très jeunes, 14 ou 15 ans, sages, souvent bons élèves. Très récemment, dans une ville de province française, quatre jeunes filles de bonne famille ont ainsi atterri aux urgences le matin de la fête de la Musique, qui a lieu tous les 21 juin. Elles voulaient fêter la venue de l'été avec quatre bouteilles de vodka achetées à l'épicerie du coin, un vrai rite païen! La une du journal a consterné les parents. Boire vite, le plus possible, jusqu'à la mort, prendre ce risque insensé. Nous assimilons ce type de conduite à toutes celles qui flirtent avec la mort. Le jeu du foulard, le jeu du train, les rodéos en contresens sur l'autoroute rejouent James Dean et le culte du risque majeur que le héros «nouvelle formule» va relever. Un reportage télévisé récent montrait les préparatifs de ces risque-tout: avant la féria, on remplit un sac ou une outre d'alcool fort, on pose le sac sur son dos et on y glisse un tuyau de plastique qui mènera le nectar à la bouche. Une tétée malé-

---

21. Expression estudiantine qui signifie: ivre, raide comme un cartable.

fique à un sein dangereux! En France, une campagne de prévention vient d'être lancée, les hospitalisations ayant augmenté de 50 pour cent ces trois dernières années.

Bien sûr, ces conduites ont un sens. Elles peuvent traduire une envie de fuir provoquée par une vie morne. Ces jeunes veulent nous montrer leur courage, leur mépris du danger et de la vie. Ils se font chevaliers, mercenaires. Qui osera, qui soutiendra le pari avec désinvolture? Le culte du héros antique s'est adapté et a perdu sa noble cause, il n'en reste qu'un pauvre ersatz. Le *Binge Drinking* est assez proche du «voyage» du drogué et il est plus aisé de se procurer de l'alcool que de la drogue puisqu'on le trouve au super-marché du coin. Malheureusement, peu de marchands refusent ces ventes-là, même à nos «petits». Que dire des *Open Bars*, où l'on boit au forfait, des bistrots où l'alcool est vendu au mètre linéaire à deux pas du lycée? Que dire de nos responsabilités d'adultes? Allez, bois fillette, tu seras un homme! Et cela ne risque pas de s'arrêter en Grande-Bretagne où, dans les clubs, les filles peuvent boire gratuitement puisque ce sont elles qui attirent les garçons.

Pour autant, ne pensez pas que nous sommes des censeurs ab-solus. Les conduites «festives» ont aussi de bons côtés, elles favo-risent la rencontre, socialisent le timide. Oui, elles lèvent les inhibi-tions, font les souvenirs, aident à trouver ses limites. C'est la mort qui se dessine derrière qui nous inquiète. Ces festivités ne nous semblent pas joyeuses. Nous avons recueilli beaucoup de témoi-gnages allant dans ce sens. «Quel intérêt, nous demandent certains, à terminer aux urgences dès le début de la fête?» La plupart du temps, ces conduites seront passagères et justement liées au phéno-mène adolescent. Nous souhaitons qu'elles cessent vite, que nos ados trouvent rapidement les réponses aux questions essentielles qu'ils cherchent dans ce duel «À la vie, à la mort». Notre livre, s'il n'a pas la prétention de les leur donner, en s'adressant aux parents peut permettre de les aider si, à l'issue de cette lecture, ceux-ci com-prennent mieux leurs jeunes.

Un adulte ne peut tolérer sans mot dire ce qui détruit, ni drogue, ni alcool, ni substance dangereuse. Point de morale non plus. Point d'anathème, nous ne sommes pas des saintes. Il s'agit juste de la protection de la vie, de la protection de l'adolescence, comme il existe la protection de la petite enfance. Nous aimons bien l'adage qui dit : «Vivre, c'est risquer, maîtrisons les risques!»

Les deux C : cannabis et cocaïne

Fléau encore que la drogue. En consultation, nous voyons surtout les parents de petits consommateurs ou de nouveaux consommateurs. En général, le lendemain de la découverte de cannabis sous le lit ou après qu'une âme bien avisée a prévenu du danger. L'âme bien avisée est souvent la mère du copain qui en fait autant! Notre rôle est alors de rassurer et de limiter les projections qui montrent, dans l'avenir, le petit troué par des seringues! Cette angoisse est compréhensible car l'histoire peut mal finir, l'escalade est toujours possible. Le milieu dans lequel évolue l'ado est souvent déterminant. La came se vend partout, même dans les quartiers favorisés. Ne croyez pas au lycée chic qui mettra vos enfants à l'abri. Elle se consomme avec des raisons «intellos» qui se déclinent ainsi : curiosité, partage, rite de passage, prise de risques. Nos ados sont très fiers d'en user, ils le disent sans réticences : «Ouais, comme tout le monde. On entre au royaume du danger, enfin on va vivre!»

Les deux champions sont le cannabis et la cocaïne, deux «saletés» très romantiques, fascinantes et espérées. Le bonheur est censé les accompagner, avec tout ce qui se murmure de légendes autour de récits de «voyages merveilleux». La dope est un rêve, une évasion. Qui n'en consomme pas est un niais. «Tu prends une taffe et après t'es bien!» Oui, t'es bien, puisque c'est la vilaine fonction du truc : leurrer avant la «descente».

Allez vous battre contre ce mythe! La littérature qui plaît à nos ados la cautionne parfois. Des Rimbaud, des Baudelaire de notre temps en font la promotion (cf. *Nouvelles sous ecstasy* de Frédéric Beigbeder[22], encore que l'écrivain démontre le caractère dangereux et vain de cette drogue qui détruit les neurones). *Quid* de la géné-

---

22. Frédéric Beigbeder, *Nouvelles sous ecstasy*, Paris, Le livre de Poche, 2000.

ration 1968 qui en a usé, de ses héros, chanteurs si brillants, tombés au champ d'honneur ? La voilà bien ennuyée pour interdire.

Notre drogué de 2010 consomme ces substances dangereuses tôt. Lors des grandes sorties… pour l'ambiance, la plupart du temps avec les copains. Nous connaissons tous le danger des *raves partys* que les ados fréquentent désormais, où circulent des drogues qui sont souvent de mauvaise qualité. Que dire ?

Que nous aurons du mal à tout interdire. Faisons confiance à leur intelligence, mais ne nous cachons pas le danger. Il est à la porte, demain il sera trop tard. Au début, ce sont des expériences, mais les ennuis viennent avec l'augmentation des prises. Bien que l'on reconnaisse communément qu'il n'y a pas de dépendance physiologique avec la « fumette », elle n'est pas sans effet sur le psychisme. Elle éloigne des réalités et occasionne des rencontres dangereuses pour s'en procurer à bon compte. Grands-mères naïves, évitez de garder les pots de cannabis sur vos fenêtres, pour les soigner quand le petit s'absente. Ce ne sont pas des gardénias !

La culture et l'usage du cannabis sont, jusqu'à ce jour, interdits en France. Il semble que peu de gens s'en souviennent. En vendre et en consommer est un délit. Certains médecins pensent que cette interdiction est mauvaise et que la vente libre permettrait de connaître ses usagers et d'agir plus efficacement. Nous ne sommes pas là pour en débattre. La consommation de drogue est souvent le départ du cycle maudit : nécessité d'en acheter, rencontre du *dealer*, essai gratuit d'autres substances « juste pour goûter » et l'engrenage peut suivre… L'attitude des parents est, à ce moment-là, déterminante. Dans la mesure et la cohérence, mais là encore, nous ne donnerons que des pistes de réflexion, tant les solutions adéquates sont multiples et doivent être personnalisées. Nous savons que poser un interdit n'est jamais suivi d'effet, qu'au contraire la transgression est excitante, que diaboliser le phénomène en évoquant l'effet sur la santé est inefficace, que le recours à la loi n'est bon que si… on rencontre de « bons pères » sous le costume des policiers.

Pour comprendre ce qu'il ne faut pas faire, voici un exemple tout récent. Dans un lycée « normal », les gendarmes débarquent un matin d'hiver. Fouilles, suspicions, interrogatoires, tout cela un peu musclé! Résultat : des parents scandalisés, des enfants presque soutenus, un proviseur déconsidéré qui permettait à la Loi une intrusion dans le lycée, une confusion dans les débats, une aggravation des incompréhensions, et enfin, la rupture du dialogue.

Comment faut-il agir ? Pas comme cela en tout cas ! Mais la position des parents qui persévéreraient à donner de l'argent de façon exagérée à leur fils de peur qu'il ne les vole pour acheter sa dose, vous l'imaginez, n'est pas la meilleure non plus ! Un consommateur de cannabis ou d'alcool ment. Il ment pour nous rassurer, pour nous protéger. Il ment parce que son comportement le regarde et qu'il ne veut pas de morale. Ces mensonges sont inévitables, et signe… d'autonomie. Restons vigilants. Dire « Ils fument tous sauf mon fils, car il sait que je ne le supporterais pas ! » relève d'une magnifique naïveté.

Voici quelques chiffres. En France, 40 pour cent des ados de 16 ans ont fumé au moins une fois dans les 30 derniers jours, et 230 décès par année sont dus à des accidents de la route après consommation d'herbe. Pour le plus grand nombre d'ados, leur expérience se limitera à quelques cigarettes fumées dans les soirées joyeuses. Seuls les plus fragiles sont en danger, car ils peuvent être trompés par l'apparent bien-être que certaines substances provoquent et entrer dans le cycle infernal. La cocaïne est encore plus perverse, car elle promet le bonheur. On ne plane pas, on existe dans l'euphorie enfin, comme avec les amphétamines qui dopent physique et moral. Un palier de plus est franchi et les risques de devenir toxicomane augmentent. La dépendance et la séropositivité sont deux conséquences éventuelles qui guettent le toxicomane, mais quand nous leur parlons des risques, nos ados répondent régulièrement qu'avec ce que nous consommons d'antidépresseurs, de somnifères et d'alcool… on ferait mieux de… ? De la fermer, bien entendu. Encore une fois, faisons le ménage chez nous, après nous aurons le droit et le devoir de pester. Car il faut agir et au plus vite. Rares sont les toxicomanes qui s'en sortent sans l'aide familiale et sans sevrage strict.

LE CORPS QUI CRIE : ANOREXIE, BOULIMIE ET SCARIFICATION

Beaucoup de consultants sont des jeunes filles. Nous pouvons ici traiter l'anorexie, la boulimie et la scarification ensemble, puisque dans toutes ces manifestations, le corps porte la plainte. Contre X. Et c'est d'abord la famille qui porte la plainte, surtout dans les cas d'anorexie. La jeune fille, elle, se trouve très bien. Ainsi est Mélanie.

Elle ne comprend pas ce qu'on lui veut, Mélanie ! Elle est très très maigre. Elle ne veut rien savoir puisqu'elle va bien, qu'elle n'a plus de règles et que c'est bien commode pour nager sans s'arrêter pendant des heures « pour éliminer ». Mélanie est fière de lutter contre toutes ces saloperies des supermarchés et autres produits dangereux pour notre santé. Tant pis pour ceux – c'est à nous qu'elle s'adresse –, qui n'ont pas compris ! Que doit-on comprendre ? Tout a commencé un beau matin, parce que rien ne lui allait dans sa garde-robe pourtant fournie. Les bourrelets, les seins, rien ne rentrait. Pour elle, il est urgent, elle le dit, de mettre en place une véritable éthique. Toutes ces consommations excessives, ces chariots bondés, ces gros qui se trimballent avec une crème glacée… c'est dégoûtant ! Une prise en main s'impose, avec des règles strictes. Mélanie écume toutes les revues santé et minceur. Elle écrit sur son carnet tout ce qu'elle avale, puis va éliminer tout ce qui reste de calories. Elle entame une croisade féroce contre elle-même et sa faim lancinante, fière et triomphante quand elle parvient à la contrôler. Certains thérapeutes parlent d'«orgasme de la faim». C'est pour elle une victoire de sa volonté, une sublimation quasi religieuse. Elle devient un pur esprit qu'elle maîtrise. «J'adore sentir la peau de mon ventre sur les os de ma colonne vertébrale», dit-elle. Ainsi le ventre, cet antre maternel, est effacé. «Toute trace de féminité me dégoûte ! Les seins, le lait, la maternité me collent la nausée !»

La silhouette s'affine, les cuisses fondent, le corps devient androgyne, mais le miroir ne renvoie rien de tel, Mélanie est toujours trop grosse, trop de tout ! Il faut gommer, purifier jusqu'à l'extase.

C'est vrai que parfois, à entendre celles qui en souffrent, on pense aux extases mystiques de saints à la recherche du paradis.

Quand Mélanie ne parvient pas à tenir le jeûne correctement, elle va trouver d'exquises stratégies : bouger, s'épuiser en longueurs de piscine et en course à pied, grimper des centaines de marches… ou manger comme un ogre et vomir, liant ainsi les deux symptômes : boulimie et anorexie. Non sans crises d'angoisses et mal être, même si, en général, ces jeunes filles parlent peu de leur grande souffrance. Elles se veulent sans plaintes et assument tous les désagréments physiques sans broncher. Elles confient rarement leurs agissements et ne souffrent pas que vous mettiez votre grain de sel dans l'affaire. C'est ainsi qu'elles ont choisi de vivre, bouclez-la !

Difficile symptôme que les thérapeutes redoutent. Ils savent que, dans ce qui va se jouer, la mort est en embuscade et que la vraie victoire pour la malade est de mettre ce foutu soignant qu'elle n'a pas choisi en échec. Que les parents, prêts à tout pour que ça cesse, seront aussi bousculés et maltraités. « Pourquoi, pourquoi ? » « Pourquoi nous ? » répètent-ils. « Dites-nous, qu'avons-nous fait ? »

Patiemment, nous allons travailler et avancer. Les raisons ? Il y en a des cohérentes et des justifiées. On ne met pas sa vie en danger pour rien. Retenons bien cela. Les débusquer prendra du temps.

L'anorexie est-elle seulement une maladie de l'adolescence ? La réponse est difficile. Elle apparaît à l'adolescence parce qu'à ce moment-là, la sexualité se met en place, le désir opère et effraie, le corps se montre. Il va alors devenir ce squelette, cet étendard… offert, et en représentation. On sait que l'anorexie est en lien avec le refus du corps sexué, mais aussi avec celui de l'emprise d'une mère qui bien souvent « bouffe » sa fille, qui la « gave » de façon arbitraire de ce dont elle n'a pas besoin. « Elle me bouffe, alors je la vomis ! »

Depuis le développement des sites et des blogs, on peut lire de drôles de conseils sur Internet. L'anorexie y est vendue parfois comme une philosophie, une quête de perfection. Les starlettes américaines étalent leurs os dans les tabloïds, à nous faire regretter les belles rondeurs de Marilyn Monroe ou de Gina Lollobrigida dans les années 1960. Tout cela est bien alimenté – si l'on peut dire – par les magazines féminins et les professionnels de la mode qui présentent et mettent en scène de magnifiques portemanteaux de 35 kilos dans leurs pages publicitaires. Bien sûr que la robe est belle, sans les bourrelets, mais que ces jambes sans mollets sont effrayantes! Et le prix à payer, qu'en font-ils? Nos enfants ne savent pas qu'ils ne vendent que du papier glacé!

Les choses bougent depuis peu. Ces mêmes journaux sentent le vent tourner et la rumeur gronder, mais il suffit de voir le récent succès de la nouvelle pilule miracle pour perdre sans effort les kilos superflus pour douter de notre raison retrouvée… et ne pas douter des enjeux économiques embusqués là derrière.

Je coupe ma peau, je me taille

Les actions intentées sur le corps par Marine l'aident à évacuer sa colère, dit-elle. Elle recouvre ses bras de longues coupures selon un dessin bien précis. Le sang qui coule la rassure: «Après, je suis bien!» Après, elle refusera même de quitter son pull, comme un drogué refuse de montrer ses plaies. En cela, elle diffère de sa petite sœur l'anorexique, car elle n'est pas dans cette jouissance de la souffrance et ne veut pas stigmatiser ses plaies. Elle ne dit que la pulsion du moment où elle se sent prise et obligée. «J'attrape des ciseaux, des lames et je coupe. C'est plus fort que moi!» Le sociologue David Le Breton analyse magnifiquement ce phénomène dans un très beau livre dont le titre même, *En souffrance*[23], est suffisamment explicite.

Il s'agit, nous dit-il, de jouer la douleur contre la souffrance. Cette définition nous convient. «Je n'ai pas mal. Même pas mal!» Comparée à l'angoisse qui habite l'adolescent, la douleur physique n'est rien. Parfois, les scarifications, les brûlures de cigarettes, surtout chez les garçons, sont des rites de passage ou des actes de

---

23. David Le Breton, *En souffrance, adolescence et entrée dans la vie*, Paris, Métailié, 2007.

bravoure pour rejoindre le clan ou pour être accepté par le groupe. Là, ces rites signent le courage, le mépris de la douleur. Les acteurs en sont fiers, leur peau témoigne de leur engagement.

L'ADO MALADE

L'ado malade a commencé tout enfant à avoir mal au ventre avant d'aller à l'école. Souvent, nous avons souri devant tant d'innocence. Qui n'a expérimenté avec ravissement la hausse magique du thermomètre vigoureusement frotté contre le drap et la volupté qu'il y avait à boire le bouillon de légumes de maman? Sauf que là, l'ado est réellement malade, même si le généraliste conclut: «C'est nerveux, ça va passer.» Ça va passer ou pas? Pour le moment, c'est insupportable, ce malaise vagal, ces difficultés à dormir, ces palpitations, ce cœur qui s'emballe. Que dire de l'acné qui lui dévore le visage et de ses appareils dentaires qui le défigurent? Nous ne devons pas sous-estimer ces plaintes. Nous devons y répondre sans tarder avec les consultations médicales adaptées. La plupart du temps, la majeure partie de ces maux est psychosomatique et peut être liée à une forte tension émotionnelle. Les statistiques font état d'une importante consommation de médicaments, ordinairement fournis par les parents! Oui, nous sommes de grands accros aux pilules. Essayons de ne plus transmettre les mauvaises habitudes et de ne pas être ambivalents. S'insurger contre la consommation d'alcool ou de tabac et donner, sans l'accord du médecin, des médicaments pour réduire l'anxiété lors d'un examen n'a pas de sens.

«JE ROMPS ET JE ME BARRE!», OU LA RUPTURE DANS LA MARGE

C'est la rupture avec le collège qui démarre généralement le processus. L'ado se dit «largué», perdu. Il va sécher les cours et vagabonder, faisant preuve de grande subtilité pour cacher le forfait, et déjouer les pièges du contrôle des absences. L'errance n'est souhaitable qu'occasionnellement.

Le monde de l'ado, c'est le lycée ou le collège. Gare à ceux qui se perdent et font l'expérience du temps sans limite et des rencontres à risque. Les fugues sont aussi la réponse aux engueulades parentales. La plupart du temps, heureusement, nos enfants ne vont jamais très loin. Souhaitons qu'ils aient longtemps cette grand-mère ressource ou la marraine merveilleuse qui sait mieux consoler que les idiots de la maison, « tellement bornés qu'ils n'y mettront plus les pieds ! »

Nous avons vu le désespoir de ces ados dont personne ne veut. Dernièrement, c'est Martin qui avait fugué de son foyer d'accueil. Il ne voulait pas y revenir, refusant les recommandations de son éducatrice, mais, malgré ses affirmations, ni sa mère, ni sa grand-mère, ni sa tante, consultées au téléphone, n'ont voulu le reprendre. Même pas pour une nuit, même pas pour recharger les batteries, comme il nous disait. Trop pénible, ce Martin, trop difficile pour nous tous. Il est reparti avec le policier vers son foyer, lèvres serrées : « Même pas droit de dormir dans la rue, qu'est-ce que ça vous fout ! » Pour ceux-là, la rupture peut être la catastrophe, la marginalisation sans retour, l'entrée dans le cercle infernal de la drogue, de la prostitution ou de la délinquance. Il faut bien trouver de quoi vivre sur cette Terre où rien n'est gratuit.

NORMAL OU PATHOLOGIQUE, DOCTEUR FREUD ?

Spontanément, la question des parents surgit : « Ces attitudes sont-elles normales ? » Encore faut-il s'entendre sur ce qui est normal. Beaucoup de ces comportements semblent fous et surtout impensables pour les adultes qui ont vécu autrement leur adolescence. Rappelons-nous le témoignage de Marine : « Seuls ceux qui sont passés par là peuvent nous comprendre. » C'est effectivement difficile de comprendre pourquoi, tout à coup, le corps de votre petite se couvre de plaies ou pourquoi, soudain, elle refuse de s'asseoir à table avec vous !

Surtout quand tout paraît aller si bien ! Pas de chômeurs dans la famille, pas de parents débordés ou divorcés, rien d'apparent. Et pourtant, Mélanie continue à se remplir de petits gâteaux jusqu'à la nausée et est obligée de voler en cachette pour payer toutes ces saletés.

Nous avons pris le parti d'écouter les ados, de ne pas avoir d'idées préconçues sur la normalité ou l'anormalité des comportements. Notre travail n'est pas de répondre à cette question, ni de nous substituer à une loi ou à une morale quelconque. Ces conduites existent et elles ont un sens qu'il vaut mieux entendre avant qu'il ne soit vraiment trop tard et que la plainte non écoutée se termine dans un dernier soupir. Nous écoutons encore et encore, persuadées qu'enfin cette plainte pourra surgir. Quand?

Les parents s'impatientent mais aussi les professeurs, les éducateurs et la société entière. C'est vrai que le temps compte. Pour l'échec scolaire profond, par exemple. On sait que les lacunes se rattrapent difficilement et que la fameuse seconde chance demande encore plus d'efforts que la première. Nous voyons toutes ces tentatives comme autant d'appels au secours. Oui, c'est une idée banale qui s'attache d'habitude à l'analyse des suicides, que l'on peut ici généraliser. Toutes les conduites à risque sont autant de manières de dire: «Je vais mal. Je ne trouve plus mes marques, je suis perdu.»

Nous entendons déjà les critiques. Ce n'est pas une façon de grandir que de participer à des viols collectifs, de tabasser par pur plaisir le gamin dans la cour, de brûler les voitures ou de castagner, voire de blesser le prof en classe!

FOLIE BRÈVE OU INSTALLÉE?

Les ados sont fous par moments. C'est comme si la traversée de cette phase adolescente ne pouvait se faire sans coup de folie. Sur ce fil, où ils évoluent tels des funambules, des équilibristes, le précipice est partout autour d'eux et les attire. Ils s'en tirent parfois par une pirouette, mais il arrive qu'ils chutent, car dans cet état limite, tout peut basculer. «Tout m'empêche de vivre», disent certains d'entre eux. Nous ne voulons pas nous attarder davantage sur les pathologies graves qui surgissent à l'adolescence, car elles relèvent de la prise en charge psychiatrique, mais nous souhaitons que vous soyez vigilants. Nous sommes champions pour ne pas voir quand il faut justement ouvrir les deux, voire les quatre yeux. Nous sommes souvent étonnées que personne ne décèle la gravité d'un symptôme. Les cas graves arrivent en consultation très tard, trop tard. Il y a six mois que Thomas n'a pas desserré les dents, un mois qu'Edward ne sort plus de sa chambre. «On pensait que ça s'arrangerait», disent les parents. Même les parents cultivés, d'un bon niveau social et soucieux de leurs enfants s'y laissent prendre. Quand la maladie est là, elle ne s'en va pas par enchantement. Ces pathologies préoccupantes sont multiformes quand elles se radicalisent: crises délirantes, désorganisations à caractère psychotique, schizophrénie, anorexie et boulimie. La plupart ont évolué subrepticement pendant l'enfance, d'autres surgissent à l'adolescence. Ces troubles ne signifient pas forcément l'installation d'une maladie chronique, ils peuvent être transitoires si on intervient sans attendre. Il ne faut pas avoir peur de consulter, ni craindre une hospitalisation associée à une psychothérapie. Nous avons vu des cas de bouffées délirantes qui ont disparu comme elles étaient venues... bien soignées avec une double prise en charge composée de médicaments et de thérapie. À ce propos, nous souhaitons ardemment que l'ado puisse être pris en charge dans des lieux spécialisés avec des équipes soignantes formées à la pathologie qui l'affecte, ce qui est loin d'être toujours le cas. Nous entendons trop souvent qu'il n'y a pas de structure d'accueil pour tel ou tel ado qui a besoin de quitter la cellule familiale le temps que les conflits s'apaisent.

LE PIRE AU BOUT DU CHEMIN...

Tout au bout, odieux et révoltant, surgit le suicide que l'ado a, en quelque sorte, annoncé. Mais nous ne l'avons pas compris, en tout cas pas vu venir. Parce que le message est codé, que nous avons tendance à considérer qu'il faut que jeunesse passe... Qu'elle passera de toute façon et que tout va se régler avec une baguette magique! C'est bien d'être optimiste, de faire confiance à la vie, moins bien d'être sourd ou de ne pas répondre à ce qui se joue sous nos yeux. Le chagrin d'amour d'un ado est pathétique. Il n'est pas encore armé pour les trahisons. Il n'a rien d'autre pour compenser sa peine, aucun recul pour relativiser et comprendre ce que lui dit l'adulte: «Tu verras, t'en connaîtras d'autres...» Phrase inutile; lui n'en a pas connu d'autres! Tout ce qu'il vit est profond, démesuré, absolu, grave. N'allons pas rire ou dire le contraire.

L'Observatoire régional de Haute-Normandie constatait, dans son étude de 2008 précitée, que 29 pour cent des lycéens ont déclaré avoir des pensées suicidaires, 9 pour cent avoir fait des tentatives de suicide, dont 3 pour cent à plusieurs reprises. Le bureau de l'Observatoire a constaté que les deux tiers des suicidants n'avaient pas eu de prise en charge. La prise en charge n'évite pas tout, mais elle est signe que les adultes ont entendu... Actuellement, un système de prévention du suicide est mis en place dans les hôpitaux français. Il impose au moins une visite chez le psy à tout ado admis aux urgences après une tentative de suicide.

Le travail psychologique à faire pour devenir un adulte est un travail de deuil du passé et des objets – Anna Freud a établi ce parallèle dès 1958. Il faut changer tout en restant le même. Dès lors s'explique que l'idée de la mort traverse l'esprit de l'adolescent. La dépression est inévitable.

CHAPITRE 3

Décoder ce que nos adolescents veulent nous dire

Ils disent quoi nos ados? Beaucoup de vérités et autant d'émotions. Un jour oui, un jour non, dans l'exaltation et l'ambivalence. S'il faut établir un catalogue, nous rangerions leurs principales doléances ainsi : en tout premier, l'ennui, partout où les copains ne sont pas, puis la révolte : « Votre loi, je n'en veux pas ! » enfin, la déception : « Vous m'avez menti ! » ou « Vous ne m'aimez pas assez ! »

« JE M'ENNUIE ! » À LA MAISON ET À L'ÉCOLE, L'ADO… UN ÂNE QUI RECULE

Le temps, pour les ados, n'a pas la même valeur que pour les adultes. Pour nous, tout va toujours trop vite, même les minutes. Pour eux, c'est le temps de l'attente pour une entrée dans la vie qui ne vient pas, qui outre qu'elle se fait attendre – et semble parfois s'éloigner, alors qu'ils croient s'en approcher – est incertaine. « Je voudrais avoir 20 ans, dit l'ado qui en a 15, je voudrais être grand, libre… aujourd'hui, oui tout de suite, pour faire ce que je veux ! » C'est un peu comme si demain allait être meilleur, comme si la vie allait changer… Ils s'accrochent à cet espoir, tel le héros du film de Burr Steers, *17 ans encore* (2009), qui déclare : « Quand on est ado, on croit que c'est la fin des temps, en fait c'est là que tout commence ! » C'est là que tout commence, effectivement, dans une ambiance de fin du monde. Tout commence, mais sans que l'on ait trouvé le mode d'emploi, sans la moindre certitude. Tout commence dans les cris et les conflits, sans que cette fameuse liberté s'annonce. Toujours les mêmes contraintes et la même nécessaire obéissance. Drôle de changement sans changement ! Avec toujours des obligations emmer...

Ah ! L'ennui de notre enfance ! Cela avait commencé déjà lorsque nous étions petits, quand il fallait suivre les parents en visite dominicale, voire en vacances ou au musée ou en promenade. Aïe, ces têtes baissées aux lèvres serrées... Est-ce démodé ? Pas tant que cela, disent nos jeunes consultants. Ils ont réussi à faire baisser le nombre des sorties accompagnées, mais les sacrés repas de famille, les fêtes de Noël, les mariages, les réceptions des invités de la famille demeurent incontournables... et les grands-parents aussi ! Ceux-là échappent parfois aux mauvais jugements, surtout s'ils savent y faire ! Un petit billet glissé dans la poche est toujours le bienvenu, et puis, certains grands-parents se positionnent très intelligemment. Pour le reste, c'est dimanche gâché, et encore s'ils pouvaient regarder la télé ! Mais non car la télé, elle est dans le salon ! Alors ils vont se ruer sur le baladeur, le téléphone et envoyer des SMS... Au lieu d'un ado boudeur, vous aurez la version moderne : un ado « branché » qui va dodeliner de la tête aux accents de sa musique, ou qui va tapoter fébrilement sur le clavier de « l'ordi » portable calé sur ses genoux.

Les générations ne se mélangent-elles plus ? N'ont-elles plus rien à se dire ? Pas si simple, car petits, ils adoraient les récits des grands-parents de « l'époque où papa ou maman faisait des bêtises », au point que certains parents demandaient un peu plus de discrétion sur ce chapitre ! Mais depuis quelque temps, ces récits ne les intéressent plus. Romain, 12 ans, exprime le vieux conflit des générations avec ses mots à lui, parce que, il le voit bien, son grand-père et son père ne s'entendent pas : « Ouais, il raconte toujours la même chose, c'est sa guerre au grand-père, il a fait 68, il a jeté des pavés, puis il est devenu con, plus con que tu imagines, il râle contre tout : le gouvernement, le parti, les feignants, les chômeurs. Puis il va se disputer avec mes vieux qui gueuleront tout le retour, ça me les casse ! Et on y retourne dimanche ! » Vous, la psy, vous riez sous cape, c'est mille fois que vous avez entendu la même chose dite par les grands : « Oui, mon père et moi, au repas du dimanche, ça finit toujours en engueulade, il comprend rien au monde dans lequel on vit, il est resté 30 ans en arrière ! » Tiens, tiens, lui aussi… ou « Si c'était pas pour ma mère, je n'irais pas… parce qu'en plus, il faut traîner mon fils qui ne veut plus venir avec nous ! » Ambiance festive.

Le monde change vite. Le lien entre les générations s'est distendu ; les conditions de vie, très différentes pour les gens actifs et les retraités, les passions familiales et l'éloignement, tout contribue à creuser le fossé qui les sépare.

Ne comptez pas non plus amener vos ados au musée ou les traîner au théâtre, vous risquez d'entendre : « Avant, quand j'étais petit, c'était bien, maintenant c'est ringue ! Fait chier ma mère à vouloir me cultiver ! Les films qu'elle aime, moi ça me gave, en plus qu'à la sortie elle me demande mes commentaires sur ces conneries de ciné-club ! Un film noir et blanc tu vois ça que tu dors déjà, t'as compris ! » Et nous pensons à Daniel Pennac, ce pédagogue futé, qui recommandait aux professeurs de ne jamais demander comment se terminait le livre et de ne pas poser de questions idiotes, S.V.P. Ce n'est pas une explication de texte.

Et alors, qu'est-ce qu'elle fait la princesse ? Elle se balade en secret dans sa tête d'ado. Mais ce n'est pas la princesse du livre de Pennac, c'est celle dont lui, le prince, est privé aujourd'hui pour cause d'emmerdement dominical dans la famille. *Ex æquo* des deux côtés. La princesse s'ennuie autant chez la tante Zoé qu'à la piscine avec Papa. Demain, ils se raconteront « comme c'était nul ! » Demain, c'est aussi l'ennui à l'école, encore une fois ! « T'as l'impression que l'heure passe pas. Si c'était pas pour voir ma nana, je me lèverais jamais ! » Voici pour Anatole une vraie motivation de fréquentation scolaire, il est amoureux !

Cette rubrique est déjà traitée dans le précédent chapitre, mais nous ne raconterons jamais assez ce que nous entendons en thérapie, et les sourires que nous réprimons pour… faire sérieux parce que, les ados, de l'humour pour retraduire leur vécu, ils en ont à revendre ! Ils sont très observateurs nos cancres, à croire qu'ils ne dorment pas tout le temps. En tout cas, ils ont l'œil vif et la langue acerbe. C'est vrai qu'ils se trompent en ne reconnaissant pas l'utilité des matières dites «barbantes», mais leur a-t-on montré l'emploi réel, dans la vie de tous les jours, de ces fameuses idioties ! Leur a-t-on dit que *La princesse de Clèves*[24] est un sujet formidable et qu'un cinéaste en a tiré un film qu'ils trouveront délicieux[25] ? Et les maths et la physique... personne ne leur en donne le mode d'emploi non plus. Un professeur de physique a offert un jour à un de nos enfants un magnifique traité pratique de la physique... de Jearl Walker, *Le carnaval de la physique*[26]. Inutile de vous dire que le livre a été dévoré en un clin d'œil et mille fois employé pour tester ces adultes prétentieux qui croient tout savoir ! C'est ainsi : l'homme n'apprend que s'il en voit l'utilité. À nous de faire preuve de réflexion et de créativité pour expliquer l'utilité du savoir.

Le bon élève s'ennuie aussi. Voilà qui est rassurant. Quant au très très bon élève, il s'ennuie depuis plus longtemps encore : «Encore le verbe être et le verbe avoir au présent ! Chaque année c'est pareil, on n'avance pas !» disait l'un des nôtres. Il avait de grandes facilités, une grande aisance de vocabulaire et d'élocution et peu l'habitude de travailler puisque sa grande mémoire le lui permettait. Il s'éduquait en douce. Et tout à son ennui, notre caïd peut ainsi se laisser aller à faire de «l'à peu près» sans rien approfondir, habitué à ne pas écouter ce qu'il sait déjà. Attention ! Dans la course scolaire, la facilité du départ n'est pas obligatoirement un gage d'avenir. Combien de très bons élèves de premier cycle sont devenus de mauvais élèves dans le deuxième parce qu'ils n'ont pas travaillé le «terrain» et se sont déconcentrés, rien de nouveau ne les surprenant ?

---

24. Marie-Madeleine de La Fayette, *La princesse de Clèves*, publié anonymement en 1678.
25. *La belle personne*, film de Christophe André sorti en 2008. La cour royale du XVIᵉ siècle décrite par le roman est devenue la cour du lycée Molière à Paris dans le XVIᵉ arrondissement. Ce film, en reprenant l'intrigue de *La princesse de Clèves* dans un contexte contemporain, démontre qu'elle reste moderne et fait le portrait d'une adolescence pour qui la grande affaire reste l'amour.
26. Jearl Walker, *Le carnaval de la physique*, Paris, Dunod Masson, 1997.

Claire, 14 ans, philosophe à ses heures, propose une explication à ce phénomène : « Je sais ! Vous les adultes, vous ne vous ennuyiez pas à l'époque parce que, tout petits, vous aviez appris à jouer avec deux bouts de ficelle et un bout de bois ! Nous, il nous en faut plus ! » Oui, de l'électronique ! En gros, c'est ce nouveau monde que Claire désigne elle-même comme responsable. Certes, mais, pourrions-nous lui répondre, nous aussi nous nous ennuyions ferme parfois et nous l'acceptions, plus ou moins bien, il est vrai. Cela fait partie de la vie, l'ennui. Nous, nous n'étions pas mécontents de ces moments où il nous était donné le temps d'observer le monde et les adultes sans rien faire d'autre, comme vous devant la télé. Fais des réserves d'ennui, ma jolie Claire, pour le temps où, devenue grande, tu regretteras peut-être ces heures en « mode pause », où tu étais entourée de plus vieux que toi, parfois de plusieurs générations, au long de ces repas interminables où tu scrutais l'écran de ton portable dans l'attente du coup de fil salvateur de celui qui avait sa tête en fond… d'écran.

POURQUOI BOSSER ?

La bonne blague ! Pour être polytechnicien, ingénieur, médecin ? Pour avoir un bon métier, gagner de l'argent ? « Non, si c'était pour ça encore mais c'est pour être chômeur ! » disent-ils. La crise économique, les pôles emploi, les petits boulots, les contrats à durée déterminée, les emplois à mi-temps qui permettent à peine de se payer un studio – et encore tout dépend où –, voilà ce qui les démobilise. À juste titre ? Ils les voient, ces diplômés en lettres ou en socio ou en psycho, parfois docteurs ès quelque chose, accepter des boulots très en dessous de leurs qualifications. Ce qu'ils savent moins, c'est ce que nous dénoncions plus haut, qu'il ne faut pas faire l'amalgame car tout le monde n'est pas dans la même charette. Le diplômé mettra parfois du temps – trop de temps – à trouver un travail et peut-être devra-t-il y ajouter une formation, mais il rebondira. Ce sera plus difficile sans aucune formation. Nous devrions aussi arrêter de raconter des bêtises, arrêter de penser que seuls les métiers nobles sont intéressants et de mépriser les autres. Les sections techniques sont bien pour les copains mais pas pour son propre fils et les profs ont bien du mal à conseiller des filières... où ils ne mettent pas leurs propres enfants! Vieille dispute, où seul l'intello a droit de cité! Pourtant, devenus grands, ils sont bien raillés, les ronds de cuir des ministères et tous ces philosophes si loin du peuple, sans oublier ces énarques ineptes qui nous pondent des lois inapplicables. Bizarre ces contradictions... Non?

L'ESPRIT CRITIQUE : NOS ADOS, PAS DES AVALEURS DE COULEUVRES !

Nos ados font preuve d'un éveil et d'une ouverture d'esprit remarquables. Ils possèdent de vraies connaissances grâce, en partie, à toute cette téléréalité qu'ils ingurgitent. Nous le reconnaissons presque à regret. Malgré tout, le discours des adultes est toujours le même: «Oui, à son âge nous, nous lisions, nous avions plus de culture, etc.»

Il est vrai que nos ados n'ont pas la même culture générale que nous. Et nous insistons sur le mot « même », car ils en ont une autre. Certes aussi, leur champ lexical est plus réduit que le nôtre au même âge, mais ils savent plus de choses que nous sur bien des sujets. Il n'y a qu'à voir avec quelle maestria ils se dépatouillent en informatique, nos ados, alors que nous sommes de simples utilisateurs, parfois aussi à l'aise avec un ordinateur qu'une poule avec un couteau!

Il faut reconnaître chez nos ados une grande lucidité et beaucoup d'exigences face à leurs enseignants. Ils voient à quels adultes ils ont affaire très rapidement. Ils sont exigeants et intraitables. Ils ont besoin en face d'eux de personnes cohérentes qu'ils sentent bien ancrées. Ils les jugent durement et ont un œil très sensible à l'injustice. Ils demandent des messages authentiques et perçoivent le manque de congruence de l'adulte.

Nos ados ont changé et cet esprit critique va de pair – ou débouche – sur cette incroyable liberté de parole que nous leur avons donnée, suivant en cela l'évolution de la société. Une implacable franchise! Ainsi, si vous êtes mère d'une fille, elle peut vous dire, sans le moindre ménagement: «Oh! tes chaussures, maman, elles sont moches!» Elle le pense, soyez-en sûre! Il ne vous reste qu'à attendre le jour merveilleux où elle vous fera un compliment, car il sera tout aussi sincère. Après, c'est affaire de goût... Il n'empêche, vous répliquez: «Est-ce que je te dis des choses désagréables, moi?» NON! Vous n'oseriez jamais dire à votre fille: «As-tu vu les boutons sur ton nez? Eh ben c'est hypermoche!» Non, vous ne lui attaqueriez pas le narcissisme au scalpel comme ça! Mais vous, votre narcissisme de femme tout le monde s'en fiche, c'est normal vous êtes une mère alors...

UNE RÉBELLION SINCÈRE

Les ados cherchent à ne pas tomber dans les mêmes pièges que les parents... et les enseignants. En cela rien de nouveau. Déjà, Victor Hugo ruait dans les brancards devant l'injustice. Dans *À propos d'Horace*[27], il s'écrie: «Je vous hais pédagogues... Vous niez l'idéal, la grâce et la beauté! [...] Car vous êtes mauvais et méchants! [...] Grand diable de seize ans, j'étais en rhétorique! Que d'ennuis! de fureurs! de bêtises! [...] Que de froids châtiments et que de chocs soudains! "Dimanche en retenue et cinq cents vers d'Horace!"»

C'était l'effondrement cruel de tous les rêves du jeune Victor, dont nous connaissons l'imagination poétique féconde, car il avait justement rendez-vous ce jour-là avec la fille du portier pour l'emmener manger de la galette aux buttes Saint-Gervais. Il accusait ces pédagogues de tuer l'inspiration et toute cette vie qui circule en l'adolescent: «Ils le prennent de haut avec l'adolescent, Et ne tolèrent pas le jour entrant dans l'âme/Sous la forme pensée ou sous la forme femme.» Et encore «Vous pétrifiez d'une haleine sordide le jeune homme naïf, étincelant, splendide». Quel régal ce Victor, déjà, à 16 ans!

---

27. Victor Hugo, *Les contemplations*, Paris, Garnier Flammarion, 1995.

Le jeune est juste, pas encore «pourri», corrompu, comme Victor Hugo le dit, par «une haleine sordide», et il résiste bravement à tout ce qui pourrait le contaminer. Le film *La fureur de vivre*, dont le titre en anglais est significatif, *Rebel without a cause* – rebelle sans cause – de Nicholas Ray avec James Dean, est devenu culte, comme son acteur principal. Il montrait déjà, en 1955, le malaise d'une génération, la première à avoir évité les conflits guerriers internationaux, qui doit vivre la crise de l'adolescence en s'opposant à l'optimisme économique et en refusant les valeurs consuméristes de la nouvelle *middle class* dominante. Elle accède à la conscience de l'absurdité du monde et de la superficialité de la société. Moins héroïques qu'ils ne le revendiquent, les adolescents sont rebelles malgré eux, obligés de s'arc-bouter contre un monde que leur imposent leurs parents, dans le seul but de ne pas s'écrouler de désespoir, emportés par un goût de la mort que leurs dangereux défis sollicitent plus souvent qu'à leur tour et où certains laisseront la vie. Leur seul moyen de se sentir vivre étant de convoquer la mort... Déjà...

Ainsi, ce qui se passe aujourd'hui n'est pas nouveau, la problématique est ancienne. Cette crise de sens est aggravée aujourd'hui par la contradiction qui existe entre la société de consommation et l'impitoyable crise économique qui obture le chemin d'un avenir professionnel pour les jeunes.

UNE CRISE DE VALEURS CHEZ LES ADOS AUSSI : « TOUT M'ÉCŒURE ET TOUT ME FAIT CHIER.COM »

Ainsi s'exprimait formidablement l'héroïne de l'écrivain Wajdi Mouawad[28], dans sa trilogie théâtrale *Le sang des promesses*. Le fait de gagner de l'argent, de «faire du fric» est peu prisé chez nos ados de famille relativement aisée. Là encore, un drôle d'amalgame s'opère. Pour eux, un «riche» ne peut être qu'un pourri malhonnête,

---

28. Wajdi Mouawad, *Le sang des promesses*, coédition Leméac / Actes Sud-Papiers, 1999.

un flambard, quelqu'un qui n'a pas «beaucoup sué», un exploi-teur de pauvres bougres ! Ce sont souvent ces mêmes ados qui pas-seront des heures devant l'image de la nouvelle Porsche et ceux qui portent ces fameux jeans à prix exorbitant dont nous parlions plus tôt. Pas bien réfléchi tout cela, mais qui incriminer ? Notre vilaine société qui propose du luxe à longueur de pub et nos mora-listes qui prêchent l'ascèse. Les récents scandales autour des enri-chissements exagérés de nos banquiers, cette crise qui frappe autour d'eux leurs amis, leurs parents, les laissent avec un seul mot à la bouche : «DÉGUEULASSE !» Les enfants des milieux plus modestes, eux, sont réalistes : l'argent est le bienvenu.

L'argent de poche est un grand sujet de fâcherie dans la rela-tion parent-ado. «Ils n'en ont jamais assez !» «On se saigne pour qu'il ne leur manque rien !» : voilà la version «parents». Ensuite, comme chez les adultes, il y a les cigales et les fourmis. Dans une même fratrie, certains se débrouillent pour économiser... afin de prêter, en se faisant plumer par celui qui vit d'emprunt, comme ce grand frère qui demande : «Dis, sœurette, tu peux me faire une avance sur l'argent de poche que maman me doit le mois prochain ? Je te le rendrai quand j'aurai fait des économies.» – autant dire ja-mais de la vie ! Il y a aussi celui qui monnaye tous ses services avec un toupet monstre : «Si tu me files pas ton fric, je vais dire aux pa-rents que...» Suit un mensonge ou un fait réel, peu importe, car le chantage est en route et il pourra se poursuivre dans la cour de récré où le racket des petits n'est pas rare. Mauvaise pente pour l'ado qui est incapable de résister à convoiter le bien d'autrui pour combler ses frustrations ! Déjà, une mauvaise gestion de l'argent. N'exagérons rien, mais la vigilance s'impose et bien sûr qu'il faut lui demander d'où vient le si beau téléphone, la superbe veste ou la ceinture griffée, et ne pas se contenter de réponses évasives du genre : «C'est Tristan, il me l'a vendue pour 15 euros, il a un copain qui fait des ceintures en gros.» Alors que, tu parles, le Tristan, il pique aux Nouvelles Galeries et peut-être même que votre fils ne vous monte pas un bateau et qu'il est un receleur qui s'ignore, le benêt. Dans ce cas, ce n'est pas mieux : c'est contagieux ces petites choses-là et un jour vous pourriez bien voir débarquer la police chez vous ! Alors ouvrez l'œil et les deux parce qu'il n'y a pas plus aveugle que celui qui ne veut pas savoir !

LA RÉVOLTE

« Vos lois, je n'en veux pas, ni de vos codes ! »

Les ados n'ont pas dormi lors du cours d'instruction civique. « Démocratie » est un mot qu'ils aiment bien. La grève, les défilés dans la rue, ils connaissent, et ils sont prêts à se mobiliser pour sa cause. Nous trouvons cette implication politique agréable. Vous, vous en avez peur, vous les pensez naïfs et manipulés par les partis politiques ou les syndicats des adultes. Peut-être, mais la démocratie, ça s'apprend aussi ! En attendant, ils sont très heureux dans les manifs où ils peuvent débattre de leur sort. Votre ado va peut-être vous demander l'œuvre complète de Karl Marx à Noël, et vous aurez la paix pendant un bout de temps ! La paix ? Il peut en tirer des principes très révolutionnaires qu'il vous faudra enfin comprendre. C'est ce que vous vouliez, un intello, non ? Sondage à l'appui, les érudits aiment à la folie Che Guevara et Martin Luther King, dont vous retrouverez les visages sur ses t-shirts et les posters dans sa chambre, où retentissent désormais toutes les carmagnoles modernes, de U2 – qu'il vous aura volé –, au rap et au rock alternatif… Quant à la nécessité de sa présence à la manif, ce n'est pas à vous d'en juger ! Vous supporteriez qu'un de vos pairs vous empêche de vous exprimer ?

Sa colère gronde devant les injustices. Votre ado a une forte envie de « JUSTE ». Juste punition, juste récompense, et il observe vos erreurs sans complaisance. Plus moraliste, tu meurs ! Il compte, il enregistre dès l'enfance : « Untel a droit à un sourire et pas moi, avec la même copie. Je te jure, j'ai fait pareil. Il peut pas me saquer, il a des préférés ! » Le ressenti alimente la colère, entretient l'idée du rejet, de la différence. Quant à vos dérapages, ils sont jugés sans pitié. Il ne vous accorde pas les circonstances atténuantes. Les exemples rempliraient un autre livre. Le parent doit avoir zéro défaut et hélas! c'est à ce moment-là que le parent trébuche et que l'ado a soudain les yeux, la lucidité pour le voir. Plus de voile. Déchiré. Un parent ne doit pas avoir de maîtresse ni d'amant, cela va de soi... ne doit pas divorcer, ne doit pas se plaindre des conditions de travail, de sa fatigue. Il ne doit pas être malade, il ne doit pas se plaindre de son ado qui n'a pas demandé à naître. Vous savez que, oui, il est égoïste votre ado, mais vous savez aussi qu'il ne peut pas se permettre d'être autre, il lui faut des certitudes, des repères fixes, des points stables. L'angoisse l'empêche d'intégrer le grain de sable. Tout le monde doit être honnête, mais puisque personne ne l'est... il a bien droit aussi à quelques incartades : « Voler aux voleurs n'est pas voler. Ces « pourris » qui s'enrichissent sur notre dos n'ont que ce qu'ils méritent! » « Voler l'État n'est pas voler. » C'est toute une nouvelle morale rationalisée sur la certitude que tous vous « entubent » et qu'il n'est pas mal de réagir... en se servant.

Les juges racontent qu'ils sont souvent stupéfaits de « l'innocence » des petits voleurs. Dans cette innocence, il y a aussi la naïveté de l'enfant qui pense : « Je croyais que je n'allais pas me faire prendre, sinon je l'aurais pas fait! » Phénomène encore accentué lorsque les ados sont en bande qui, elle, donne à ses membres l'illusion d'impunité et fouette « l'illusion de toute-puissance infantile ». Comme le petit garçon de sept ans qui piquait dans le porte-monnaie de sa maman de quoi s'acheter des sacs de bonbons qu'il cachait derrière son dos, sans imaginer que celle-ci pouvait les voir.

Heureusement qu'ils se font prendre par les surveillants des grands magasins, sinon ils continueraient effectivement en toute impunité et graviraient les marches de la délinquance pas à pas, en toute innocence jusqu'au jour où... Eh oui, ce sont des valeurs que vos ados souhaitent, gavés qu'ils sont!

Dans le film *La Vague*, du réalisateur allemand Dennis Gansel (2008), un professeur propose à ses élèves, dans le cadre d'un atelier qui dure une semaine, d'expérimenter les mécanismes psychologiques qui mènent à intégrer une idéologie totalitaire, pour prouver à ces jeunes incrédules qu'encore aujourd'hui l'avènement d'une autocratie est possible, même dans une Allemagne qui devrait être un pays prémuni contre un tel risque, un pays qui a tiré les leçons de l'Histoire. Il leur propose de réaliser cette expérience sur eux-mêmes en constituant un groupuscule dont la durée de vie sera limitée à une semaine. Il propose à ses étudiants de créer un mouvement qu'ils dénommeront «la vague» qui fonctionnera selon les principes de l'obéissance et de l'appartenance : respect du leader, signes de reconnaissance, uniformes, sigles, saluts, etc. À la fin de la semaine, l'enseignant leur demande d'expliquer ce que représente pour chacun le mouvement qu'ils ont créé, qui repose sur les valeurs collectives du groupe. Un des lycéens, qui appartient à une famille aisée, écrit qu'il en a assez de la société de consommation, que cela ne lui suffit plus d'avoir les derniers pantalons et chaussures à la mode, et qu'il a besoin de valeurs et que «la vague» les lui apporte.

«Vous m'avez menti? Je vous mens!»

Dans le même registre que : «Vous n'êtes pas honnête, moi non plus» ou «Vous ne faites pas ce que vous dites, moi non plus!», il y a : «Je mens sans arrêt et plus c'est gros, plus ils l'avalent!» Innocents, les parents? Pas vraiment. Mais comment douter tout le temps de son bébé? Une de nos amies, particulièrement méfiante, dit se faire avoir, surtout quand c'est vrai, et se couvre alors de ridicule... Nous l'avons invitée à réfléchir. Pourquoi mentent-ils?

C'est une très vieille habitude. Au départ, l'enfant ment sans le savoir, ou presque sans le savoir. «Il ment comme il respire!» entend-on souvent. C'est vrai qu'il ne démêle pas vraiment le vrai du faux, le rêve de la réalité. Il est dans son monde, avec ses petites histoires. Nous avons tous entendu nos enfants imaginer des situations formidables quand ils jouent et ne se savent pas espionnés. Alors, où est la limite? Au début, le mensonge est «gratuit», il n'est pas fait obligatoirement pour obtenir une permission ou camoufler une grosse bêtise, mais plutôt du genre : «Tu sais, maman, je crois que le chat aime beaucoup le chocolat.»

Puis, vient la stratégie, et ensuite l'audace. Les bougres vont tester et si ça marche... recommencer. D'abord un petit mensonge – on triche sur le prix réel du chocolat –, puis on s'enhardit, jusqu'aux plans totalement bidonnés où vous ne pouvez rien voir parce qu'il y a des complices. Certains, entendus en thérapie, nous ont bien montré, outre l'audace, toute la créativité et l'intelligence dont sont capables les petits roublards. Nous pensons à certaines «confiscations» du bulletin scolaire aux parents. L'un d'eux nous explique : «Pas longtemps! Je le remets juste après dimanche, car si c'est avant dimanche qu'ils l'ont, ils vont faire une crise et me priver du match!» Que dire? Sûr que les mauvaises notes, il faut les présenter au bon moment (s'il y en a un!). On sait, on a été gosses! Et puis, il y a un défaut dans leur stratégie qu'ils perçoivent vite, c'est madame Culpabilité et croyez bien, lecteurs, elle se montre très tôt, et elle les taraude bien plus que vous ne le croyez. Elle fait de grands ravages dans leur image de soi : «Je suis mauvais, je vole, je cache», «Je profite de ma gentille grand-mère qui gobe tout, et, dans l'escalier, avec mes sous à la main, j'ai envie de vomir.» Le pauvre Robin (le mal prénommé) se trouvait peu d'excuses sur le moment, mais oubliait et recommençait quand il le fallait. De même, un autre gentil garçon piquait des objets de valeur pour les revendre et expliquait son forfait par un invraisemblable : «Elle en fout rien, elle ne le voit même pas, te jure!» Un beau jour, «elle» a vu. Et c'est lui qui a mis du temps à s'en remettre! Doublement honteux d'avoir volé et de s'être fait prendre.

Mentir et voler se rejoignent en autant d'expériences et d'essais d'indépendance. Les ados mentent pour se protéger des adultes et de leurs intrusions. Échapper à la surveillance des parents en mentant est une recherche d'une forme d'autonomie. Il y en a de plus glorieuses, mais que celui qui n'a jamais... jette le premier caillou! Et vous-même, n'avez-vous jamais été pris en flagrant délit par votre ado d'un mensonge «protecteur» fait au commerçant, à qui vous dites, par exemple, que vous n'avez pas utilisé l'appareil défectueux que vous lui ramenez, alors que vous l'avez utilisé... un petit peu, même si c'est vrai qu'il ne marchait pas, ce truc! Ce qui n'est pas éducatif, c'est de donner le mauvais exemple, d'être sans foi ni loi, car les adolescents ont besoin d'adultes qui respectent des valeurs fondamentales. Or, qui vole et ment le fait au détriment d'autrui.

«Vous ne faites pas ce que vous dites!»

Pourquoi les divorces sont-ils mal vécus par les adolescents? Eh bien, toute leur jeunesse, on leur a rabâché que la famille, vraiment, c'était une valeur sûre. Nous nous souvenons du désarroi de Pascal, à qui son père disait: «Tous ensemble nous sommes forts, nous sommes indestructibles!» Sa famille jouait de la musique en quatuor. Ils étaient comme les doigts de la main. Mais un jour, une jolie cinquième a emporté le premier, le père, celui qui «tenait» tout le bonheur, car la famille s'est littéralement effondrée. Notre Pascal s'est muré dans le silence de sa chambre. Plutôt que de mentir, comme celui qu'il détestait maintenant après l'avoir adoré, il s'est tu.

Notre volonté n'est pas de culpabiliser les parents qui divorcent pendant cette période de la vie de leur enfant. On ne choisit pas le moment de son divorce, en général. Mais, à cet âge de remise en cause des adultes et des modes de fonctionnement de la famille, on apporte de l'eau au moulin de nos chers petits, qui en usent. Ils pensent à peu près ceci: «Ah bon, vous divorcez! Alors vous êtes des salauds et dans ces conditions, je vais plus m'emm…!» La crise est totale comme ça! Il leur faut aussi suivre père ou mère pour vivre autrement, voire moins bien parfois. Les petits se taisent, pas les grands. Leurs réflexions peuvent être cruelles. «Quoi, ma mère veut me faire vivre dans 50 mètres carrés alors que nous avions tout le confort?» Oui, mais ses revenus ne sont plus les mêmes! Il n'est pas rare que les petits chéris, choisissent alors le confort. Pour le parent qui est rejeté pour des motifs si bas, c'est l'effondrement.

Il leur faut aussi, à ces ados, éviter de prendre parti pour l'un ou l'autre parent. C'est la théorie du manuel, mais c'est moins simple qu'il n'y paraît, surtout si les parents se déchirent. Qui a raison? Qui a tort? Les ados aiment les situations nettes chez les autres. Ils tranchent. Il y a un coupable et une victime, comme dans les westerns manichéens. Le bon, la brute et le truand. Ils ne font pas dans la dentelle. Papa a une maîtresse? «C'est un salaud!» Maman veut une autre vie? «C'est quoi cette lubie, elle a choisi son mec il y a vingt ans, non?»... «Et à moi, on m'a demandé mon avis? Ils se sont engagés, les parents, ils n'ont qu'à s'y tenir!» «Mon père me fait honte!» fustigera l'un. On en a même vu certains qui voulaient changer de nom de famille, alors que le père, accusé de souiller ce fameux nom, se comportait de la meilleure façon possible, veillant à ce que personne ne manque de rien, même à ses dépens. À ce propos, il faudrait certainement que les adultes réfléchissent et fassent preuve de fermeté. Ils ne se séparent pas de gaieté de cœur. Ils ne sont pas condamnés à subir ces chers terroristes égoïstes ni à demander l'autorisation de mieux vivre à leurs grands enfants. La politesse et le respect ne sont pas unilatéraux.

«Vous ne pensez qu'à travailler! Et moi alors?»

Votre travail et vos préoccupations financières vous font mener une vie de m.... euh... de chien. L'acharnement au travail vous éloigne de vos enfants, vous prive de temps à leur consacrer. «Ça sert à quoi tout ça? À payer tes études, tes baskets, tes jeans, tes dessous, tes dessus, ton maquillage, tes cinés, tes «Mc Do», tes concerts, tes stages de langue», tes... tes... Avec ça, vous croyez être dédouané pour toutes ces heures passées au labeur: que nenni! Réponse des amours: «Mais non, vous les adultes, ça sert à vous payer des vacances "nulles" (entendez ennuyeuses, "rébarbatives" nous a même dit l'un d'entre eux qui a des lettres) et à t'acheter des fringues "nulles" (entendez ringardes) et chères (entendez plus chères que ses baskets), ma chère maman!»

JUSTICE, ÉGALITÉ, on vous dit... Soyez sûr qu'ils comptent ce que vous avez acheté pour vous. «Pourquoi le père il change de moto alors qu'"ils" disent qu'ils ne peuvent pas m'acheter une mob? Ils ont pas d'argent pour moi, mais pour eux, ils se privent pas...» Ce à quoi vous ripostez: «Quand tu gagneras ce que je gagne et que tu auras travaillé comme moi pour l'avoir, tu viendras me demander des comptes!» Ah la la, bonjour les échanges!

Le mythe de l'exploitation par le travail et de l'aliénation du prolétariat est toujours vivant. Et ça commence dans la cuisine autour du débarrassage du lave-vaisselle. Vive les « grasses mat » et le réveil qui ne sonne pas. L'idéal est « pas avant midi », il faut être cinglé pour se lever à l'aube (vers 7 heures). Les « paumés » du petit matin, c'est pas pour eux ! Ils ne souhaitent pas que le travail les envahisse. Ils sont très vigilants pour ça, vous avez remarqué ?

Où sont les coupables ? Un peu partout. Nous, parents, qui souvent ne parlons du travail que pour nous plaindre, oubliant de dire tout ce qu'il nous apporte. La fatigue du soir qu'ils voient sur nos mines tendues. Le manque d'écoute parce que nous n'avons pas refermé le dossier du bureau. Ils nous racontent : « On lui parle, il (elle) est pas là ! » « Si on lui fait répéter, il (elle) a rien entendu ! » Des cancres, on vous dit ! La publicité pour une marque de lait, en France, avait créé un joli *spot* pour insister sur « l'absent présent qui n'écoute pas » ! Ils sont jaloux de ces heures que le travail nous prend, ne comprenant pas qu'il nous absorbe puisqu'il ne nous rend pas heureux… Lucides, ces ados, on vous dit !

En revanche, le soir, pour préparer leurs sorties, ils sont infatigables. Subitement, les maux de tête et de ventre, qui sont les maux des levers difficiles, s'évanouissent et le goût de vivre revient. Sauf si avant de sortir il faut vider le lave-vaisselle. La fatigue est capable de revenir illico ! Quel drôle de phénomène ! Les médecins pourraient peut-être nous l'expliquer… Ce doit être les hormones… Celles… de la motivation, avec ses pics et ses chutes ! Pour clôturer le chapitre du lave-vaisselle, qui est un lieu de hauts faits, la fille de l'une de nous deux nous a dit quelque chose de tellement joli et avec une telle sincérité, lorsqu'elle avait 13 ans, que nous lui volons la permission de vous le rapporter. Comme nous demandions avec insistance que le lave-vaisselle soit vidé, elle nous lança : « Maman, toi tu as fait des enfants pour qu'ils vident le lave-vaisselle ! » Ce à quoi il lui fut répondu : « Ça m'aurait coûté moins cher de prendre une femme de ménage pour le faire ! » Notez que si les enfants sont plusieurs, le lave-vaisselle sera disséqué, partitionné en autant de membres de la fratrie : « Moi je fais le haut ! »

«Moi je fais le bas!» «Non! La dernière fois c'était déjà toi!» Et vous vous demandez très sérieusement ce qui est le plus long à ranger. Les verres en haut plus que les assiettes en bas? Mais c'est vrai qu'en bas, il y a le panier à couverts... Aaah trop compliqué! Ne comptez pas non plus l'énergie que vous demandent ces ordres cent fois répétés, car vous allez, comme tous les exaspérés, le faire vous-même et ils n'attendent que ça! Vive l'enfant unique qui vide son lave-vaisselle sans sentiment d'injustice accru ni de rivalité supplémentaire!

Le lave-vaisselle est devenu un vrai sujet d'étude sociologique. Un de nos enfants et ses amis se disent encore amusés par une explication soutenue de la bonne marche de la chose assénée par une mère exaspérée. Les histoires de poubelles ne sont pas mal non plus! La poubelle peut déborder devant ses yeux, l'ado continue à la remplir. Elle peut trôner devant la porte d'entrée, mise là pour qu'il pense à la descendre, il ne la verra jamais! Nous refusons de consacrer un article au trop idiot «range ta chambre», car soit cette habitude est installée dès l'enfance soit ce n'est plus la peine d'essayer, il est trop tard. Essayez simplement de ne jamais y mettre un pied!

«Partager l'économie familiale? Pas question!»

Hier soir, vous, la mère d'ados, avez fait le ménage de fond en comble, passé l'aspirateur partout et quand vous avez demandé à votre fille: «Tu peux vider le lave-vaisselle, s'il te plaît?» – encore lui –, vous avez assisté entre elle et son frère à une lutte intestine et fratricide en règle. C'était à qui réussirait à esquiver la corvée. Alors vous avez insisté, commettant l'erreur fatale de vous justifier: «Je viens de faire deux heures de ménage, tu peux vider le lave-vaisselle sans rechigner!» Vous avez récolté ce que vous méritiez de la jolie princesse, qui vous a asséné en passant et en guise de réponse, un très meurtrier: «Mais je ne t'ai pas demandé de faire le ménage moi!» Certes, ce désir de vous lancer en nocturne dans la rumba du ballet espagnol, un pas en avant, un pas en arrière, pour que tout soit nickel avant la nuit vous appartient, et si maintenant vous gisez sur votre lit terrassée, les bras en croix, c'est bien vous qui l'avez voulu! Non, c'est vrai, ce n'est pas de sa faute si tout d'un coup vous n'avez plus supporté ces vagues de moutons auxquels d'autres seraient venus inexorablement s'amarrer et si vous avez décidé de régler leur compte à la poussière et aux miasmes; pas de sa faute si une mouche vous a piquée à une heure déjà avancée du jour, celle où les lions vont boire et où tout être normalement constitué – ce que n'est pas une mère de famille, nous le savons! – s'apprête à rentrer dans la «zénitude» après une journée agitée. Vous avez posé un acte pour la collectivité, afin que l'environnement familial s'éclaircisse, sans pour autant demander à votre enfant de partager votre folie ménagère, sauf pour vider le lave-vaisselle comme à l'accoutumée, et vous ne l'avez pas volée votre réponse: «Je ne t'ai rien demandé MOA!»

> Ainsi est l'ado, il ignore la collectivité et ne voit que son petit nombril autour duquel tout tourne, le monde et ses galaxies.

«Quoi, mon look? Y vous plaît pas mon look?»

On sait qu'il faut se manifester et être original à cet âge-là, eh bien à nous, les psys, elle nous plaît bien cette idée, ils nous paraissent créatifs ces mélanges de genres... Bon, il y a eu des bizarreries! Ces jeans sous les fesses qui dévoilaient le caleçon et empêchaient de marcher... ces brassières qui couvraient juste les seins... notre seule réflexion à ce propos irait plutôt vers les convoiteurs gloutons de ces jolis corps! Et peut-être aussi les réserverions-nous à certains lieux et moments. Le lycée demande un vêtement standard, on est dans la nécessité du «code social» et nous devons bien nous y plier aussi. Il fut un temps... le nôtre, ou le pantalon n'était permis que recouvert d'une jupe! (non, nous ne sommes pas nées sous Jeanne d'Arc... la pauvre a été aussi bien inquiétée pour cette «vesture» d'homme, qu'elle avait osée). Quand il nous arrive de le raconter, nous causons beaucoup d'effroi. «Quoi, on vous empêchait de porter un pantalon, mais c'était dans un truc religieux?» Non-non, dans un vrai grand lycée laïque. Quant au mascara et autre maquillage, n'y comptez pas, les filles, il fallait d'abord passer sous le regard du père, et ensuite affronter celui de la surveillante générale. «Allez vous laver Mademoiselle!» disait-elle, en pointant du doigt en direction des toilettes.

C'était la séquence nostalgie des années 1970, en France, l'occasion de dire que les règles se sont bien assouplies et très vite, après ces folles années qui suivirent la révolution de mai 1968. Nous respirons mieux depuis. Depuis, il y a eu le pull informe, bien pratique pour dissimuler ce corps dont on ne sait que faire, les basketteurs style «Harlem», les grunges, les punks, les bûcherons, les cow-boys sans monture, les noirs gothiques, les *revivals* des années 1970 (tiens avec la jupe sur le pantalon «pattes d'elph»), les fans des années 1980, etc. Tout va bien, ça change tout le temps!

La décontraction et le confort sont devenus les motivations premières, d'où les Converses, les t-shirts, les *sweaters* – mais à prix d'or, et en cachemire SVP! Ouvrez bien les yeux, parents, et essayez de comprendre à quelle tribu appartient votre ado et quelles règles il doit respecter pour être… respecté. Les codes changent selon le lycée fréquenté, les quartiers et les lieux. Il ne s'agit que de se fondre dans le groupe, de se chercher une vraie personnalité, de vous contrarier ou de vous tester. N'oubliez pas que là aussi vous serez dépassés et roulés dans la farine. Les doubles vestiaires chez les copains, ça existe.

Julie est affublée, comme elle dit, d'une mère bonne sœur: «Elle m'habille moche de chez moche, avec des trucs de vieux, alors moi quand je sors, je laisse mes fringues chez ma copine et je me change là-bas.» Vous imaginez que l'on ne demande pas où sont les parents de la copine qui voient entrer une écolière et sortir une *pin-up,* les reins ceints d'une jupe aussi large qu'une bande Velpeau et juchée sur d'improbables talons! Le voient-ils? Certaines maisons sont totalement squattées par leurs ados. Un jour, alors que nous accompagnions l'un de nos jeunes ados pour une fête, à un âge où il n'était pas encore interdit de saluer les parents, nous avons découvert que ceux-ci avaient été écartés dans une pièce minuscule de l'immense maison et tentaient d'y respirer (une fois sur deux)! Au placard les vieux! Quelques pages plus loin, il y aura des petits conseils… mais déjà, pensez à sourire! Quoi, vous ne les souhaitez pas en complet veston quand même! Ou alors attendez, il paraît que c'est pour bientôt, disent les renifleurs de tendances!

Il était une fois encore un grand-père insupportable qui râlait lors de tous les repas de fêtes, car les petits-enfants étaient toujours trop ceci ou trop cela… Un beau soir de Noël, sans rien dire à personne (bien que les parents supputent la complicité de la grand-mère) les chenapans, âgés de 11 à 18 ans et au nombre de neuf, sont arrivés vêtus d'improbables imitations de tailleurs Chanel, de serre-tête et coiffures gominées, et de costumes à gilets du plus mauvais goût… À la stupeur des parents et du grand-père qui en rit encore!

Un sphinx, un nouvel homme : « Je veux me faire tout seul ! »

Ces rébellions vestimentaires sont utiles. Comment démarrer sa vie en copiant ce que l'on a sous les yeux? Les ados veulent, tel le sphinx, se construire tout seuls, et, avant de choisir, ils font des essais. Leur désir est d'avoir une personnalité bien à eux. « Ma mère, mon père pensent pour moi, à ma place, ils veulent que je sois comme mon oncle ou comme le fils Untel qui est si bien, moi je veux me ressembler! Je sais ce qui est bon pour moi! » Ils prennent pour du désamour le non-respect de leur personnalité. « Si vous m'aimiez, vous comprendriez que je ne veux pas être votre jouet! » semblent-ils dire.

Imaginez quel effort ils doivent faire pour rompre avec ce qu'ont été leurs repères jusqu'ici. Il leur faut analyser ces principes qu'on leur inculque depuis l'enfance, garder les obligatoires, jeter ceux qui leur semblent inadéquats, trouver leur place dans ce dédale de possibles. Et cela, la plupart du temps, « contre » les autres et seuls dans la rébellion. La solitude est une autre constante chez les ados.

AU MILIEU DE NULLE PART, L'ADO EN TRANSIT...

« Je n'ai pas ma place ! dit l'ado. Si je disparais, personne le voit ! » Nous, la psy : « Comment ça ! On ne fait plus l'appel au lycée ? » « Ah c'est malin, M'dame ! » de répondre l'ado.

NB : Parents, si cela peut vous rassurer : les psys peuvent être très bêtes aussi, très empêtrés. Pour les thérapies d'ados, ils font comme ils peuvent, ils sont empathiques... point !

« Je n'ai pas ma place ! » C'est du vécu. Et du juste. Trop grand pour être petit mais trop petit pour être grand, l'ado cherche où se poser. Il voudrait prendre sa vie en main mais, économiquement, il dépend de sa famille pendant toutes ses études, et elles peuvent être longues. Il a été question, en France, d'octroyer une bourse d'études à tous les étudiants, mais on imagine mal ce coût dans la crise actuelle. Voilà qui serait pourtant une bonne initiative, tant la dépendance financière rend immature ! L'économie française, contrairement à d'autres, ne propose guère de petits boulots compatibles avec les cours, et c'est très dommage, car les étudiants sont inoccupés pendant au moins quatre mois d'été. Les plus dégourdis ou les pistonnés, « fils de », trouvent à s'occuper intelligemment. Les autres sont à la rue, désœuvrés. Vive les camps « de quelque chose à faire », les puits à creuser en Afrique, les voyages, les stages de langue, tout plutôt que cet arrêt si long et si injuste ! Les familles aisées trouveront toujours les moyens d'occuper leurs ados. Qu'en est-il des familles plus modestes ?

« D'ailleurs vous ne m'aimez pas... ! », ou la complainte du mal-aimé

La place dans la famille n'est pas réglée non plus. L'agité gênant se sentira vite rejeté, y compris par les frères et sœurs plus jeunes, car il va être tenu pour responsable du chagrin fait aux parents et de la mauvaise ambiance qu'il impose : « Les problèmes de mon frère fichent tout en l'air, mon père hurle, ma mère pleure, moi je sais plus où me mettre, il est infect avec moi aussi!» Les petits accusent, se rangent du côté parental. Pour eux, l'affrontement du grand avec les parents est injuste. À noter toutefois que ce même grand, désormais assagi, les aidera plus tard à sortir de l'impasse, lui qui aura déjà essuyé les plâtres, comme quoi!

Un ado infernal peut grandement perturber la vie familiale, mais aussi la vie du couple. Il va profiter de la crise pour mettre en scène ses vieux démons: «Ils ont toujours préféré l'autre, le petit, le gentil...» On connaît la rengaine: «Le mallll aiméééééé, je suis le mal aimé.» Jouer au mal aimé, au rejeté en lisant de la poésie rimbaldienne ou de la philo nihiliste aide à se sentir mortel. La crise existentielle n'est pas loin. Redoublons d'amour et de sollicitude malgré tout!

«D'abord, je suis sûr que je suis un enfant adopté alors!»

Le mythe de l'enfant adopté a la vie dure: «Je ne peux pas être leur fils!» Il recouvre plusieurs idées: «Vous êtes si nuls que je ne peux génériquement descendre de vous!» Cette idée a germé très tôt, dès les premières contrariétés de l'enfant: «D'abord, t'es pas ma mère!» C'est à cet âge que commencent d'ailleurs les vraies recherches en paternité: «Vous n'êtes pas les parents que j'aurais choisis, si j'avais pu...», «Je cherche un modèle adulte qui me plaise. Tiens, comme le prof de philo...!» Attention à ces admirations et ces identifications trop fortes. Il est facile pour un adulte de tout représenter pour un adolescent à un moment donné et d'exercer une influence perverse.

LA SOLITUDE HABITÉE DE L'ADO : LES COPAINS, LA BANDE, L'AMITIÉ

L'ado se sent donc seul, ça vous étonne, lui qui ne va qu'en bande constituée!

«Touche pas à mon pote!» ou «Jamais sans mes amis!»

On ne redira jamais assez le rôle de l'amitié à l'adolescence. Françoise Dolto déclarait que seule l'amitié rend la vie vivable aux adolescents. L'amitié aide les ados à tenir debout. Ils se tiennent entre eux et se soutiennent. Même si parfois, ils constituent de drôles de binômes, de drôles d'équipages, de drôles d'assemblages.

Il ne faut donc pas s'en mêler ni dénigrer leurs choix amicaux car c'est leur signifier qu'ils ne sont pas aptes à choisir leurs amis. Voilà comment leur infliger une blessure narcissique, porter atteinte à leur estime et accentuer leurs doutes sur eux-mêmes, eux qui en débordent déjà. L'un d'eux nous disait : « Mes parents ne me font pas confiance : tout ce que je fais est mauvais. Ils ne le connaissent même pas, Paul, ils jugent sur les apparences, en réalité, c'est un pote super. On est toujours ensemble quand ça va pas bien… avec les filles, les profs, les parents. »

Les adolescents ne comprennent pas forcément que leurs parents sont inquiets. Ils croient qu'ils trouvent nuls ceux qu'ils ont choisis. À qui parler d'autre d'ailleurs qu'aux amis ? Les parents ? On a vu ! Jamais dispos, jamais les oreilles ouvertes ! « Ils s'en foutent », nous disent-ils. Nous avons du mal à le croire, surtout quand nous avons reçu ces mêmes parents si inquiets en consultation, mais en y regardant de plus près, c'est loin d'être bête ! D'où la nécessité du ou de la meilleure ami (e). C'est ainsi que dès qu'on le (la) quitte, on allume son portable et on ne va plus le (la) quitter jusqu'à… le (la) revoir.

Et qui niera la douceur d'avoir un ou une amie, après Montaigne et la Boétie ? Les confidences et les serments, les fous rires et les partages sont un bonheur : « On se dit tout ! C'est comme si c'était moi. »

Nous écoutons attendries, car la plupart du temps, nous la connaissons, la meilleure amie. Elle est dans notre salle d'attente et nous sentons qu'elle s'ennuie à attendre ainsi et qu'elle aimerait bien venir discuter un peu avec nous. Elle sait tout, c'est vrai, elle est la confidente, la nounou, « la sœur ». Elles arrivent à se ressembler : mêmes vêtements, même coupe de cheveux. Tout cela a l'air idyllique, mais gare aux trahisons ou, c'est aussi grave, à la trop grande passion. On y souffre autant que dans le grand amour. Vrai ! Et quel méli-mélo dans les histoires d'amour ! On se ressemble tant que l'on va choisir les mêmes partenaires! Nous voyons surtout des jeunes filles. Les garçons taisent leurs visites chez le psy. Pas fous, eux! Mais le meilleur ami existe pour eux aussi. Avec lui, ils parlent plus de foot que de sexe ou d'amour.

Il y a aussi mon meilleur ami pour mademoiselle et ma meilleure amie pour le jeune homme. «Sans ambiguïté», disent-ils en chœur. Nous, on veut bien y croire et attendre que les destins se nouent ou se dénouent. C'est un sujet que le cinéma aime bien... hautement émotionnel! Combien de joies et de chagrins suscite cette jolie relation! Apprentissage encore de l'amour, du désir dans une relation édulcorée par l'abstinence sexuelle, façon de connaître l'autre avant des engagements plus forts, galops d'essai avant le vrai couple, jalousies et peines à apprivoiser? Le meilleur ami peut causer bien du mal s'il va s'attacher ailleurs. Il peut aussi s'agripper, rester là, gêner le nouveau couple, une presque fraternité de plus.

Cette même fraternité ils vont aller la chercher sur l'ordinateur et les sites de rencontres. Ça ne s'invente pas quand il faut lancer, depuis son bureau: «Dis à ton copain qu'il parle moins fort!» parce qu'après le retour de l'école, les voilà qui continuent à discuter et à se voir grâce à la webcam et que vous avez alors l'impression qu'ils sont plusieurs dans la chambre. Notre père à nous se plaignait qu'il ne pouvait pas appeler à la maison pour dire qu'il avait une réunion et qu'il rentrerait plus tard parce que nous étions pendues au téléphone depuis la sortie des classes avec la copine que nous avions quittée une demi-heure plus tôt. À l'époque, il n'y avait pas tout cela: portables, MSN, webcam, etc. C'était chacun son tour! Allez parents, soyez honnêtes et souvenez-vous, nous faisions pareil mais nous étions moins équipés! Et puis c'est vrai qu'en cours, en principe, ils n'ont pas le droit de communiquer. En cours, il y a les profs, c'est pénible! Alors ils ont besoin de se raconter, d'avoir une vie communautaire au dehors.

La bande

Cette bande, elle est la terreur des banlieues, le souci des éducateurs et des travailleurs sociaux. Les chiffres officiels dénoncent:

en France, 2500 ados entre 13 et 18 ans sont fichés et répertoriés. La bande est là, mais elle ne parle pas trop, la bande. Elle agit, elle occupe, elle s'occupe. Elle permet des attitudes qui vous dépassent et qui vous angoissent. La bande porte un culot que peu d'ados seuls revendiqueraient. C'est ainsi que les débordements existent. En groupe de dix, le jugement, le bon sens s'étiolent. Ils peuvent se retrouver dépassés par cette vilaine émulation que donne le groupe. C'est ainsi que l'innommable se produit. Les tournantes, les agressions collectives, les meurtres, les audacieux et mortels paris sont le fait de la bande. En dehors d'elle, quand ils rentrent le soir, ils ne sont pas fiers, et souvent ils ne se reconnaissent pas!

« Ce bouffon qui a mis le feu à la poubelle, c'était moi ? » « Eh oui, la bande a besoin de preuves et je dois lui montrer que je suis cap! Ce qui ne résout en rien mon problème là, tout seul dans mon lit. » Alors peut-être qu'il vaudrait mieux ne pas penser, ne pas savoir ce qu'est la culpabilité! À la vaillance apparente en présence de la bande répondent l'inquiétude et les larmes dans le cadre familial et ailleurs. Dans les interrogatoires, chez le juge, c'est cela qu'il dit, notre ado: « Moi, je ne voulais pas... » et c'est vrai la plupart du temps, mais il n'a pas pu le dire. La bande coupe la parole individuelle, mais elle donne un court moment l'illusion de ne pas être seul et c'est en cela qu'elle est utile.

C'est une fausse bonne solution que cette bande. Elle demande des preuves et ne tolère pas les sans cou... rage. S'y intégrer demande parfois des pactes et des cérémonies étranges. Faire sa preuve relève souvent du franchissement de l'interdit. Voler, entrer dans un magasin et rafler le plus de choses possibles, se scarifier sans une larme, accepter le viol collectif sans un mot pour montrer son courage ou son mépris de la chose devant le chef... S'humilier soi-même, autant de rites de sauvages. Quel mal-être cela soustend et quel désespoir! À ce propos, le sociologue Thomas Sauvadet[29] essaie d'éclairer ce flou qui existe autour de la notion

---

29. Thomas Sauvadet, *Jeunes dangereux, jeunes en danger, comprendre les violences urbaines*, Paris, Éditions Dialecta, coll. État des lieux, 2006.

de bande et qui fait débat entre les sociologues depuis déjà une trentaine d'années. Une bande n'est pas un gang comme aux États-Unis, et gare aux censeurs, une bande est aussi un réseau de socialisation qui peut se structurer autour de la délinquance, mais pas forcément.

Si l'on y regarde de plus près, la bande est un groupe fluctuant, non hiérarchisé ni organisé avec cependant un leader charismatique qui a bien souvent ce qu'on appelle la «tchatche». Un de ces chefs, interviewé par un journaliste, explique : «On est dans la bande parce que c'est une question d'ambiance, parce qu'on s'entend pour être ensemble, pour faire des trucs ensemble. Ça peut être pour jouer au foot, ou bien si on apprend qu'un petit frère s'est fait casser la figure par d'autres jeunes, on va voir ceux qui ont fait ça et on essaie de discuter d'abord, mais peu de jeunes acceptent de discuter, alors… c'est la violence qui amène la violence.» Pas responsables…

Il n'est plus question ici de l'ennui existentiel des ados mais du désœuvrement, d'une impossibilité à rentrer dans la vie et à accéder à une société de consommation qui les nargue. Cette bande est aussi l'expression du besoin d'appartenance à un groupe, une quasi-famille. Un besoin fondamental de l'individu. Surtout quand la vraie est en panne. Les familles sont parfois monoparentales, démunies psychiquement et financièrement. La famille élargie est au dehors. Pour illustrer cette recherche d'une famille chez l'adolescent, on peut reprendre l'exemple du film *La vague*, déjà cité, qui montre aussi le danger qu'elle représente, car il est une proie facile pour qui voudrait exercer une emprise sur lui ou représenter un maître.

«Si t'es pas sur Facebook, t'es un homme mort!»

Sur Facebook on fait tout. On retrouve des «petits» potes qu'on avait perdus de vue après le primaire ou le théâtre, la danse et le foot du mercredi, ou parce qu'on a déménagé. On se suit. On les retrouve grandis, parfois beaux. On se confie : «Quand j'étais petit, j'étais amoureux de toi !» On met sa photo, ses dernières photos avec ses potes, des événements qui ont marqué, comme l'anniversaire des 15 ans, et surtout, on tient à jour. Bien sûr, on leur envoie des messages d'amour, à ses amis. On teste sa popularité : on a 200, 300 amis, peut-être même qu'on va être repéré et qu'on va devenir une star ! Avec Facebook, on est ouvert sur le monde ! Un adolescent sur six abandonnerait tout pour devenir une star. Un sur dix quitterait les études pour passer à la télé ! Le miroir aux alouettes, avant le miroir d'Internet.

LE MIROIR D'INTERNET : LES BLOGUEURS EN TOUS GENRES

Le rêve, c'est de devenir une star, et d'ailleurs, de véritables talents peuvent s'y révéler et y trouver un moyen d'expression. Des éditeurs ont publié des blogs. Parfois, il est question de se narcissiser en se montrant. On peut citer en exemple le cas de cet ado qui avait mis sa photo en posant la question : «Beau gosse ou nul ? Votez !» prenant tous les risques. Tout un chacun peut être une étoile éphémère et cela se juge au nombre de visites sur son blog.

Accros à Internet ?

On parle beaucoup de cette dépendance qui d'ailleurs ne frappe pas que les adolescents, à entendre certaines jeunes épouses qui se plaignent que leur compagnon passe des heures devant son ordinateur. Il s'agit de jeux de guerre, de rôles, ou de poker ! On peut parler de dépendance à compter du moment où ces activités empiètent sur la vie quotidienne, en d'autres termes : le joueur mange et boit devant son ordinateur et ne dort plus. L'un d'entre eux nous disait qu'il s'arrête lorsqu'il s'évanouit devant son ordinateur, purement et simplement. Ses yeux se ferment et il s'endort, comme on s'endort au volant. Cette échappatoire dans une vie virtuelle est comparable à une fugue. Le phénomène frappe les adultes aussi. Il n'y a qu'à voir le succès de *Second Life*, un monde «à part» virtuel, en ligne et gratuit, imaginé et créé par des résidents, où ils se retrouvent, créent, discutent par *chat* vocal ou écrit, créent des vêtements, des bâtiments, des objets, des animations et acquièrent des parcelles de terrain dont ils obtiennent la jouissance. Un «vrai» paradis artificiel... Du rêve encore pour pallier les souffrances de notre vie terne? «Quand je rencontre quelqu'un sur le Net, je deviens une autre, nous dit Christel. Je suis là avec mes pantoufles et mon t-shirt, mais pour le mec je suis une princesse, un désir, je peux dire n'importe quoi, c'est pas vérifiable...» On comprend alors pourquoi certains ne veulent jamais se rencontrer pour vrai. Ces rencontres ne sont d'ailleurs pas toujours bonnes, car le Net est aussi un vrai danger, un marché où on trouve de tout. Pour ces jeunes gens, il y a beaucoup de risques et de propositions honteuses.

Du mauvais usage d'Internet: les prédateurs de la toile et autres dérives

La mère exerçait la profession de... devinez quoi? Oui, vous avez trouvé: psychologue. Le père était médecin anesthésiste. La proie avait 16 ans, le prédateur en avait 27; il se faisait passer pour un professeur de philosophie. Tapi derrière la Toile, il s'employait à fasciner intellectuellement et sexuellement le jeune homme par des citations de Kant et de Baudelaire (*Les fleurs du mal*, etc.). Il est facile de fasciner un ado. Le fils ne mangeait plus et ne travaillait plus, il était comme sous l'emprise d'une drogue violente. En fait, son correspondant était un schizophrène délirant et les choses auraient pu très mal tourner si les parents n'avaient porté plainte auprès de la police. Le prédateur commit l'erreur de donner au «petit» un rendez-vous. Il ne s'attendait pas au comité d'accueil auquel il eut droit, qui comptait parmi ses membres le père de l'adolescent, qui se retint de justesse de lui casser la gueule.

Il y en a à foison des histoires de Toile pas jolies. Tous les fantasmes peuvent s'exprimer et voir le jour sur le Net, même si les pédophiles sont traqués par des brigades de police spécialisées depuis quelque temps. Mais cette délinquance a le temps de faire des dégâts, comme l'illustre l'histoire qui précède. Ce sont parfois aussi les adultes, les professeurs, qui en font les frais, quand les élèves décident de les insulter sur leur blog et de défouler leurs instincts. Écrire sur son blog c'est presque comme écrire dans le journal. C'est ainsi qu'un élève de seconde, ayant essuyé sans doute une sanction qu'il trouvait injuste de la part de son professeur de sciences, exprima son désir de se venger en sodomisant la pauvre femme, virtuellement s'entend. Il l'exprima sur son blog et tout le monde lut et sut son fantasme ou sa punition à lui: «Ma chère prof, la seule façon de te sortir de ta nullité, c'est de…!» Imaginez qu'au minimum la prof ne pouvait traverser la cour du lycée sans être l'objet de ricanements. Il récolta une convocation en conseil de discipline et la dame un épisode dépressif. Certains lycéens créent des groupes de soutien contre un professeur qui, selon eux, les malmène: «Si toi aussi tu as à subir les phrases assassines de madame Untel (et suit la liste avec souvent beaucoup d'humour), rejoins-nous!» Ils ont les moyens maintenant, les jeunes! On est loin de la lettre anonyme et du corbeau d'antan. Parents, attention!

LE SEXE HÉSITANT… GARÇON OU FILLE?

«Je ne sais pas qui je suis sexuellement», peut vous dire votre ado. Plus haut, nous plaisantions sur vos impossibles dialogues concernant la sexualité. Dans sa tête, le dialogue se poursuit tout seul, rassurez-vous: «Je suis attiré vers les filles (ou les garçons), ceux de mon sexe quoi. Je ne suis pas normal!»

Ce sont autant d'angoisses, car même si l'homosexualité est mieux admise, elle l'est surtout chez le voisin, là où les problèmes nous touchent moins, c'est bien connu. Un de nos amis, espiègle, expliquait son homosexualité par les interdits que posait sa mère: «"Pas de fille dans ta chambre", disait mère? Alors j'amenais des garçons et elle me fichait la paix!» L'explication de l'orientation sexuelle est un peu plus compliquée, nous le savons, mais cette boutade nous fera toujours sourire…

À l'adolescence, les «amitiés particulières» ne sont pas rares. Il est fréquent d'être attiré par des gens du même sexe, pour les garçons comme pour les filles. C'est une manière d'apprendre à connaître son propre corps et, dans la majorité des cas, cette homosexualité est passagère. Il peut vous paraître bizarre d'apercevoir votre fille qui dit au revoir à son amie en l'embrassant sur la bouche, ou qu'elle vous adresse par erreur un texto en réalité destiné à sa copine et qu'elle termine par «je t'aime». Vous, sa mère, croyiez être la seule femme qu'elle aimait. Vous vous leurriez! «T'inquiète, Man, maintenant c'est comme ça: on dit je t'aime à tous nos potes, garçons ou filles confondus.» Ah bon! Retour du *peace and love* alors! Prenons-en de la graine. Ama, ama... Hare Krishna! Il n'est pas de notre propos de traiter des facteurs d'influence lorsque votre ado vous annonce clairement son homosexualité, qu'il fait son *coming out,* comme on dit. Nous nous limiterons à dire que ce qui est important, c'est que l'adolescent soit reconnu et accepté dans son orientation sexuelle par ses parents avant de pouvoir ensuite affronter la société, et qu'il est à regretter que tant de jeunes gens vivent encore sans oser révéler ce choix à leurs parents. La réalité nous montre encore que de nombreux parents ne sont absolument pas prêts à accepter le choix de leurs enfants. La plupart font semblant de ne rien savoir. Nous pensons ici à une de nos amies qui s'amuse de «l'innocence» de sa mère, qui feint de voir une simple colocation dans le couple qu'elle forme depuis de nombreuses années avec sa compagne! Elles en rient beaucoup, se demandant sans cesse si elle est demeurée ou si elle le fait exprès. Tous n'ont pas cet humour ou ces années de thérapie! La souffrance est souvent présente, surtout pour les hommes. «Quand j'essaie de parler de mon copain, mon père quitte la pièce. Ma mère n'en parle jamais, tout un pan de ma vie leur échappe. Et moi aussi, je leur échappe, puisque celui qu'ils aiment n'est pas moi...», nous dit un jeune homme.

Ce sont des grands de plus de 30 ans, qui pleurent ainsi une vraie relation. Pour nos ados, la confidence peut être plus facile si elle s'inscrit dans la provocation: «Je suis différent et je vous emmerde...» Il faut garder à l'esprit que l'adolescent a déjà franchi une étape: celle d'accepter lui-même son homosexualité, souvent avec de l'angoisse, la peur de la rupture sociale et la crainte de décevoir.

ET POURTANT ILS NE PENSENT QU'À ÇA...
LES ADOS ET L'AMOUR

Les adolescents ne pensent qu'à l'amour. Voilà une vérité interplanétaire. Seul l'amour semble les sortir de leur ennui mortel et les détourner de la perspective peu réjouissante de leur avenir promis à être très ch... ennuyeux «si on en juge par l'exemple de papa et maman...» Notre carrière amoureuse a parfois commencé plus tard, pour beaucoup d'entre nous. Est-ce la raison pour laquelle nous étions moins perturbés? C'est vrai que pour les ruptures, scènes de ménage, jalousie, etc., ils font tout comme les grands. Tout cela semblerait les occuper plus tôt que nous, au beau milieu des apprentissages et même dans des moments clés de leur orientation scolaire et professionnelle. Ce sont des tremblements émotionnels que nous vivions moins en direct, il nous semble. Nous rêvions plus, même s'ils rêvent aussi. Les ados rêvent, comme nous à leur âge – même si le monde a changé –, à «l'amour toujours», d'où le décalage entre ce qui les préoccuppe et ce qui préoccupe les adultes. C'est le développement normal d'un être humain bercé depuis l'enfance par ces contes magnifiques, déjà évoqués, où le prince épouse la princesse. C'est avec ces doux mensonges que commence l'aventure amoureuse. Il n'y a qu'à voir le regain de succès des romans de Jane Austen[30], auteur du XIXᵉ siècle exhumée depuis peu, et dont la réédition des ouvrages, comme *Orgueils et préjugés* et *Raison et sentiments*, cartonne auprès des jeunes filles (et de leur maman!). Ses livres mettent en scène des sentiments contrariés par des mariages arrangés qui ne vont pas dans le sens des inclinations du cœur, mais où les tourtereaux triompheront des obstacles. À quoi rêvent les jeunes filles, on vous le demande?

Espoir jamais démenti. Quel fou a dit qu'il n'y a pas d'amour heureux? Encore un dépressif. Croyez-nous, ils y croient au grand amour. Nous ne parlons pas des séries télévisées idiotes ou roman-

---

30. Jane Austen, *Orgueil et préjugés*, Paris, Le livre de poche, 2000; *Raison et sentiments*, Le livre de Poche, 1999.

tiques, dont ils semblent d'ailleurs se détourner depuis quelque temps, préférant « la réalité » des rencontres sur le Net, pour vivre autrement l'émotion, la surprise, l'espoir, en attendant « que le beau gars de terminale me regarde ».

Dans le film *LOL*, Lola, 15 ans, l'héroïne, écrit dans son journal intime: «Qu'est-ce qu'elle me saoule, ma mère, avec les notes alors que je n'ai qu'une idée en tête, comment ne plus souffrir parce que mon petit ami a couché avec cette te-pu[31]!» Nous ne savons pas si le film a inspiré l'adolescente ou si les adolescents ont inspiré le film, ce qui est évidemment plus probable, mais la fille de 15 ans de l'une de nos amies l'a servie à sa mère, cette belle réplique – mais en version plus édulcorée –, peu de temps après l'avoir vu, ce film, en réponse à son: «Tu dois davantage travailler, tu ne te casses vraiment pas la tête!» Elle a dit: «Si tu savais, maman, comme les études en ce moment c'est le dernier de mes soucis!» et ce n'était pas du cinoche!

Blong! C'est l'effet de la fameuse liberté de parole de nos ados, brutal pour les parents, mais cathartique pour l'ado, qui exprime ainsi enfin son ennui à l'école, son malaise et ses échappées. La mère doit garder la position et témoigner de l'autre réalité, pas celle de l'ado, celle de la société: «Eh bien, je comprends, dans ta tête d'adolescente, il y a plein d'autres choses que les études et, entre autres, tu es amoureuse, mais cela n'enlève rien au caractère essentiel des études. Tu seras amoureuse toute ta vie, même si tu ne seras pas adolescente toute ta vie, et tu traverseras des bouleversements et il faudra toujours partager ton temps entre le travail et les loisirs et ne pas faire la portion congrue au travail!» ALLÉLUIA!

Un médecin nous disait: «Ah, ils sont libres, ces ados, libres aussi de leurs culs!» Nous nous inscrivons en faux! Même si nous avons souri à ces propos. L'amour, chez eux, ce n'est surtout pas une histoire de cul, quoi qu'en dise le médecin précité et certains esprits critiques, mais bien sûr, comme depuis toujours, une histoire... d'amour et de câlins. Et vous ne connaissez pas la nouvelle? Pour les garçons aussi! Si, si!

---

31. «Pute» en verlan.

Oiseaux bécoteurs, oiseaux fidèles…

En voici une démonstration: Deux enfants qui s'aiment… dans la salle d'embarquement d'un aéroport. Lui a à peu près 15 ans, elle aussi. Il est concentré sur son devoir, elle lit. Parfois, il lève la tête de sa copie, va chercher un baiser qu'elle lui donne, interrompant volontiers sa lecture. Ils se donnent sans cesse des baisers d'une infinie tendresse. C'est lui qui vient à la source. Voilà le câlin fourni par l'autre, un autre qui n'est pas la mère, qui n'est pas le père. Il faut à un moment accepter que les parents ne sont plus la source de câlins. Il n'y a pas que les mères qui ont du mal avec ça. Les pères aussi…

Prenez par exemple ce père qui dit: «Ça ne va pas, elle ne fait plus de câlins, Mathilde! Elle ne marche plus collée contre moi dans la rue, elle a instauré entre nous une bonne distance…» Distance physique, distance psychique. Mathilde n'a que 12 ans… déjà.

Gardons à l'esprit une chose: c'est que nos ados sont fleur bleue, oui fleur bleue et sous leurs allures décontractées, ils ne plaisantent pas avec la fidélité. Avec leur cul, les ados ne plaisantent pas, bien moins que les adultes!

C'est l'histoire de cette maman qui a fait une réflexion à son fils adolescent après qu'il lui a tenu ce langage: «Tu sais, les parents d'Isa, c'est pas formidable parce qu'un jour la maman elle a fauté, mais tu vois ça n'a duré qu'un soir son aventure, mais elle l'a avoué au père et depuis ce temps-là, c'est comme s'il lui faisait payer!» Elle lui a dit: «Aussi, quel besoin avait-elle d'avouer sa faute comme une petite fille à son mari? Un tel aveu provoque immanquablement des remous. Pourquoi risquer de mettre en péril son couple pour soulager sa conscience, alors qu'il s'agit d'une histoire d'un soir? Ce n'est pas si grave, ce qui est grave, c'est une vraie liaison qui dure, là on peut parler d'adultère!» «Eh bien, maman je ne te pensais pas comme ça! Je suis très déçu! C'est très grave au contraire! Je ne voudrais pas que ma petite amie fasse ça!» s'est écrié le fils. «Bon, bon, a dit la mère, c'est normal à ton âge de raisonner comme tu raisonnes», et elle a rajouté: «Quand on a un peu vieilli, on se rend compte que toutes les vérités ne sont pas bonnes à dire…»

Ne désillusionnons pas trop vite nos adolescents : ce serait une chose de plus qu'ils ne nous pardonneraient pas ! Cette petite fleur bleue a fort à faire pour résister à la pollution que représente cette sexualité adulte envahissante qui, en déferlant sur les médias, fait violence à nos ados, mais elle survit de manière étonnante, éternelle, comme un pont jeté entre leur adolescence et la nôtre.

L'ADO ET LA MAISON : L'ADO MI-FUGUE MI-RAISON

Il n'est pas bien à la maison, il va inventer un ailleurs. Il y a des possibilités…

L'isolement

Enfermé dans sa chambre, qui devient un bunker où nul ne pénètre, l'ado s'adonne au rien, à la rêverie. Un écriteau où l'on peut lire *Do not disturb* est collé sur la porte. Au moins écoute-t-il de la musique ? Gratte-t-il la guitare ? C'est un moindre mal. Les filles écrivent leur journal, c'est aussi un moindre mal. Quelque chose se dit, se lit et se relit. Peut-être un futur écrivain est-il en route, nous remarquons souvent que le premier ouvrage de nos auteurs préférés concerne cette période-là ! Tout est préférable au spleen de ces longues heures… même la rêverie qui est source de projection dans le futur et redonne ainsi foi en l'avenir.

Le droit de rêver, de paresser

Il faut cesser de dire qu'ils sont rêveurs. Ils ont besoin de rêver et de paresser. Nonchalante adolescence… oui… ou de l'utilité de la paresse pour se construire. L'ado a aussi besoin de rêver, de «légumer» aussi, joli mot qui dit bien ce qu'il veut dire : un légume ça ne bouge pas, ça ne fait rien, ça n'a pas de réaction, ça reste allongé. Ça poireaute. Les ados grandissent beaucoup en peu de temps. C'est pourquoi, nous disent les médecins, leurs grands corps sont fatigués et ils doivent rester allongés parfois… souvent. Mais, parents, ne gobez pas tout pour autant, si ce besoin de s'allonger surgit justement au moment de mettre la table ou de ranger la cuisine! La nature humaine répugne aux corvées, surtout la nature adolescente («Comme la nature masculine», qui a dit cela?) Mais il reste vrai que votre enfant a parfois besoin de «ne rien faire» mais rien de rien. C'est un temps de latence pour lui permettre d'observer et de digérer tous les bouleversements qui se passent à l'intérieur de lui, de penser à sa vie. C'est l'image de l'ado vautré sur le canapé, une jambe entortillée autour de l'accoudoir qui fait tant plaisir aux parents hyperactifs qui s'agitent autour. L'ado n'a pas la même notion du temps que nous. Les parents sont pressés par tout ce qu'ils veulent réaliser avant d'être... vieux. L'ado, lui, a la vie devant lui, c'est peut-être ce qui agace certains d'entre nous...

Et puis, souvenons-nous de ce que Montaigne écrivait en son temps, que nous étions de grands fous, car nous disions de quelqu'un: «Il a passé sa vie en oisiveté» ou de nous-mêmes: «Je n'ai rien fait d'aujourd'hui» et de nous rappeler que nous avions fait quelque chose puisque nous avions vécu et que c'était non seulement la plus fondamentale, mais la plus illustre de nos occupations. Il rajoutait que notre grand et glorieux chef-d'œuvre était de vivre à propos. Vivre à propos, être dans l'instant, tel est l'enseignement du philosophe humaniste et, par moments, ne rien faire d'autre que vivre... mais cela nos adolescents savent le faire... C'est après qu'ils perdent l'idée.

Ambiguïté ingénue, ou la preuve par le sondage!
«Je n'ai pas le temps!»

Nous avons récupéré cette formule fabuleuse dans un très sérieux sondage exécuté par une municipalité du Tarn, en France, soucieuse de ses ados et déterminée à répondre à leurs désirs (ou leurs besoins) et à créer avec eux un Conseil municipal des Jeunes*.

---

*   Pour des informations plus précises, nous joignons en annexe le sondage en question (voir p. 253), qui nous paraît être une belle photo de groupe et une merveilleuse leçon de grammaire nouvelle formule. Simple et efficace, on y écrit en phonétique, pas en verlan, on l'a échappé belle!

Surprise pour les animateurs sociaux et les élus : les jeunes de cette ville déclarent surtout « qu'ils n'ont pas le temps ». Pas le temps de participer aux animations proposées, pas le temps… de faire quoi que ce soit, sauf du sport, mais le sport n'est apparemment pas considéré comme un loisir, plutôt comme une nécessaire obligation parentale ou médicale ! Voici de quoi nous étonner, nous qui les trouvons si souvent vautrés sur leur lit. Mais on vient de le dire : ils ne font pas rien, puisqu'ils rêvent ou pensent. Ils sont donc occupés ! Et le reste du temps, direz-vous, que font-ils ? Nous l'avons dit : l'ordinateur et le téléphone. C'est validé. Ils n'ont pas le temps.

Ce qui veut dire pas le temps de lire, de faire des activités en groupe, de s'investir dans des mouvements politiques ou caritatifs… alors qu'ils déclarent le souhaiter, s'ils avaient le temps, justement. Pensez donc, s'ils avaient le temps, ils liraient ! Nous sommes sévères, car certains, et surtout certaines, font exception, et ceux-là lisent comme des fanatiques. Nous sourions en pensant à nos essentielles et similaires revendications d'adultes. Nous non plus, nous n'avons jamais le temps. Et c'est souvent le premier de leurs griefs à notre égard, on en a déjà parlé aussi : « Ma mère ! Elle a jamais le temps ; mon père, c'est pire ! » Ils nous ont bien entendus et jouent peut-être les perroquets. Nous voilà pris à notre propre piège d'arroseurs arrosés ! Toutefois, nous sommes souvent dubitatives devant les innombrables hobbies que les parents imposent (tant qu'ils le peuvent) pour le bien de leurs petits : cours de piano, de danse, d'équitation, de natation, de peinture… Cela aussi nous l'avons déjà évoqué, au chapitre 1, s'agissant d'enfants plus jeunes qui avaient besoin de se relaxer dans des hôtels de luxe et des salons d'esthétique. C'est le choix des parents avant tout. Parfois, ça marche et les ados sont heureux, parfois, ils s'ennuient ferme, ou bien ils sont tellement sous pression avec cet emploi du temps infernal qu'ils sont au bord de la dépression. Souhaitons qu'ils sachent négocier avec leurs parents et répondre aux « C'est pour ton bien mon coco » et « Plus tard tu le regretteras » et exprimer leurs envies.

C'est vrai que plus tard, devant le veinard qui a résisté au sinistre cours de solfège et qui joue du jazz à vous faire pâlir d'envie, on se dit que si... on avait eu des parents plus sévères, on jouerait aussi bien. «Et pourquoi tu ne m'as pas obligé à aller en cours!» C'est un comble, le voilà amnésique maintenant qu'il a la trentaine... Respirez et répondez. De toute façon, vous avez tort. On vous le dit, il fallait être ferme.

Nous, nous n'en croyons rien, si le chenapan avait voulu... bien sûr qu'il concurrencerait déjà Picasso, mais à ce moment-là, il ne voulait pas. Il préférait le copain d'en face qui avait une sœur à se damner! Nos regrets d'ados iront alimenter nos nostalgies et ajouteront un jeton dans le «joug box» des rengaines. «Si jeunesse savait et si vieillesse pouvait!» disaient nos grands-mères. Il faut de nombreux facteurs heureux pour devenir génial, de nombreuses fées penchées sur le berceau, des désirs irrésistibles, de l'acharnement et tant de choses encore. Allez n'ayez pas de regrets inutiles, va!

La vraie fugue: «Je me casse!»

Voilà que tout le monde est en émoi. Les parents sont inquiets et coupables. Surtout si c'est après une scène où la mère ou le père excédé a dit: «Si tu n'es pas content, la porte est grande ouverte!» Eh bien, il ne faut pas s'étonner s'il la prend! De bonnes heures d'angoisse vous attendent à appeler tous les services d'urgence de la Terre. En arriver là est le signe de la gravité du problème. Il va falloir rétablir la communication. Heureusement, la plupart du temps, c'est un premier appel pour vous retrouver. Il y a beaucoup à parier qu'il est caché tout près et attend que vous le cherchiez, pardi! Rien à voir avec la grande rupture, celle qui se prépare en douce depuis longtemps, qui récidive sans trouver de réponse, qui mûrit et conduit au grand saut. Celle-ci n'est qu'une alarme. On vous prévient aimablement que vous devriez changer de cap.

Certains ados font ainsi des microfugues. Ils fuguent pour échapper à la pression parentale ou familiale. Nous avons vu un garçon de 12 ans faire sa valise parce qu'il était le souffre-douleur de sa sœur. Leur fugue ne dure pas longtemps parce que le monde extérieur leur fait peur. Il faut se demander si ce type de comportement adolescent ne se rejoue pas à l'âge adulte avec la mère, pardon l'épouse, par exemple. Disparaître est un fantasme qui a la vie longue. Que l'autre me cherche, ça lui fait les pieds et surtout, qu'il s'inquiète, que je lui manque!

Toute honte bue: l'ado de retour, ou «Je suis rentré plus tôt, là-bas c'est nul!»

Quand l'ado n'a pas fugué mais qu'il est ailleurs, c'est-à-dire chez les copains, il se peut qu'il rapplique plus tôt que prévu. Votre fils qui devait dormir dehors rentre finalement très tard et se jette sur le frigidaire avant même que vous ayez pu ouvrir la bouche pour manifester votre surprise: «Je suis rentré de chez Kévin, parce que chez lui y avait trop rien à bouffer! J'ai faim!» Pourquoi est-il revenu à la maison, le bel oiseau?

Pour manger

Le frigo vide est la hantise des ados. Nous nous souvenons que nos enfants, dès le retour de l'école, se ruaient vers le frigo et l'ouvraient, histoire de se rassurer, parfois sans y toucher. Aujourd'hui, c'est pareil! «Mes biscuits, qui a bouffé mes biscuits?» et nous voilà obligées d'avouer que nous les aimons aussi…

Un ado revient toujours si le frigo est plein et si vous avez refait la réserve de ses céréales préférées. Fille comme garçon, c'est la première chose qu'ils contrôlent de retour de virée. «Il est comment le frigo chez Noémie?» demandez-vous devant cette inspection. «Oh plutôt vide!» Et vous vous faites la réflexion que c'est drôle, quand même! Ainsi, tous les frigos de parents ne sont pas pleins? Vous, vous êtes une mère tendance nourricière ou quoi? Une tradition familiale sans doute. En fait, tout dépend de la grand-mère, mais bon, nous nous égarons… Donc si vous voulez garder votre ado à la maison, ayez toujours le frigo bien garni! Comme le lave-vaisselle, le frigo est un indicateur psychologique: qui aime bien, nourrit bien!

Pour dormir en paix

« Là-bas y a du bruit le matin, la « grasse mat » c'est pas possible ! »
Avec le petit frère du copain qui le tire par les pieds à 6 heures du
matin et un plumard pour deux, c'est pas le pied, il ne peut pas
étaler ses grands membres, et après il a des crampes, et le copain,
il ronfle en plus, sans compter qu'il pue des pieds !

Pour prendre sa douche

Il préfère souvent prendre sa douche chez lui. L'ado a ses odeurs,
son territoire. Il est bien là où il a ses habitudes… « Mon savon et
ma crème. » Car bien sûr, il a une haute idée de la propriété, sauf
pour ce qui est à vous qui est aussi à lui. Broutilles ? Qu'il est bon
de partager la crème antirides à prix d'or avec la petite qui va s'en
servir comme lotion après douche ! Une mère nous racontait sans
rire que son ado avait déménagé dans sa chambre son lit à elle,
« car il était autrement « confort » » ! La propriété, c'est du vol ! Ils
ont de la culture ! Et ne vous avisez pas de remarquer votre beau
pull sur le dos de la copine de votre fille, vous passeriez pour une
égoïste qui ne partage rien, qui fait des histoires pour rien. Bien
sûr qu'on vous le rendra, il aura peut-être pris deux tailles ou
rétréci – toutes les machines n'ont pas un programme fragile. Nous
connaissons un père qui ne quittait pas les clés de sa cave à vin
tellement il craignait que les chenapans la pillent. Dommage, car
ils ont le goût des meilleurs foies gras et des millésimes rares…
Pas de quoi en faire une histoire !

Pour regarder la télé

« Ses parents au copain ne regardent qu'ARTE et on peut pas
s'allonger sur le canapé. Moi, mes parents aussi c'est des intellos,
mais au moins ils la regardent pas, la télé, ils bouquinent dans leur
chambre, ça laisse le champ libre pour regarder la *Nouvelle Star* ! »
Sans commentaire et nous ne raconterons pas les disputes autour
de la zapette et la propriété de la zapette.

Pour faire la lessive

Sans commentaire encore… ou plutôt si, le lave-vaisselle et le lave-linge sont des appareils impossibles dont les modes d'emploi sont traduits par des dégourdis qui manient mal la syntaxe française et les traductions sont totalement incompréhensibles. En plus, c'est vérifiable : on ne peut donc s'en servir.

Pour être seul

« C'est bon, je l'ai assez vu, il me parle tout le temps ! Ça me gonfle », dit-il de son copain. L'ado a besoin de refaire un petit retour « autiste » sur lui-même. Alors n'entamez pas la conversation. Ce n'est pas le moment. Hier, il n'a pas beaucoup dormi mais beaucoup parlé. Pas de chance pour vous : vous récoltez l'ado chiffon et bougon ! Il veut aussi retrouver son ordi, sa musique, etc.

Décalage horaire

L'ado aime manger seul devant son ordinateur. Il ne souhaite jamais déjeuner ou dîner à l'heure où vous souhaiteriez déjeuner ou dîner. Il est branché sur MSN, dont il ne peut pas décoller une minute. Imaginez qu'un message de la plus haute urgence vienne « à tomber sur les téléscripteurs », comme on disait autrefois à la télé les soirs d'élection ! Et vous n'en pouvez plus d'entendre les messages d'alerte qui le préviennent qu'il a une réponse à son message, qui va en entraîner une autre de sa part, etc. et cela, sans fin.

Si vous acceptez ce décalage horaire, inutile de lui préparer une assiette de mère attentionnée, car vous constaterez qu'il a déjà fait préchauffer le four pour « se faire » décongeler et cuire une pizza parce que « C'est plus rapide » et que « Comme ça, il peut la manger devant son ordi et voir le film qu'il vient de finir de télécharger » ! Vous la gardiez pour les jours sans, c'est râpé !

Nous ne sommes pas étonnés que 70 pour cent des ados trouvent la maison confortable. Les parents du copain seraient-ils encore plus nuls que vous ? Oui, oui c'est possible, puisqu'il est en train de vous le dire ! Ne le croyez pas tout à fait mais vous aviez bien remarqué que l'on squattait beaucoup chez vous depuis quelque temps ! Ne vous attendez pas à ce que l'on vous redise encore combien on est bien à la maison, mais vous serez peut-être surpris dans l'avenir. Et votre souhait sera alors qu'il décampe ! Rappelez-vous l'adorable Tanguy décrit par Étienne Chatillez dans le film éponyme : les parents n'en finissaient pas d'espérer qu'il quitte le nid, ce « garçon » de 27 ans !

PAPA CHÈQUE ET MAMAN *CADDY* : L'ADO CONSOMMATEUR

Notre ado est la cible des publicitaires, on l'a dit. Alors quand vous allez faire les courses avec lui, il achète toutes les boissons sucrées qui défilent sur les écrans. Il vous fait aussi une petite régression dans l'enfance en faisant le plein de biscuits, friandises et tablettes de chocolat. Vous devez compter en moyenne 30 euros de sucreries pour l'aide efficace qu'il vous aura apportée dans le port des victuailles et le remplissage du coffre. Toute peine mérite salaire !

Shopping stories : départ joyeux et retour en débandade…

« Ma mère veut s'habiller comme une jeune, mais veut habiller sa fille comme une vieille. » Camille, une très jeune ado, racontait ainsi son quotidien et refusait de mettre les vêtements que sa mère lui achetait dans un magasin de « vieilles » par correspondance, alors que la mère, bien sûr, copiait les copines. « Je te jure, elle s'habille comme mon amie ! » Et notre Camille d'enrager comme l'héroïne de Claire Bretécher, la célèbre Agrippine, qui pique une grosse colère quand la grand-mère ose s'offrir les *boots* si convoités… Lire les mots doux qu'elle profère est un enchantement !

Certaines mères racontent les séances de *shopping* du mercredi avec leur fille avec beaucoup d'humour, et il en faut. Pour d'autres, c'est une véritable épreuve qu'elles redoutent par anticipation. L'ado ne se roule plus dans les allées du magasin mais ce n'est guère mieux…

Voici un épisode parmi tant d'autres, comme si on y était : une jolie fille et une jolie mère montent un escalier mécanique. « La jeune », une marche plus bas dit à « la vieille » : « Tu te rends compte, si j'étais encore comme ça ! » sous-entendu deux têtes de moins que toi. Dans ces moments, l'adolescente veut redevenir petite. La mère se penche vers elle, dépose un baiser sur son front et murmure : « Petite ? Eh bien, tu me débiterais moins de vacheries ! Même la marchande de chaussures l'a remarqué toute à l'heure, tu l'as entendue, elle a dit : « Mais elle est méchante avec vous votre fille ! » Tout ça parce que la mère ne voulait pas acheter des ballerines à prix exorbitant. Et la fille de continuer, dans les allées du magasin : « Pousse-toi, Maman, avance, que tu es lente ! Ah c'est terrible, je ne suis pas pressée d'avoir 40 ans, quand on voit le temps que tu mets à réagir. Bon allez, meurs tout de suite que je prenne ta carte bleue et que j'aille m'acheter ce qu'il me faut ! » et encore « Je veux des marques ! Comme tout le monde ! On voit bien que tu ne sais pas ce que c'est le lycée ! Tout le monde porte des marques, sinon t'es rien ! » La fille a les chaussures qu'elle voulait et d'autres babioles, mais elle boude car ce n'est pas suffisant. Elle en voulait plus. Alors, sur le chemin du retour, elle marche 100 mètres devant sa mère, ne l'attend plus et ne lui tient pas la porte d'entrée de l'immeuble qu'elle reçoit sur le nez.

Elle a payé, la mère, elle ne sert plus à rien. Inutile, elle est devenue inutile ! Mais elle n'a pas encore assez payé, voilà les raisons de la colère et l'ado remâche sa frustration ! Caprice d'enfant ? On sait l'importance de l'image pour les adolescents, en termes de construction de l'estime de soi. L'ado continuera à bouder dans sa chambre et si la mère a le front de braver l'interdit, de pénétrer dans son antre, elle tentera d'expliquer qu'elle comprend cela, son besoin de confiance en soi nourri par le vêtement, mais que le budget n'est pas extensible et qu'elle est là pour satisfaire ses besoins et non ses désirs, qu'il faut faire des choix, qu'on ne peut tout avoir, et patati et patata… Et s'il y avait une bulle de pensée au-dessus de sa tête, comme dans les BD, voilà ce qu'on y lirait : « C'est ça l'éducation merde ! Sinon à quoi je sers ? » La fille, après ce discours, se sentira davantage entendue. L'éducation c'est poser un cadre, nous aurons l'occasion de le redire. Peut-être trouveront-elles un terrain d'entente. Mais malgré tout, quelle crise que le *shopping,* alors que tout avait si bien commencé !

Il y a à ce sujet beaucoup à dire et les ados ne sont pas toujours responsables, parce que manipulés par la mode, les médias et le marketing. Ces dernières années, l'enfant est devenu un produit, avec ses marques à lui. Port obligatoire au lycée ! Il vous l'a dit ! Il est obligé de se couler dans le moule défini par les annonceurs. Et ce, de la chemise à la robe, en passant par le yaourt, sous peine de ringardise. Telle est la loi de son groupe ! Quant à nous, les parents, nous ne sommes pas des saints, nos ados le voient bien que nous sommes influençables et corruptibles. Ainsi, comment peuvent-ils résister à la société de consommation lorsque nous y parvenons à peine ?

Certes, nous pouvons arguer que nous travaillons, que nous avons terminé nos études et que nous pouvons, dès lors, nous offrir le dernier jean à la mode, mais combien d'entre nous ne se sentent pas étranglés par la culpabilité après un achat compulsif ou un achat de compensation ? Et cela, nos ados l'entendent comme si nous leur disions.

Certaines marques jouent aussi le registre de la corde sensible en mêlant l'image de la mère et de la fille. C'est attendrissant, mais la complicité mère-fille doit-elle aller vers là ? NON ! Nous en avons déjà traité ailleurs[32].

Le danger est de ne plus trouver la limite raisonnable entre les deux. Les ados ne veulent pas de mère-copine ni de père-copain. Ils trouvent ridicule que nous employons leurs tics de langage, leurs manières, et nous le disent clairement en consultation. Ils appellent ça « manquer de tenue » ! Nous dirons, nous, que les parents « ne tiennent » pas leur rang. Leur rang généalogique. Ne vous avisez pas non plus à faire des sourires au copain ! Vous serez très mal jugés. Comme cette mère qui s'habillait rock'n'roll et avait un comportement « hors normes » dans les grands magasins, où elle

---

32. Véronique Moraldi, *La fille de sa mère, op. cit.*

adressait facilement la parole aux gens et se faisait remarquer en critiquant le conformisme des autres parents. Dans l'intimité, elle révélait qu'elle avait attendu l'âge de 35 ans pour se libérer et enfin rejeter les codes. Le contrepied qu'elle avait pris tardivement obligeait sa fille à épouser le plus rigide des conformismes, ce qui faisait dire à la mère : « C'est toi la vieille, habille-toi et coiffe-toi autrement toi aussi ! Si le parent n'affiche pas un minimum de conformisme social, contre quoi l'ado peut-il s'opposer ? La fille est volée par sa mère de sa propre révolte.

Parfois, si une mère limite sa fille dans ses achats de minijupe, c'est parce qu'elle a peur. Elle connaît les dangers (parfois !) de sortir en minijupe en ville sans garde du corps ! Ce n'est pas de la pruderie. Elle doit l'expliquer à sa fille pour ne pas être prise pour une vieille « réac » – ou tout simplement pour une mamie ! – et la mettre en garde tranquillement. Elle peut acheter la minijupe, mais il faut lui donner le mode d'emploi qui va avec : éviter les quartiers chauds durant les heures tardives !

Un petit bémol : cela fait longtemps que notre société en est une de consommation...

Les quadragénaires et les quinquagénaires ont connu cela. Un de nos professeurs nous assénait déjà, en 1978 : « Pourquoi voulez-vous travailler si vous avez toujours, quoi qu'il arrive, le dernier petit pantalon à la mode ? » Certes ! Ce n'est pas neuf tout cela, même si l'on s'en émeut fortement aujourd'hui.

QUATRE SOUS UN TOIT, OU LE « PETIT » COUPLE AVEC LE « GRAND » À LA MAISON

Un beau jour, tout d'un coup, l'ado est en couple. On a déjà parlé de l'ado amoureux. Là, la relation s'installe. Cela ne durera sans doute pas toute la vie, encore qu'on ne sait jamais, mais en tout cas, c'est le début de la vie affective et sexuelle régulière et stable.

Petite parenthèse réservée aux mères de garçons : quand votre enfant est « en couple » avec l'enfant d'un autre, alors que vous connaissez toutes ses fragilités, toutes ses faiblesses, il faut « décrocher » et la « fermer » (pas de remarques S.V.P. !) et se rappeler que fiston, que vous croyez connaître comme si vous l'aviez fait, est en train de devenir un homme et qu'avec « sa chérie » il est capable de se comporter en chevalier servant responsable. Eh non, ce n'est plus l'étourneau que vous connaissiez, ni un bébé, encore moins « votre bébé ». Il se peut même que ce soit sa petite amie qu'il appelle « bébé ». Quel changement, quel coup de vieux ! Quel coup de vieille !

Vivre sa sexualité sous le toit familial

Nous savons pourquoi nous sommes contre cette pratique, et, chaque fois que nous disons que les adolescents doivent faire l'amour ailleurs que sous le toit parental, nous provoquons un tollé. On nous rétorque : « Mais où vont-ils le faire alors ? » « Ailleurs ! » répliquons-nous. On insiste : « Alors, ils vont le faire n'importe où, à l'arrière d'une voiture, ou même sur le capot, nous, nous préférons que ça se passe à la maison ! » Nous répondons que ce n'est pas notre problème, capot de la voiture ou pas, que c'est à nos ados de le résoudre et que c'est respecter leur intimité que d'agir ainsi.

Pourquoi ? Non parce que nous sommes de vieilles réactionnaires, mais parce que la sexualité est ce qui permet de se séparer des parents et de grandir. Alors si c'est pour la vivre sous le toit des parents, on ne voit pas où est l'effet bénéfique, le gain en termes d'autonomie. En outre, nous adhérons à l'approche psychanalytique qui considère qu'il y a trop d'interférences des inconscients.

Certes, il faut accompagner nos ados en matière de sexualité, mais pas de cette manière-là, qui est une forme d'intrusion non conscientisée. Les parents ne doivent pas savoir ce que les enfants vivent dans leur chambre, comme les enfants ne doivent pas savoir ce que les parents vivent dans la leur. Voilà pourquoi il vaudrait mieux que l'ado garçon change lui-même ses draps. Sa mère n'a pas à trouver de traces des « pollutions nocturnes », si mal nommées, qui trahissent les débuts de sa vie génitale et de ses rêves érotiques.

Tout comme la porte de sa chambre doit être fermée et que nous devons frapper, nous, parents, avant d'entrer, tout cela pour éviter la confusion réciproque provoquée par le spectacle d'un adolescent en train de se masturber. Écoutons ce que dit Claude Halmos : « habité comme il l'est par une sexualité anarchique… tout est à cette époque pour lui érotisé ».

Au-delà de la sexualité, cette promiscuité sous le même toit, même si la maison est grande, n'incite ni à l'autonomie, ni à l'envol. Ce que nous avançons n'est pas dans l'air du temps, qui veut que l'on garde les enfants longtemps près de soi pour les protéger des violences et de la dureté de notre société. Un réflexe louable des parents mais préjudiciable pour les enfants. Ce peut-être aussi le moyen détourné pour éviter la solitude ou le retour redouté au tête à tête du couple. Le plus beau cadeau que nous puissions faire à nos enfants, c'est de leur apprendre à se passer de nous.

C'est un mouvement tellement tentant, lorsque l'on est parent, de « garder » ses enfants, sous couvert de bonnes relations, et la question se pose pour les familles monoparentales : lâcheront-elles plus facilement leur enfant ? Ce syndrome du nid vide sera d'autant plus mal vécu si les parents n'ont pas reformé de couple. Et pour les autres, si le couple s'est envolé.

Ces jeunes gens qui font « famille » autour de soi, qui sont notre continuité et notre succession sur Terre, il est bien tentant de les garder près de nous, de nous y raccrocher pour ne pas mourir, ne pas disparaître. Acceptons de ne pas les voir trop souvent. Acceptons qu'ils ne vivent pas près de nous, dans la même rue ou la même ville. Acceptons-le et profitons des moments d'intense bonheur où les générations sont mêlées et où elles se retrouvent. S'il nous semble que nous n'avons pas tout fait sur cette Terre, ou qu'il nous reste des combats à mener, et que nos enfants n'ont besoin de nous que lorsqu'ils nous le demandent, peut-être que cela sera plus facile…

Il est déplorable de voir ces jeunes qui ne peuvent s'éloigner de leurs parents pour travailler parce qu'ils sont dépendants ou qui reviennent parce qu'être loin est pour eux une trop grande sensation de vide. Ce sont autant d'envols manqués. Il est triste d'assister à de tels échecs. Nous, parents, n'avons pas à nous réjouir lorsque cela arrive à nos enfants. À cette mère qui disait : « C'est drôle, notre fils était si proche, nous étions si unis tous les trois, je n'aurais jamais pensé qu'un jour il vivrait et travaillerait si loin de nous. » Nous avons répondu que c'était le signe d'une éducation qui avait abouti. Et pourtant, ce fut effectivement très dur pour ce fils unique qui, de sa propre initiative, dut voir un psy pour qu'il lui confirme ce qu'il savait déjà : « Il faut couper le cordon. » Voilà un homme qui a eu la lucidité et la force de se battre contre sa dépendance pour garder un emploi gratifiant qui lui convenait dans une ville qui lui plaisait, même si c'était loin de ses parents. Encore une fois, il ne s'agit pas évidemment, entre parents et enfants, de ne plus s'aimer, de ne plus s'apprécier, de ne plus connaître cette relation harmonieuse empreinte de tendresse si importante pour les parents comme les enfants, bien au contraire, mais plutôt qu'un « enfant » ne soit pas handicapé dans son chemin de vie propre, son destin qui est unique, parce qu'il est resté attaché de façon infantile à ses parents. Il est déjà suffisamment regrettable que parfois nos enfants soient forcés de rester près de nous par la conjoncture économique qui les condamne à l'impuissance.

Quand c'est la société qui bloque le chemin vers l'autonomie

La sexualité, « former un couple », permet de quitter ses parents, mais le cheminement normal qui consiste à s'insérer dans la société par le biais d'un emploi, qui donne accès à un logement où le couple peut trouver son propre territoire, est rendu difficile par la conjoncture économique. La sexualité ne peut alors être vécue hors du champ de vision de la famille, ou tout au moins hors du champ de vision des inconscients…

On ne mesure pas à quel point cette impossibilité d'échapper à ses parents en gagnant de l'argent par son travail, de connaître la fierté de décrocher son premier job condamne le jeune à une régression insupportable, qui peut être chez certains cause de dépression, voire de délinquance.

Un nouveau phénomène : les faux départs et les vrais retours, ou le retour des « adultolescents » à la maison

La crise, le chômage et le divorce ramènent parfois de grands enfants à la maison alors qu'ils étaient partis. Ils doivent faire un retour humiliant au foyer parental pour cause de chômage ou de divorce. Humiliant, parce que c'est le signe de l'échec de l'envol vers la vie d'homme ou de femme, parce que l'estime de soi et la confiance en soi n'en sortent pas indemnes. Ils n'ont pu mettre le pied à l'étrier de la vie d'adulte ou, s'ils l'ont fait, ils sont tombés de leur monture. Ils doivent alors se relever et l'aide de leur famille, en pareil cas, est souvent primordiale. Elle leur permet de rassembler leurs forces pour se remettre en selle. Mais parfois, certains de ces jeunes adultes qui ont manqué leur envol ont du mal à repartir si le nid est trop douillet.

On ne peut mettre à la porte du foyer parental un enfant qui n'a pas d'emploi et qui éprouve de réelles difficultés d'insertion, mais supporter et garder à la maison un enfant qui travaille, et qui gagne même confortablement sa vie, comme c'est le cas dans le film *Tanguy*, c'est faire barrage à son accès à une vie autonome et l'entretenir dans une adolescence attardée.

Les Tanguy du dimanche

C'est le cas de ces enfants qui ont une vie de couple sous le toit de leurs parents à temps complet ou partiel, qui viennent chaque week-end porter leur linge sale et manger le gratin dauphinois de maman. Ils sont entretenus dans la dépendance.

Retenons la fin de l'histoire de notre Tanguy de 27 ans. Lorsqu'il est sommé par ses parents de partir et se retrouve seul dans son appartement, il est pris d'une crise de panique affreuse tellement il est dépendant. La seule issue pour ce garçon sera d'épouser une jeune femme chinoise qui compte une famille pléthorique où tout le monde vit sous le même toit !

«J'ATTENDS UN BÉBÉ»

Autrefois impensable sans scandale, cette phrase est moins rare qu'il n'y paraît, malgré l'évolution des mentalités. Comment imaginer des parents encore enfants éduquer un autre enfant? Doivent-ils le garder, ce bébé? Doivent-ils recourir à l'avortement? Comment prendre cette difficile décision qui va plonger ces ados et leurs parents dans un fort désarroi?

La presse s'est fait l'écho, récemment, de ce très jeune papa de 12 ans, éberlué de cette merveille qu'il avait de la peine à tenir dans ses petits bras! Encore une fois, voici un cas douloureux qui aurait pu être évité s'il y avait eu plus de communication à ce sujet. Pourquoi lui et sa copine n'ont-ils utilisé aucun moyen contraceptif? Innocence? Inconscience? Manque d'information? Les grossesses précoces chez des ados si jeunes vont la plupart du temps se solder par une interruption volontaire de grossesse (IVG). Généralement, cette intervention, actuellement très bien contrôlée, sera sans conséquences. Pour autant, elle n'est pas anodine et doit questionner…

Quelquefois, la crainte de l'aveu aux parents fait que ces grossesses dépassent le terme de l'IVG légale et qu'elles se déroulent sans suivi médical ou avec un suivi très tardif dans une frayeur absolue. Elles ne sont pas sans risque pour la maman et l'enfant qui va naître.

Reste alors totale la question de l'avenir! Comment élever un petit quand on dépend encore de sa famille, quand on n'a aucun revenu? La plupart des jeunes femmes se retrouvent en foyer spécialisé pour jeune mère seule, car souvent le papa disparaît! L'entrée dans la vie adulte se fait sans ménagements.

Souhaitons que cette fameuse autonomie soit vite gagnée, car pour tous c'est bien de cela qu'il s'agit: de rendre son enfant autonome. Et que nul ne s'avise comme autrefois à brouiller les générations! Combien d'enfants de jeunes filles ont été reconnus et cachés par leurs propres mères, pour ne pas gâcher la vie débutante de celles-ci. La révélation tardive ne va pas sans drame pour les trompés.

Après ces chapitres, vous voici incollables sur les facettes essentielles de vos ados, mais la tâche reste entière : éduquer ces enfants terribles ! Allons plus profondément, creusons plus précisément, même si nous avons déjà un peu cerné notre sujet et si nous avons déjà ébauché quelques conseils et évoquer les raisons de la colère.

Comment se comporter, nous, parents ? Quels conseils pour nous, gardant à l'esprit que, hormis des cas extrêmes, la plupart des ados ne sont pas des ados à problème ? Demain ils seront adultes et c'est à cela qu'ils se préparent, c'est cela qui les pousse. Comment ne pas entraver ce mouvement tout en leur donnant le cadre qui leur permettra d'évoluer dans la société, en évitant les heurts et les déconvenues… évitables ?

Dans la majorité des cas, entre parents et enfants, sauf lors de cas extrêmes comme ceux présentés au chapitre 2, il s'agit bien plus d'un problème relationnel que d'une pathologie, alors comment y travailler ? Une fois n'est pas coutume, nous nous autoriserons une conclusion à la première partie et une introduction à la seconde par un petit récit. Plus parlant qu'un grand discours, il nous a émues et troublées, et nous nous souvenons que la seule idée qui nous venait à l'esprit, en dehors de ce sentiment d'absurdité que nous avons si souvent ressenti, était… quel gâchis ! Quel dommage !

Il est 13h30 sur France Culture, nous écoutons une émission que nous aimons bien, intelligemment nommée *Les pieds sur terre*. Elle nous convie au conseil de discipline d'Azis, élève turbulent déjà exclu par un précédent conseil mais encore en sursis.

«Le tribunal» est présidé par le principal du collège, et quelques professeurs et des élèves doivent assurer la défense. Comme au tribunal, on rappelle à Azis les faits retenus contre lui. Il fait ou a fait beaucoup de bêtises, Azis ! Ce jour-là, il a uriné sur le portail… Il a écrit sa défense comme une rédaction, sa voix est pleine de sanglots retenus. Les toilettes étaient fermées, car la cloche avait sonné. Il a la vessie faible, comme le souligne le certificat du médecin porté le lendemain (eh oui, il est dégourdi) ! Eh oui, c'était une sale journée, les profs

▶

étaient absents, il avait essayé de présenter une fausse permission de sortie, mais le pion avait tout de suite vu la supercherie…

Après le plaidoyer, la mère prend la parole, elle s'adresse à Azis : « Azis, mon fils, il est respectueux à la maison, il est gentil, il aide les petits, il m'aide, j'élève mes sept enfants seule car le père, il est parti… et j'ai mal au dos, car je suis couturière et fatiguée ! Azis, tu dois avoir le respect des professeurs comme ton père et ta mère, ils sont comme ton père et ta mère ! » On comprend qu'Azis n'a pas le respect, il a répondu « Tu me fais chier » au pion qui lui demandait le carnet de correspondance. « Non monsieur, j'ai pas dit ça, enfin… je l'ai dit en arabe ! » Une voix médiatrice s'indigne que les toilettes soient fermées dès la sonnerie, mais c'est la règle, lui répond-on. Les élèves défenseurs sont curieusement muets. Peut-être Azis est-il indéfendable à leurs yeux, ou alors leur témoignage a été coupé au montage, Azis essaie d'expliquer sa vessie faible. Les autres trouvent cela bien suspect et bien subit.

« Pourquoi, pourquoi… ? » lui demande le Conseil. « Pour faire le caïd, c'est tout », murmure Azis. Le conseil délibère enfin. Azis ne sera pas repris. Et nous arrêtons un « mer… » de dépit, comme chaque fois que les choses se brouillent par malentendu. Sûr, personne ne se trompe de rôle et il faut une règle et des naïfs comme Azis pour les transgresser… mais quel dommage ! La mère en sortant dit qu'elle a honte, qu'elle est trahie, que jamais elle ne remettra les pieds dans cet endroit, qu'elle ne répondra même plus au téléphone, Azis repartira au bled, c'est « trop la honte ». Elle parle, elle pleure, on n'entend plus rien et on a le cœur serré.

Quel gâchis, c'est ainsi que de magnifiques vies peuvent basculer, et s'enfoncer bien au-delà de l'échec scolaire et du renvoi d'un collège.

DEUXIÈME PARTIE

Éduquer, ce que nos adolescents nous demandent ; ou le remède à la crise : les éduquer tout en les laissant vivre

CHAPITRE 4

Parents, éduquez, c'est nécessaire !

Vos enfants ne sont pas vos enfants.
KHALIL GIBRAN

Celui qui est venu au monde pour ne rien déranger ne mérite ni égard,
ni patience.
RENÉ CHAR

Le sage doit rechercher le point de départ de tout désordre. Où ? Tout
commence par le manque d'amour.
MO TZU, PHILOSOPHE CHINOIS (479-391 AV. J.-C.)
(Voilà qui n'est donc pas nouveau.)

L'éducation, c'est le propre du genre humain. Si quelque chose relève bien du registre de l'humanisme, c'est l'éducation. Voilà qui nous met déjà un peu sur la voie. Qu'est-ce qui nous différencie du règne animal et nous caractérise ? L'éducation. Le petit de l'homme a ceci de différent qu'il est éduqué pour un jour faire partie de la société, ce qui faisait déjà dire il y a très longtemps à Aristote que l'homme était un animal social. Sa survie assurée, il lui faut vivre en société. L'éducation n'a rien, ne connaît pas d'équivalent hors le « règne humain », serions-nous tentées de dire.

C'est pourquoi il faut que les parents aient la conviction qu'exercer l'autorité pour éduquer est légitime car sans elle, l'enfant ne peut pas se construire et trouver sa place au milieu des autres. C'est l'absence d'éducation, donc d'autorité familiale, scolaire ou sociale, qui fabrique la délinquance, la marginalité. Cela ne revient pas à dire que la tâche est aisée... Loin s'en faut !

UNE BONNE NOUVELLE : PARENTS EN DIFFICULTÉ, VOUS ÊTES NORMAUX !

Les parents qui disent ne pas avoir d'ennuis avec leurs enfants sont des parents qui ne sont pas au courant... Il est vrai, on l'a noté, que la crise peut couver et que des parents inattentifs ou préoccupés peuvent passer à côté de ses prémisses. Un beau jour, donc, ce sera la découverte fortuite du cannabis ou l'appel du commissariat... Oui, il subtilisait des livres au supermarché. Vous n'y croyez pas. Pas lui ! Pas des livres... puisqu'il ne lit jamais... Il a été entraîné c'est sûr, mais comme on vous convoque, vous n'allez plus pouvoir fermer les yeux. Parfois, la crise a l'air «unilatérale», côté père ou côté mère : «Avec moi tout baigne, c'est avec son père (ou sa mère) que c'est compliqué !»

Aïe ! Là, nous sommes aux aguets, sceptiques, car l'analyse ici va être plus qu'embarrassante... En fait, ce cas de figure cache souvent une problématique difficile à démêler : les désaccords éducatifs entre les deux parents, les règlements de comptes sournois et non dits ou même inconscients. C'est le cas de cette mère qui pense sa fille mieux aimée qu'elle-même par le père : «Il lui tolère tout, ne me passe rien à moi. Il peut apprécier des tenues extravagantes chez elle et ne tolère pas une once de fantaisie chez moi. Ils ont des attitudes équivoques, à imaginer que mon mari la préfère à son bras et laisserait penser que...» Devinez la suite, lecteurs, et l'amertume de cette épouse-là. Ces attitudes ne sont pas que des délires de femme jalouse. Combien de fois avons-nous vu de ces attachements curieux ! Les pères les confessent souvent, d'ailleurs, sans embarras, en souriant : «On nous prend souvent pour un vrai couple !» Nous en connaissons qui adorent le *shopping* avec leur grande fille, choisissant leurs parures avec soin. L'inverse est aussi vrai : «Pour que Papa ne soit pas ringard.» La même chose peut se produire entre une mère et son fils, mais elle a rarement cette même charge érotique. Une mère reste une mère... seulement abusive, celle que nos amuseurs publics caricaturent et poursuivent avec talent. Ce qui n'empêche pas non plus le règlement de comptes avec le mari. En général, c'est pour protéger l'enfant de sa trop grande sévérité. De concert avec l'enfant, on dissimule les mauvaises notes dans un premier temps, puis les affaires plus graves. Le père est ainsi peu à peu exclu du cercle familial et tombe des nues à l'annonce d'authentiques catastrophes. Certains l'ont bien cherché, qui se désintéressent très vite de la vie familiale, trop préoccupés par le boulot… ou le foot, qu'il ne faut pas agacer avec l'intendance et les pleurs du petit dernier (car ils sont fatigués, eux!). D'autres, souvent très impliqués, considèrent leur conjointe comme une enfant, une autre enfant : « Leur mère manque d'autorité, alors il faut bien que j'assure ! » Aussi, quand l'ado est en difficulté, c'est à la conjointe qu'iront les reproches : « Tu lui tiens la main ! »

De combien de séances houleuses de ce genre avons-nous été témoins ? Plusieurs. Devant un ado désarmé et muet qui voit SA séance chez le psy tourner au règlement de compte parental. Il n'est pas fier de cette évolution-là. Il est souvent conscient de la faiblesse de l'un des deux parents et il s'en sert, mais de là à assister à cela ! Cette problématique est hélas ! fréquente dans les cas de divorce.

UNE AUTRE BONNE NOUVELLE : IL N'EXISTE AUCUN MODÈLE ÉDUCATIF

Pour se rassurer… D'ailleurs, Jean-Jacques Rousseau n'a jamais élevé ses enfants, qu'il a dû abandonner pour des raisons obscures. C'est sans doute ce qui lui a permis d'écrire un modèle d'éducation : l'*Émile, ou De l'éducation*[33]. Donc, jeunes parents, rassurez-vous, vous ne trouverez aucune méthode dans ce livre, juste des pistes ou plutôt des balises. Cette image du parapet (à laquelle Aldo Naouri fait référence dans son dernier livre[34]) qu'il faut mettre de chaque côté des enfants, servira aussi pour vous. Nous

---

33. Jean-Jacques Rousseau, *Émile, ou De l'éducation*, Paris, Le livre de Poche, 1999.
34. Aldo Naouri, *Éduquer ses enfants, l'urgence aujourd'hui*, op. cit.

la reprendrons à notre compte. Nous vous indiquerons quelques parapets, quelques limites ou bornes qui vous serviront de guide pour vous garder des périls de l'éducation et vous ferez, comme tous les autres avant vous, votre apprentissage sur le tas!

N'étant pas les payeuses, nous vous délivrerons néanmoins quelques conseils, mais surtout, sachez qu'il vous faudra agir en accord avec votre intuition profonde et votre bon sens. Le premier des conseils, avant tout, c'est de renoncer à vouloir tout comprendre, tout savoir et tout maîtriser. Pour autant, il ne s'agit pas de lâcher prise et de s'en ficher. C'est même exactement le contraire, il faut aller au turbin car il y a urgence. Avec tact et humilité, parce que vous n'avez pas l'expérience. Même si c'est votre septième enfant, il n'est pas comme les autres. Voici d'ailleurs l'occasion d'insister sur cette différence. Nous avons souvent entendu des parents dire: «Nous n'avons jamais eu de problèmes avec nos autres enfants!» Oui-da! Mais celui-ci n'est pas le même, ni les autres non plus d'ailleurs. Ils sont nés à différents moments, n'ont pas vécu les événements de la vie de la même façon. Leur temps n'est pas le même. Vous ne les avez pas accueillis à la même période de votre vie. Vous, parents, n'étiez pas les mêmes et chaque enfant a sa propre structure psychique. Pour les parents, cette notion est difficile à accepter. Comment imaginer qu'un même moule produise des gâteaux si divers? Nous avons beaucoup de mal à faire passer ce message, qui n'est pas que pour l'ado du reste, parce que les parents ne veulent pas que leurs enfants soient traités différemment: «Nous, nous voulons les aimer pareil!» Et toc! Certains parents vont même jusqu'à s'étonner que leurs amis n'aient pas les mêmes problèmes avec leurs enfants qui, eux, font tout bien. À l'inverse, d'autres vous préviennent qu'avec vos enfants, vous verrez, vous connaîtrez les mêmes tourments qu'eux ont connus, parce que, bien sûr, ces prédictions bienveillantes ne portent que sur les ennuis, les désagréments auxquels vous n'échapperez pas puisqu'eux n'ont pas été épargnés. Comparaisons inutiles!

Le second conseil se veut rassurant et provocateur à la fois: il ne faut surtout pas être des parents parfaits, car on ne s'en défait pas ! Les parents qui auraient les meilleures intentions du monde, dont on sait que l'Enfer est pavé, ne peuvent savoir ce qui est bon pour leur enfant. C'est la lecture qu'on peut faire de la phrase de Khalil Gibran : « Vos enfants ne sont pas vos enfants[35]. » Car nous-mêmes, parents, ne savons pas toujours ce qui est bon pour nous. Nous ne détenons pas davantage la vérité pour eux qu'en ce qui nous concerne. Surtout, il n'y a rien de pire pour un ado que d'avoir un parent irréprochable, un saint, une idole… Difficile à abattre !

Il faut savoir avant de partir pour faire la route, et elle est longue, que chaque parent est ce qu'il est, toujours en décalage par rapport à ce qui est attendu de lui et c'est tant mieux ! Même Aldo Naouri le dit : « Un parent doit "laisser à désirer[36]". » Si vous êtes parfaits, comment voulez-vous que votre enfant aille chercher ailleurs, ni même « rêve » d'un ailleurs ?

Quant à Freud, le pessimiste, il dit : « Un parent ne peut que faire mal. » D'autres affirment que c'est le propre des familles de faire des dégâts. Voilà pour en finir d'avance avec la trop grande sévérité à votre égard ! Soyez tranquilles, parents, vous êtes coupables, trois fois coupables dès le début, dès que l'enfant est sorti de votre ventre, mesdames en l'occurrence, et vos parents pareillement avant vous. Heureusement pour vous, la guillotine n'existe plus et la prison de la Bastille n'a pas repris du service, car ce serait à votre tour d'être guillotinés et embastillés tout à la fois ! Une fois le décor planté et ces quelques poncifs énoncés (pour devancer nos détracteurs !) qui méritaient de l'être, il ne reste plus qu'à se faire une virginité et à voir ce que l'on peut faire.

Éduquer n'est pas facile, c'est même impossible, selon le toujours pessimiste Freud, qui avançait déjà cela à son époque. Pour autant, il ne faut pas se priver ni se dispenser d'éduquer. Il faut faire en la matière ce que l'on peut, mais surtout il faut le faire.

« Ils ne savaient pas que c'était impossible, alors ils l'ont fait », a dit un plus célèbre que nous, mais dont le nom ne nous revient pas

---

35. Kahlil Gibran, *Le prophète*, Paris, Le livre de Poche, 1997.
36. Aldo Naouri, *Éduquer ses enfants, l'urgence aujourd'hui, op. cit.*

à la mémoire… là sur-le-champ… (C'est cela la maturité… on fait siens les bons mots et on en oublie les auteurs sans vergogne!) On a tous dans la tête cette rengaine qui n'est pas neuve : il est plus facile d'éduquer à l'extérieur qu'à l'intérieur, ou nul n'est prophète en son pays… Des poncifs encore. Il semble que la matière y soit propice.

Pourtant, aujourd'hui, à l'intérieur comme à l'extérieur, au sein des familles comme sur les bancs de l'école ou dans la rue, nos adolescents paraissent nous échapper. Cela irait bien au-delà de la difficulté ou de l'impossibilité freudienne d'éduquer.

En y regardant de plus près, il semble qu'autorité et éducation ne sonnent pas pareil. Pourtant, la seconde aurait besoin de la première pour être menée à bien. Alors qu'en est-il de cette autorité ? Car cette crise éducative que l'on agite aujourd'hui comme un épouvantail et qui est présentée comme une donnée relativement récente serait en lien avec une crise de l'autorité, toujours à ce qu'il paraît. Voyons, menons l'enquête…

UNE CRISE DE L'AUTORITÉ QUI N'EST PAS NOUVELLE

Quoi qu'il en soit, s'il y a crise de l'autorité, en France, les racines de cette remise en cause remontent loin, bien avant mai 68, dès la Révolution de 1789. Dans l'avant-propos de la *Comédie humaine*, Honoré de Balzac écrit : « En coupant la tête à Louis XVI, la Révolution a coupé la tête à tous les pères de famille[37]. » Il n'y a plus que des individus. Le père de la France était à lui seul l'emblème majeur de l'autorité et de l'obéissance… Comment, après ce parricide, accepter l'ordre sans broncher ? Et « que vive la révolution ! », et « il est interdit d'interdire ! », et « pourquoi tu aurais plus de droits que moi ? ». La révolte est dans les cœurs et c'est heureux. Autrefois, tant que les parents étaient vivants, les enfants demeuraient « non majeurs » et à la prison de la Bastille, on trouvait enfermés, « embastillés » par leurs propres parents, des « fils de » et des

---

37. Honoré de Balzac, *La comédie humaine*, tome 1, Paris, Relié, 2008.

«filles de». Réalisons que nous l'avons échappé belle, heureusement que ce brave Louis XVI a perdu la tête, car s'il avait continué paisiblement à fabriquer des clés, les jeunes gens y seraient restés bien plus longtemps... sous clé!

Oui, mais qu'est-ce que l'autorité?

D'une manière générale, l'autorité est-elle conditionnelle? Ce pourrait être un sujet de philo au bac! Oui, dans le sens où il faut qu'elle soit reconnue par celui à laquelle elle s'impose. Et pour être reconnue, l'autorité doit être légitime. La condition de l'autorité est donc sa légitimité. Oui mais qu'est-ce que l'autorité légitime? D'où l'autorité tire-t-elle sa légitimité? De la position de celui qui l'exerce et de son caractère juste. De là à dire qu'elle tire sa légitimité de son caractère juste, il n'y a qu'un pas. Oui mais alors qu'est-ce que l'autorité juste? Nous pourrions gloser des heures sur la question... Faisons plutôt appel aux services de notre vieux dictionnaire de latin, le *Gaffiot* (de Félix Gaffiot) ce bon vieux *Gaffiot* plein de *bon sens*. Penchons-nous sur ce qu'il nous révèle, car on ne fait pas référence au latin comme ça gratuitement pour faire les érudits, mais bien parce qu'il est amplement utile pour se recentrer, sur le plan des idées comme des comportements. Les mots vont chercher leur sens loin dans leurs racines. Tout comme les individus trouvent leur sens dans leurs racines! Ces racines, il faut nous les rappeler pour retrouver aussi le sens de nos actes et leur en redonner. C'est en cherchant quelles sont les racines du mot autorité que nous (re)trouvons celles de sa légitimité. CQFD!

Auctor signifie, dans un premier sens, la garantie, l'autorité qui impose la confiance ou qui augmente la confiance, qui fait avancer, progresser; dans un second sens, celui qui pousse à agir, le conseiller, l'instigateur, l'initiateur. Le substantif dérivé *auctoritas* signifie la garantie, l'autorité qui impose la confiance, l'exemple, le modèle mais aussi le conseil, l'impulsion, l'instigation, ainsi que les pouvoirs, au sens de pleins pouvoirs, de procuration. Cela signifie donc que celui qui détient l'autorité impose la confiance, représente un exemple, joue un rôle dynamique d'impulsion, et que l'on peut s'en remettre à lui parce qu'il représente une garantie. On voit que l'autorité repose sur des fondements moraux et implique que celui qui la détient soit animé de bonnes intentions, au minimum.

L'autorité doit donc être détenue par quelqu'un de confiance, de légitime, c'est ainsi qu'elle est juste. En principe, les parents sont de par leur position d'antériorité légitimement détenteurs de cette autorité. La légitimité, c'est d'abord le lien de sang et le rang géné-rationnel : « Tu n'es pas mon père, tu n'as pas d'ordre à me donner ! » dira d'ailleurs l'adolescent à l'étranger, le beau-père, voire le profes-seur. C'est bien la preuve que cette légitimité-là est première et acceptée, sauf si le père est déchu de ses droits en raison de com-portements odieux. La loi ne dit pas autre chose. Dès lors la parole du père est d'or, jusqu'à… l'adolescence, où la révolution commence, comme pour ce vieux Louis XVI.

LE PARENT : HIER UN ROI, AUJOURD'HUI, L'IDIOT DU VILLAGE !

On appelle ça la « désidéalisation ». Il est normal qu'un enfant, un jour, ne sacralise plus son père et le voie tel qu'il est, un homme, tout simplement. C'est cela grandir et c'est un acte violent, agres-sif. Le père n'est plus ce géant, cette tour humaine dont la main était si grande que sa petite menotte s'y perdait. Physiquement, le fils est déjà aussi fort que le père, même si la mère veut le garder petit. C'est le meurtre symbolique du père, le meurtre parental dont a parlé Winnicott il y a déjà longtemps, mais bien après Balzac. Le fantasme d'abandon qui caractérisait l'enfant fait place, à l'adolescence, au fantasme du parricide ou de l'inceste. *Il faut tuer le père !* Les nuits de nos enfants ne sont-elles pas parfois, sans que nous le soupçonnions, habitées de rêves où ils assistent à notre enterrement, éplorés devant le cercueil ? Souvenons-nous de nos rêves au même âge. Il ne s'agit là que de mettre en scène ce meurtre parental inconscient et de se positionner en possible remplaçant : le jeune « prend la place » dans la famille. Remplacer symboli-quement ses parents, c'est quelque part les supprimer. Certaines coutumes aborigènes retracent ce meurtre du père afin de devenir chef du clan, et partout dans l'histoire de l'humanité, on trouve trace du rite de passage, celui qui va amener le petit du gynécée à la tente des hommes. Encore faut-il que le père et la mère se laissent tuer, nous le verrons plus loin…

À partir de l'adolescence, l'enfant n'a donc (au minimum!) plus le sentiment que les adultes ont toujours raison. L'autorité parentale, de légitime, devient conditionnelle. L'autorité des parents est davantage reconnue en fonction de leurs compétences et du caractère juste de la règle imposée. Et puis arrive le règne des pairs. Désormais, l'identification aux pairs, figures centrales d'autorité, occulte l'autorité du père ou de la mère.

Si la famille participe à la construction de l'individu, l'individualisation, qui fait partie du processus de croissance de l'être humain, conduit à des frictions au sein de cette même famille. Le conflit pointe alors son nez, incontournable et indispensable.

UNE PRÉCISION NÉCESSAIRE : TOUT DÉPEND DE VOTRE CANARD !

Tout dépend de l'enfant que l'on a en face de soi. Il y a des enfants à qui l'autorité s'impose plus facilement qu'à d'autres. Certains enfants font preuve d'une autodiscipline quasi «innée» (non pas parce qu'ils sont nés ainsi mais parce qu'ils l'ont intégrée plus vite). Sans pour autant être des enfants soumis, ils semblent capables de s'autodéterminer plus facilement. L'adulte se cantonne au rôle de guide qui énonce la règle sociale, la bonne conduite à tenir en société ou celle qui assure la sauvegarde de l'individu. Au terme d'une négociation intrapersonnelle, l'adolescent prend lui-même sa décision, détermine son comportement. L'adulte a rempli son rôle de repère. Certains enfants ont cette capacité de raisonner, de se rendre à la raison, ce qui ne signifie pas que d'autres ne l'ont pas, mais de tempérament plus fougueux, plus passionné, ils sont davantage enclins à l'expérimentation et à la transgression. Nous n'évoquerons pas ici la question du pourquoi, c'est un autre propos.

OUI, MAIS QU'EST-CE QUE L'ÉDUCATION...?

Si nous requérions à nouveau l'aide de ce cher Félix. Il y a deux mots. Le premier est *educo, educare* : élever, nourrir, avoir soin de, former, instruire. Le second est plus intéressant, *educo, educere* : faire sortir, mettre dehors, tirer hors de, tirer du sein de la mère, mettre au monde, élever ; au sens poétique : faire éclore, exhausser, élever en l'air ; et par extension : élever au ciel, célébrer.

Il en résulte que, toujours selon maître Gaffiot, l'*eductor* est celui qui élève, celui qui fait sortir. L'éducateur a pour mission de faire sortir ce qu'il y a de meilleur en l'enfant. Il l'élève vers le meilleur, vers le haut, le fait grandir... vers le ciel. Noblesse de l'image et de la fonction. Dans cette acception, l'éducateur est un accoucheur, un «exhausteur». Il peut arriver que l'adulte rectifie, amende, mais il ne se substitue pas et il ne cherche pas à influencer la personnalité de l'enfant. Il joue un rôle de formateur de l'esprit, au sens que Montaigne donnait à l'expression : tête bien faite et non bien pleine.

LES « MAL APPRIS »

Autrefois, on disait d'un enfant mal élevé que c'était un «petit mal appris». Il y eut de tout temps des «petits mal appris». Ce qui signifie que l'enfant n'est pas naturellement bon, le mythe du «bon sauvage» de Jean-Jacques Rousseau[38] est un mythe, justement. Mais si l'enfant n'a pas appris, c'est que l'adulte ne lui a pas appris. Si l'élève n'a pas appris, c'est que le maître n'a pas enseigné. Si l'enfant n'est pas éduqué, c'est que le parent n'a pas éduqué. *Quid* alors de la résistance de certains enfants ? Ces petits mal appris qui ignorent la loi ? Qu'est-ce que la loi ? Tout ce qui est obligatoire pour qu'une vie sociale soit possible, avec un grand principe : le respect de l'autre.

Bateau ! Ce n'est pourtant pas si facile à mettre en place. L'autre a toujours le plus beau jouet de la crèche, la plus gentille nounou,

---

38. Mythe développé par Jean-Jacques Rousseau, selon lequel l'enfant naît parfait et est perverti par la société.

les plus belles billes, et ça ne s'arrange pas avec le temps. Plus tard, il a aussi les plus belles filles, le veinard. Bref, l'autre a tout bon, l'autre a toujours tout bon, même que maman dit toujours : « Ton copain a de bonnes notes, lui au moins ! » Premièrement, il faut leur dire que ce n'est pas exact, enfin… pas toujours, que les choses ne sont pas si injustes ! Deuxièmement, il faut leur apprendre qu'ici bas tout est affaire de négociation. Déjà à la crèche, où la panoplie des outils est grande, le sourire, l'approche rusée, l'obstination, la patience, le bisou, tout est bon pour partager une seconde l'objet convoité et s'apercevoir alors que cet objet n'est pas si terrible et que, dans la négociation, on peut gagner ou perdre ! C'est une bonne leçon pour plus tard, car en fait tout va se résumer à ceci, pour les uns comme pour les autres, parents et enfants : apprendre à négocier. Il faut du talent et une forme de confiance en soi qui suppose déjà une certaine distance par rapport à la pensée d'autrui, à celle du parent notamment. On pourrait nommer autonomie cette façon de se positionner face à son interlocuteur comme un grand ! Négocier, c'est sortir de la soumission ou de l'opposition pour apposer son point de vue à côté de celui de l'autre. Négocier est un signe de maturité.

EN MAL DE REPÈRES : BOURREAU D'ENFANT OU BOURREAU DE PARENTS

Il y a aussi cette galéjade[39] qu'on se lançait souvent, entre amis, à propos de ses enfants. On disait pour rire : « Bourreau d'enfants » et on répondait « Bourreaux de parents, oui ! » C'est ce que beaucoup de parents sont tentés de dire de leurs enfants. Oui, il y a des parents soumis terrorisés, apeurés qui n'osent pas interdire ni sanctionner par crainte de représailles, des parents pris en otage, soumis au chantage et muets. Quant aux enseignants… il suffit de lire la presse (qui bien sûr ne rapporte que les cas extrêmes) et

---

39. Mot provençal, utilisé notamment par l'écrivain Marcel Pagnol, signifiant boutade, plaisanterie.

d'écouter autour de nous les récits de nos propres enfants à propos de leur comportement à l'école. Ce qui faisait dire à une de nos filles : « C'est pas grave, maman, si je ne vide pas le lave-vaisselle, pense qu'il y a des ados qui battent leurs parents ! » À ce compte-là, maman n'avait pas à se plaindre. En voilà une qui avait dû voir une émission de téléréalité où les parents et les enfants se battaient, ce qui l'avait rassurée sur son comportement. Voilà une phrase que par le passé les parents auraient pu prononcer : « Je ne te demande que de vider les poubelles, songe qu'il y a des enfants battus ! » Les temps ont changé à l'évidence !

Il faut rappeler que pendant longtemps ce ne furent pas les parents qui élevèrent et éduquèrent les enfants. L'éducation ne s'est faite à l'intérieur de la famille qu'à compter du XIXᵉ siècle. Par l'intermédiaire du précepteur ou des gouvernantes pour les petits, puis par l'institution religieuse ou laïque quand l'enfant grandissait. Point de pleurs ni de rage à quitter les parents ou le cocon familial, qui était sûrement bien plus ennuyeux que la vie en groupe ! C'était ainsi pour les privilégiés, les autres se contentaient du curé et du catéchisme ! Il y a toujours eu des révoltés, et les témoignages écrits ne manquent pas, pour autant la règle de la maison et de l'école ne souffrait pas de perte de prestige et le maître était respecté. Trop ?

Notre génération a connu les fameux internats, non pas des lieux présentés comme une punition et une prison pour délinquants, mais une solution pratique qui limitait les transports à des heures impossibles. Une obligation valorisée. On était pensionnaire au lycée et c'était chic ! En uniforme marine et galonné, s'il vous plaît ! L'internat a le mérite de mettre de la distance « émotive » dans les contraintes. Que le pion vous oblige à terminer les carottes râpées… n'a pas le même impact que si c'est papa ! L'arbitraire est le même, point le sentiment. On est tous d'accord pour dire que le pion est un crétin, non ?

La fin du patriarcat a marqué la fin du rôle du père. Le père a perdu la tête, on l'a vu. Ce père est désormais sans soutien de la société ni de la famille, d'autant plus aujourd'hui où le tête à tête parents-enfants fait que les parents sont seuls face à l'éducation de ces derniers. Certains, à cet égard, proposent de restaurer une forme de parrainage, de voisinage, de remettre à l'honneur le rôle du parrain, cet œil extérieur, comme Jean-Claude Barreau dans son livre au titre pessimiste, *Nos enfants et nous : l'effondrement éducatif*[40]. Ce parrain assistait les parents dans l'éducation de l'enfant et représentait une sorte de recours en cas de difficulté, pour eux comme pour l'enfant.

NI PARENT SERPILLIÈRE, NI PARENT TORTIONNAIRE (ET ÇA RIME EN PLUS !)

S'il fallait en finir avec la soumission de la femme et des enfants sous-produits, la femme ayant le même statut que l'enfant autrefois, pour autant, on ne doit pas passer des enfants battus aux parents battus ! Si l'enfant est une personne, l'adulte l'est aussi !

Le cinéma s'empare des cas de parents tyrannisés pour en faire des comédies, exploitant ce filon comique du père célibataire martyrisé par son ado, ou au moins décontenancé, si ce n'est désemparé. À sa sortie en 1974, le film *La gifle,* de Claude Pinoteau, rendait déjà compte des déboires d'un père vivant seul avec sa fille qui veut prendre son indépendance et s'installer avec son copain. Une violente dispute éclate entre les deux, qui se termine par une bonne gifle. L'adolescente s'enfuit et part rejoindre sa mère. Voilà comment les jeunes savent exploiter depuis longtemps les situations comme la séparation des parents, qui permet de trouver un refuge tout désigné auprès de l'autre parent pour échapper aux rigueurs de celui avec qui ils vivent. Lorsque les parents sont ensemble, ce peut être un troisième larron qui joue le rôle de tampon ou de soupape quand les parents « saoulent trop » : un oncle, une tante ou un ami de la famille. Il faut donc venir en aide aux parents démunis et en mal d'autorité. Il faut apprendre à devenir éducateur. Cela

---

40. Jean-Claude Barreau, *Nos enfants et nous : l'effondrement* éducatif, Paris, Fayard, 2009.

s'apprend ? Nous avons dit au début qu'il n'y avait pas de règles en la matière et pourtant on propose des stages pour cela…

Dans *15 ans et demi*, film de Thomas Soriaux et François Desagnat (2008), Philippe Le Tallec, un brillant scientifique vivant aux États-Unis depuis quinze ans, décide de rentrer en France afin de s'occuper de sa fille Églantine, qui a 15 ans, pour tisser des liens et rattraper le temps perdu. Mais l'homme qui a repoussé les limites de la biologie moléculaire est très démuni devant le peuple adolescent auquel sa fille appartient. Il va jusqu'à suivre un stage pour pères en difficulté où il est censé apprendre «les fondamentaux»: le parler adolescent, le verlan et la manière de communiquer avec cette étrange espèce en modulant son intonation. Il est tenté de faire «le jeune» et bien sûr, sa fille n'apprécie pas lorsqu'il prend la malencontreuse initiative de mettre l'ambiance dans sa soirée, qu'il s'y donne en spectacle en dansant et en parlant ado. «C'est la lose!» hurle-t-il, croyant faire le meilleur effet. Il récolte la porte.

Nous l'avons vu, nos enfants aiment que nous restions à notre place! Ce film pose un regard drôle et libre sur les adolescents. Une scène amusante se passe dans la voiture. Le Tallec roule seul de nuit. Il écoute la radio et il tombe sur une émission tardive où des ados posent des questions sur le sexe. Une très petite voix, d'une très jeune fille, demande si on peut tomber enceinte quand on avale le sperme de son petit ami. Un garçon parle de sodomie. Le père d'Églantine manque de s'étouffer avec son Perrier et coupe la radio. C'est plus qu'il ne peut entendre! Quand nous vous disions plus haut que nous ne sommes pas dans le coup avec nos explications mignonnes!

LA FAMILLE RÉTRÉCIE : PAPA, MAMAN (LA BONNE) ET MOI !

Dans les familles dites «nucléaires», papa, maman et moi, où il n'y a plus de grands-parents, ni oncle, ni tante, ni cousin mais un chien ou un chat, les parents sont seuls face à l'éducation de leurs enfants. Or, il est difficile d'éduquer sans médiation. Le trio peut vite devenir infernal et, dans cet univers clos, il n'y a guère d'échappée possible, hormis les vacances, à condition de ne pas les passer avec maman et papa (berk!) mais en colo. Cette nouvelle configuration a une incidence sur l'autorité.

Pour ces générations précédentes habituées à la pension, l'ordre était social, l'éducatif était « donné » par les étrangers. À partir du moment où le transfert d'autorité s'est fait à titre exclusif en direction de la famille, la pension est devenue davantage cette menace brandie par nous, parents, comme une sanction pour mauvaise conduite, résultats scolaires insatisfaisants ou *overdose* d'ordinateur. Comme l'ado n'a pas suffisamment d'autodiscipline pour se réguler lui-même et « ne faire de l'ordinateur » qu'après avoir fait son travail scolaire et que nous avons du mal à tenir sur le long terme l'interdiction de l'usage de cet outil, devenu aussi un moyen de communication entre adolescents, nous jugeons qu'il serait préférable qu'il aille en prison euh… en pension pour être loin de son ordinateur. Quelle autorité! Devant ce qu'on lui présente comme une punition, une conséquence de cette dépendance des temps modernes pour le virtuel, notre ado fait dans le registre réactionnel et hurle : « Si vous me mettez en pension, je fuguerai! »

LA FAMILLE EXTRA RÉTRÉCIE : MAMAN ET MOI OU PAPA ET MOI!

Nous n'allons pas rejoindre le chœur des plaignants pour taper sur les parents divorcés, dont les enfants seraient par définition « mal élevés », ce qui reste à prouver. Nous éviterons le cliché en la matière, notre but n'est pas de rajouter une couche sur la culpabilité déjà structurelle du parent. Parent = coupable.

Remettons les pendules à l'heure : la bonne santé psychologique des enfants est plus une question de comportement des parents que de statut marital – célibataire, marié ou divorcé. Car si le divorce fragilise un individu, un mauvais mariage le désertifie. Mieux vaut un bon divorce qu'un mauvais mariage! Mieux vaut un parent bien divorcé qu'un parent mal marié, nos cabinets se souviennent de confidences en ce sens. «Comme j'aurais aimé qu'ils se quittent, leurs disputes étaient si effrayantes qu'elles me réveillaient et me laissaient sans voix, au bas de l'escalier», dit Nicolas, vingt ans après. Vous pouvez imaginer qu'il est désarmé devant toute manifestation de violence!

Quand nous avons décortiqué l'ado «divorcé», nous avons observé que la situation n'était pas désespérée, mais plutôt très confortable pour le petit malin qui sait en tirer parti et joue à merveille la partition du chantage affectif entre les deux parents... Un bémol toutefois... il n'est pas sûr que cette habitude technique soit très éducative et ne se retourne pas contre lui, car la vie qui l'attend n'obéit pas à ce principe. Évidemment, les problèmes seront évités si les parents de l'enfant, puis de l'ado qu'il est devenu, sont capables d'oublier leurs griefs pour s'accorder sur quelques principes simples et une vigilance accrue. «Tu vas voir, je vais le dire à ton père!» n'a pas ici le même impact. Le petit pouvait y croire, mais l'ado sait très bien juger de la qualité de la relation entre ses deux parents.

Au rayon des conseils, vous allez donc retrouver les mêmes discours: nécessité de concertation, nécessité d'un relationnel correct, de politesse, et de soutien. Généralement, l'enfant, même s'il est consulté, n'a pas le choix et doit se rendre chez les deux parents. À l'adolescence, il peut décider que père ou mère ne lui conviennent pas et refuser de les rencontrer. Difficile alors de traîner chez vous un ado rétif et coléreux qui va fuguer à la première occasion. Surtout si votre ex-conjoint est relativement satisfait de cette décision! Heureusement, les ados sont souvent pénibles avec les deux parents, les éloigner un peu aide à souffler. Oui, oui, c'est à peine une ligne d'humour, nous jurons l'avoir constaté des milliers de fois! Et nous pouvons encore affirmer qu'à certains moments, pour toutes les familles, se débarrasser de son ado est, disons-le... apaisant. Ouf! Tout le monde respire... à tour de rôle. Les confidences des «gardiens alternés» vont aussi en ce sens.

Donc, cette coupure bienvenue va inciter les «séparés» à bien s'entendre pour partager les récalcitrants. Voici un effet inattendu de la crise. Elle peut rapprocher et même faire dialoguer les ennemis de naguère. Ce n'est pas facile et nous ne vous conseillons pas de commencer votre phrase par «TON» fils a encore fait des bêtises, car ce qui vous attend est en général à la hauteur de l'événement : «Si tu avais été (au choix : plus ferme, plus disponible, moins absent, moins casse-pieds, tout ce que vous voulez) on n'en serait pas là.» Il faut répondre, imperturbable, que justement on en est là et que oui, Pierre vole dans les magasins et que la police veut voir le père et la mère. Le père et la mère vont devoir se supporter encore un peu. Ils vont devoir aussi expliquer à leurs nouveaux conjoints que c'est leur rôle de répondre ainsi.

En règle générale, les nouveaux conjoints sont peu disposés à voir leur nouvelle famille troublée par les ados d'un premier couple, et se lassent vite de ces situations qu'ils fuient égoïstement au premier ennui. Nous avons souvent vu des pères oublier complètement les enfants nés de leur première union et être des pères modèles avec leur nouvelle famille. D'autres (pères ou mères) oublier complètement l'autre parent, nier son existence, faire comme s'il n'existait pas ou plus : «Ta mère est morte pour moi!». Joli cadeau pour l'ado. «Man, papa, il veut plus entendre parler de toi!» dit l'ado, un petit air triomphant affiché sur la mine, ne mesurant pas tous les dégâts que cette petite phrase fera, plus ou moins consciemment, dans sa vie ultérieure.

Dire pis que pendre est très grave, aller jusqu'à l'extermination de l'autre parent est d'une stupidité confondante. Ces comportements ne sont pas rares et nous sommes sûres que l'ado déteste ces attitudes immatures, qui d'ailleurs ne l'aideront pas à grandir et ne lui donneront pas une belle opinion de ses parents. Aussi, abstenez-vous.

Abstenez-vous encore d'en faire votre confident, votre petit mari ou votre jolie fiancée, même s'ils ne sont pas toujours contre, pour le coup, eh oui! Nous voyons des mères confier leur compte en banque à leur ado «parce que les sous j'y comprends rien, ni l'informatique du reste!» et des pères ne pas démentir que la jolie fille qui les accompagne au restaurant est leur petite amie… Bien sûr, nous l'espérons, vous n'allez pas renoncer à avoir une vie normale. Ce qui ne veut pas dire que vous allez faire défiler chez vous tous les amants d'un soir, car vous bousculeriez ses principes de fidélité, mais pitié, ne lui demandez pas la permission de minuit ni un avis sur les qualités de votre chevalier servant car, à défaut, vous vous exposeriez beaucoup! Nul, chauve, trop gros, trop maigre. Évitez celui qui a « dix ans de moins », quoi qu'il en soit, et si c'est le cas, planquez-le! Les secrets sont très souvent de mise avec nos ados, si faciles à choquer.

Monoparentalité ne doit pas non plus rimer avec désert sexuel. Magnifique est la confession de Romain Gary : « Si ma mère avait eu un amant, je n'aurais pas passé ma vie à mourir de soif auprès de chaque fontaine[41]. » Cela est encore plus vrai à l'adolescence. Il n'est pas « aidant » non plus d'être très critique envers l'autre moitié de l'humanité, genre *Le Misanthrope* de Molière, ni envers la fameuse institution du mariage, si décevante! Les petites phrases répétées finissent, à la longue, par devenir des croyances et à s'imprimer dans la tête de nos loustics : « Les hommes sont tous les mêmes… », « Les femmes toutes des emm…. » Laissez leur faire leurs expériences, car ils ne construiront rien avec de telles valises à traîner. En revanche, nous en sommes souvent étonnées, les ados peuvent se toquer du dernier enfant, demi-frère ou demi-sœur, qui leur tombe dans les bras au remariage (parfois re-re-re) de leurs parents. La différence d'âge les rend tout émus et presque petits parents. Ils en sont souvent les parrains, au grand dam du parent du camp adverse qui voit cela comme une manipulation et une façon de voler ou d'impliquer l'ado dans la famille recomposée! Non, le divorce, ce n'est pas un problème pour les enfants lorsque les parents cessent de se faire la guerre, au-delà de la séparation et pour des siècles et des siècles.

---

41. Romain Gary, *Clair de femmes*, Paris, Gallimard, coll. Folio, 1982.

FAMILLES MONOPARENTALES ET FAMILLES NORMALES, MÊME COMBAT ?

Oui, et c'est notre conviction, les mêmes déboires guettent toutes les familles « normales ». Il n'est pas nécessaire d'être séparés pour avoir des relations difficiles. La grande différence entre ces familles est d'ordre économique. C'est l'écueil rencontré surtout par les femmes qui, souvent moins qualifiées que les hommes, n'ont pas les revenus suffisants pour maintenir le même niveau de vie. Les ados, plus que les enfants, le vivent mal, n'oubliez pas qu'ils ont de gros besoins (oh oui !). Si les deux foyers sont vraiment très différents, d'odieux chantages peuvent voir le jour, avec leur lot de souffrances qui pourraient être évitées, si, là-dessous, ne se réglaient d'autres comptes. C'est le cas de Raphaël, par exemple, qui souffrait de voir sa mère vivre dans un appartement très modeste mais n'avait su résister à l'appel de la vie facile chez son père.

Que fera l'ado devenu adulte de toutes ces bassesses et de la culpabilité qui en découle ? Souvent, cette culpabilité, pour se rendre supportable, va se transformer en mépris pour le parent le plus fragile. Implacables adolescents, on vous dit ! « Ma mère n'a jamais su se débrouiller ! » ou « Mon père est un *loser* ! » nous disent-ils. Or, même si l'ado commence à se faire une idée sur la vie, il a encore besoin d'admirer ses parents en secret. Il n'y a que pour les copains que les parents sont deux vieux c… s. D'où le danger pour eux de ces situations de mise en rivalité des parents lors du divorce.

En revanche, bon point pour les familles monoparentales, les enfants y jouissent souvent d'une certaine autonomie. Plus migrants, habitués au mode de garde alternée, ils vont facilement chez les copains « divorcés » comme eux et les reçoivent aussi plus facilement. Ce mode de fonctionnement permet à l'enfant de ne jamais être seul. Une place importante est accordée aux pairs. La maison fait office de terre et de famille d'accueil, de second logis pour la tribu des ados en quête d'un espace intermédiaire entre l'intérieur et le monde. Bulle d'air, lieu alternatif où l'adulte présent, surtout si c'est une mère, assure le cadre sans que la loi du père y règne. Il semble que les familles que nous appellerons « biparentales » soient moins enclines à recevoir les copains. Le couple est plus jaloux de sa cellule, de sa tranquillité. La cellule constituée s'autosuffit : le couple et ses enfants.

L'ABSENCE PSYCHIQUE ET PHYSIQUE DU PÈRE

Que voilà encore une idée difficile à traiter… Voyez quand on vous signale qu'en la matière, il est nécessaire de garder en tête que chaque cas est unique… Il y a des pères absents très présents, des pères présents très absents ! Pères devant la télé ou absorbés par les plants de tomates dans le jardin : zéro de conduite ! Bon, pas d'excès : ils ont le droit d'avoir des centres d'intérêt autres, ces pères, mais quand même, quand un père ne sait pas – et ce n'est pas rare – dans quelle classe est son ado : zéro pointé. Même si, en général, le domaine scolaire est le royaume des mères et qu'elles n'y renoncent pas si facilement, nous sommes toujours très étonnées de l'absence de « parité » aux réunions parents-professeurs. Cette parité-là, les hommes ne l'ont pas et ne la revendiquent pas ! On n'y trouve que des mères ! Nous supposons qu'elles jouent bien leur rôle de rapporteuses, au retour, et que cela fait partie de la nécessaire répartition des tâches… ouais, nous dirons ça…

La parité n'est pas respectée non plus chez le psy. Là, nous comprenons que l'on se défile devant l'obstacle et que l'on envoie maman en estafette, puisqu'il paraît que les femmes ont la parole facile. « Vas-y maman, papa travaille ! » Comme aux réunions de parents, nous voyons donc surtout des mères qui remplissent leur mission, avec beaucoup d'application et de courage.

Ce qui est aussi de leur devoir, c'est de faire vivre au mieux ce père absent qui n'a pas choisi de l'être et qui se plie aux contraintes souvent lourdes de son travail. Comment faire vivre l'absent ? Sûrement pas en disant : « Tu verras la colère que Papa va piquer quand il saura que… » Si nous devons oser un conseil, nous pensons que le récit des « bêtises » doit se faire d'abord entre époux. Dans le calme et l'après coup, en dehors de la présence du fautif, qui a déjà entendu les reproches de sa mère et sait que les deux s'entendent suffisamment bien pour reprendre la problématique après réflexion le lendemain. Nous ne dirons jamais assez que plus le cas est grave, plus il mérite qu'on l'aborde sans cris et fureur. Le père ne doit pas obligatoirement être consulté sur tout et partout. La mère est depuis longtemps responsable à part entière de l'éducation de l'ado. Dire «Demande à ton père» est, en général, une manière d'esquiver et une façon un tantinet lâche de refiler la responsabilité du «non» sur une autre tête! Cette phrase-là ne surgit que lorsqu'on est contre… Elle a pourtant une petite chance d'aboutir et un seul mérite: elle diffère la réponse. Entre-temps, l'ado a parfois lui-même renoncé, ou ce sont les copains qui ont changé d'avis!

Moralité, l'harmonie du couple peut gommer l'absence du père, mais gare quand les deux plaintes se mêlent. «Papa n'est pas là!» signifie aussi: «Mon homme n'est jamais là!» Car souvent, c'est l'épouse qui supporte mal l'absence du mari. On comprend bien sa lassitude à tout mener de front. Nous voyons peu de changements dans la répartition des tâches éducatives. Le père brille toujours par son absence. Exception nouvelle: «les pères divorcés» qui sont en «garde alternée» (pas eux, les enfants!). Ceux-ci se conduisent alors en vrais «papas-mamans», deux rôles à la fois, et ne nous évitent pas, nous, les psys. Bien au contraire. Non seulement ils consultent, mais ils sont très appliqués, avides de conseils et prêts à lire toute l'encyclopédie du parfait parent! Et bien sûr, ils réussissent. Quand on veut on peut, n'est-ce pas? Les femmes ne sont pas détentrices d'un gène «spécial éducateur». Disons simplement qu'elles ont une certaine habitude ou une habitude certaine. Une habitude, finalement pas si vieille que cela puisque, souvenez-vous, autrefois, les enfants riches étaient éduqués par les percepteurs, et les enfants pauvres… pas du tout. Il faut lire à ce sujet les écrits d'Elizabeth Badinter, notamment *L'amour en plus*[42]. Saluons donc les nouvelles mamans du XXe siècle qui, en si peu de temps, ont pris les choses en main pour ainsi décrocher la place numéro un et se

---

42. Elizabeth Badinter, *L'amour en plus*, Paris, Le livre de Poche, 2001.

retrouver débordées par leur tâche au XXIᵉ! *Ave Caesar, morituri te salutant*[43]!

LE TRAVAIL DE LA MÈRE

Les mères sont débordées, dans tous les sens du terme, parce qu'à cela elles ont aussi ajouté ce qu'il faut bien nommer une «carrière». Nos socio-philo-psycho-logues ne parlent que de ça depuis que les femmes ont osé avoir un «vrai» travail, qui accapare, qui n'est pas lié aux horaires scolaires et qui ne se fait pas à la maison. Tel le marronnier, les journaux essaient soit de culpabiliser soit de déculpabiliser ces mères absentes qui, dès 16 heures, ont toujours un œil sur le portable pour s'assurer que le petit est bien rentré et qu'il n'est pas devant l'ordinateur, voire pire... Que dirons-nous de plus? Que ce n'est pas une raison pour retourner à la maison faire les confitures. On en mourrait! Que certains aimeraient sûrement que nous renoncions à travailler. Ils auraient alors notre mort sur la conscience! Que les problèmes n'existent pas seulement dans les familles où la mère travaille. Que nous dirions que c'est même le contraire, sans l'appui de la moindre statistique aujourd'hui, donc sans contrôle scientifique, au risque de se mettre à dos toutes les FAF[44] de la Terre, ce qui est déjà arrivé à l'une d'entre nous, d'ailleurs, pour d'autres écrits[45]. L'autre, souvent jury d'examen se rebellait à remarquer que c'était toujours aux jeunes filles qu'on pose la question: «Comment allez vous faire pour concilier votre vie de femme avec votre travail?» Elles postulaient effectivement pour de grandes écoles! Les plus futées répondent: «Comme ma mère qui travaille comme avocate, médecin, chef d'entreprise...» Alors elle se mit sournoisement à la poser aux garçons. Angéliques ou malins, ceux-ci répondent qu'ils sont très intéressés par la vie quotidienne et l'éducation des enfants. Si, si, Madame. Au point

---

43. *Ave* César, celles qui vont mourir te saluent.
44. En France, abréviation utilisée pour désigner les femmes au foyer.
45. Véronique Moraldi, *La fille de sa mère, op. cit.*

d'y sacrifier la carrière. Nous, on veut bien y croire, mais les statistiques, celles qui nous tombent dessus toutes les semaines, ne notent pas de changements remarquables dans la réussite professionnelle des filles à des postes de haut niveau, ni dans le partage des tâches ! On a même entendu certains papas avouer qu'ils traînent volontiers au bureau après 18 heures « parce qu'à la maison, à cette heure-là, c'est l'enfer ! » Tiens donc, c'est l'heure des devoirs, des douches, du repas. Sauf et encore une fois depuis la garde partagée, qui « oblige » les pères, peu de changement ! Et même, beaucoup de femmes se plaignent que la garde partagée n'est, dans les faits, pas si partagée que cela. Les pères restent défaillants pour certaines tâches qui demeurent à la charge des mères, comme le suivi médical, l'accompagnement aux activités sportives, etc.

Que dire encore ? Que le temps ne compte pas, mais la qualité de la relation. Voilà qui est souvent répété au point de devenir tout tranquillement un gentil poncif… C'est le bon sens des conseillers, des « éteigneurs » d'incendie ! Oui, mais pour une relation de qualité, il faut un peu de temps, de l'attention, de l'exclusif ! Or, en général les 5 à 7 sont musclés et peu érotiques, sauf pour les femmes dont les enfants ont quitté le nid et dont le mari rentre tard. Les courses, le repas, les devoirs vous narguent. Alors que vous êtes fatiguée, que vous rêvez du bain bien chaud, il faut retrouver l'énergie pour sortir votre grand de devant son ordinateur. Et comme lui aussi est fatigué, qu'il n'a envie de rien et surtout pas de vider le lave-vaisselle (c'est notre objet récurrent, comme au théâtre), ça va très vite mal se passer.

Cette scène-là, acte 1 scène 1, vous l'avez vue des centaines de fois en souriant à la télé, sauf que là vous en êtes la star et que votre prestation va être vite jugée. La mégère non apprivoisée, oui, une furie hurlante que votre progéniture ne va pas rater : « Tu t'es vue, t'as quoi aujourd'hui ? », « T'as un problème ! », « Faut pas te mettre dans des états pareils, à ton âge ! » Yeux au ciel, air apitoyé, haussement d'épaules, portes qui claquent. Royal, l'ado quitte le champ de la caméra, laissant en plan la folle de Chaillot. Vous ruminez que jamais il n'oserait parler à son père ainsi, que jamais vous n'auriez

parlé à votre mère ainsi, que plus jamais vous ne vous décarcasse-
rez pour lui. Puis, vous mettez les pâtes, celles qu'il préfère, dans
la casserole, non sans écraser une larme, comme le faisait votre
mère avant vous et sa mère avant elle, parce qu'il faut bien qu'« on »
bouffe… Voilà des millénaires que les femmes nourrissent des familles entières en pleurant dans la soupe !

LA FAMILLE RECOMPOSÉE, OU RÉGLER SON COMPTE AU « BEAU-PARENT »

En France, le statut du beau-parent fait l'objet d'une réflexion de la
part du législateur, mais ce dernier ne changera pas grand-chose
au final. La loi facilitera simplement à ce substitut de papa ou de
maman certaines formalités, sans lui donner plus de droits en
matière d'éducation et d'autorité légale, si ce n'est celui de fermer
sa bouche et d'être très diplomate ou psychologue avec la couvée
de l'autre qui parfois le tyrannise franchement !

Les bougres n'ont aucune pitié pour les beaux-pères et belles-
mères. Ceux qui pensent que pour eux tout se passe bien sont encore naïfs. Au mieux sont-ils tolérés, mais attention, ils sont sous
haute surveillance, rarement conviés, rarement appréciés. Et puis
le jour où le « beau-parent » tombera en disgrâce de la volonté du
parent, qui l'aura bouté hors de sa vie, on n'y pensera plus à celui-
là. Il sortira de scène, tombera aux oubliettes. La preuve est, s'il en
est besoin, que le seul véritable lien est avec papa ou maman. Sauf
si ce beau-père, plus souvent que la belle-mère, pour laquelle le mot
marâtre existe (point de « parâtre »), a joué un rôle de substitut,
palliant la carence du père absent, voire décédé. Mais combien
avons-nous vu de ces « nouveaux » couples ravagés par les comportements bêtes et méchants, en tout cas injustes, de grands immatures incapables d'accepter une réalité qui les dérange !

Heureusement, les choses évoluent peu à peu et beaucoup ten-
tent l'aventure des familles recomposées. À défaut d'avoir un doc-
torat en diplomatie, il faut une bonne dose d'humour, beaucoup de
recul, de maturité, un investissement affectif raisonnable et rai-

sonné, et surtout beaucoup de courage pour supporter tous les assauts et vouloir vraiment bâtir sa nouvelle vie avec de nouveaux projets, de nouveaux enfants, et en plus, sans culpabiliser. OUF !

Quels conseils donner pour vivre avec ces enfants qui ne sont pas les vôtres, surtout s'il s'agit d'ados ? Les filles « colleront » le père devant la nouvelle belle-mère dont elles sont hyperjalouses, surtout si elle est plus jeune que maman ! C'est normal, elles pensaient que si papa quittait maman, elles deviendraient la seule femme de sa vie. Alors, c'est un coup dur ! Les garçons ne manqueront pas une occasion de rappeler au nouveau mec de maman qu'ils sont l'homme de la maison, ou qu'ils sont le seul homme que maman aime vraiment : il n'y a qu'à voir comment papa s'est fait jeter, et peut-être un ou deux après lui, alors qu'ils sont toujours là…

Les conseils, disions-nous ? Eh bien… rester soi-même, bien sûr, ne pas vouloir se substituer au parent absent, ne pas vouloir se faire aimer à tout prix, et être juste, particulièrement juste. La justice (et la justesse de propos) reste le dernier rempart du beau-parent. Être juste, et si l'affection vous arrive de surcroît, c'est cadeau ! Tout n'est pas perdu d'avance ni joué pour toujours et nous avons en souvenir un très beau cas ! Vous voyez que nous avons toujours exemple et contre-exemple ! C'est le cas de Marie, qui, ado, se disputait copieusement avec le mari de sa mère. Quelques années plus tard, Marie épouse Julien et que demande Marie ? Que ce père d'adoption, si mal traité, l'accompagne et entre à son bras à la mairie. Le père, lui, avait l'honneur de la cérémonie religieuse ! Un bel exemple de famille recomposée qui innove et trouve des solutions ! Et pour faire bonne mesure, voici les réflexions au masculin de Jonathan : « Les seuls bons moments dont je me souvienne sont ceux pendant lesquels maman vivait avec cet homme si drôle et si gai qui illuminait notre triste quotidien d'abandonnés de père. »

Nous avons une réponse au fameux : « Tu n'es pas ma mère, donc tu ne dis rien ! » : « Qui s'occupe des repassages, des lavages, des repas ? N'est-ce pas moi, la femme de papa ? » Ah ! Ah ! Échec et mat ! C'est parfois suffisant pour la « comprenette » des plus doués. Si ça ne marche pas, renoncez et patientez… ou attaquez.

Nous avons le souvenir d'une jeune fille qui ne voulait pas faire ce que lui demandait la compagne de son père, alors que celui-ci s'était absenté faire des courses. Elle avait rétorqué à cette dernière : « C'est à mon père que j'obéis et en plus, ici, tu n'es pas chez toi ! » VLAN ! La belle-mère ne s'était pas démontée : « Quand ton père n'est pas là, c'est moi, en ma qualité d'adulte, qui suis responsable de toi et exerce à sa place l'autorité et dis la règle. Quand ton père sera de retour, il prendra le relais ! » Le ton de la réplique était si ferme et assuré que, justement, il ne souffrait pas de réplique….

LE CAS À PART DE L'ADO UNIQUE, OU LE PSYCHODRAME DE L'ENFANT UNIQUE

L'ado unique traité ici, pourquoi pas ? Très mal vu d'emblée, catalogué de tous les poncifs avant même son existence, voici le petit roi, l'enfant unique, le chouchou de papa et maman, le chef-d'œuvre surprotégé, survalorisé, mais aussi… le pauvre, condamné à l'ennui, à l'égoïsme, peu prêteur, peu partageur, il démarre mal socialement et devra faire ses preuves. La réalité est heureusement moins noire. Il aura peut-être plus de mal à se débarrasser de parents encombrants, mais les parents encombrants ne sont pas la spécialité de l'enfant unique. Au contraire, certains parents, conscients de la nécessité d'intégration sociale, seront des familles très accueillantes et très disponibles vis-à-vis des autres jeunes, soucieuses de rompre la solitude ou l'ennui de leur unique rejeton, comme déjà noté avec les familles monoparentales.

L'une de nous est « fille unique » et assure qu'elle n'a jamais souffert de cet état. Elle se souvient d'une maison toujours pleine d'amis où pas un lit n'était disponible le dimanche et durant les vacances. Bien entendu, chaque vécu est encore particulier. Le risque, pour cet enfant « à problèmes », est que les parents le « lâchent » moins facilement, dit encore la rumeur. Pour lâcher l'enfant, la démarche est la même pour le premier, le second ou l'unique : il faut reconnaître qu'il a grandi et qu'il est temps d'instituer d'autres relations. Bien sûr la tentation est grande de faire couple à trois très longtemps, mais les parents doivent garder en tête leur couple à deux!

Chose souvent difficile, car il va s'accrocher, le petit, pour rester dans le mitan du lit! Le jeu le plus subtil étant de dresser l'un des parents contre l'autre pour récupérer ensuite le pouvoir, et hélas! la culpabilité qui va avec. Peut-être la résolution de l'Œdipe cher aux psys est-elle plus difficile? À noter, l'enfant unique n'est pas totalement épargné par la jalousie fraternelle. Très longtemps, comme les autres, il attend le petit frère, sauf que celui-ci n'arrive pas, comme dans la chanson de Maxime Le Forestier: «Toi, le frère que je n'ai jamais eu, longtemps, longtemps, j'aurai vécu à ton école buissonnière.» Il est élevé avec les adultes, le père et la mère, très intégré aux amis, à la famille, faute de petits avec qui jouer. Il traîne près des canapés pour ne pas s'ennuyer et s'il a une bonne oreille, il l'ouvre et écoute... Ce qui est à la fois enrichissant mais le plonge aussi dans un monde dont il n'a pas toujours les clés. En général, les ados uniques forment un curieux mélange de maturité et de dépendance.

ÉDUQUER LES PARENTS: L'ÉCOLE DES PARENTS

Ce n'est pas une matière enseignée à l'école et cela ne s'apprend pas dans les manuels. «Ah bon alors? Ça, c'est pas un *scoop*!» nous direz-vous. Nous n'apprenons pas à devenir parents. Nous reproduisons les modèles connus et ce n'est pas toujours ce que nous faisons de mieux, car nous reproduisons des erreurs éducatives en étant fidèles à nos parents, en nous disant, comme une justification de la crise: «Eh bien, je fais comme mon père et je constate que mon fils se comporte comme moi ado et que je lui donnais bien du fil à retordre, moi aussi!» comme s'il y avait une fatalité à ce conflit... des générations, et comme si les temps étaient les mêmes. Ou bien nous nous autoflagellons: «Je suis trop tolérant avec mon fils, mon père, je lui aurais jamais parlé comme ça!» oubliant ce qu'on ne disait pas mais qu'on pensait tout bas. Et surtout, une angoissante question toujours d'actualité, plus ou moins consciente, nous taraude : « Est-ce qu'il va me détester comme j'ai pu détester mon père (ou ma mère) ? « Que pense-t-il de moi ? » Que des questions sans réponses. Et des angoisses sans répit, surtout quand le torchon brûle. Et qui appeler ?

Souvent, les parents se confient à leurs amis, les femmes surtout, qui font de leurs enfants l'essentiel de leurs confidences. Et c'est aussi là que nous voyons la très grande place des enfants dans leur vie, une place trop grande, qui tourne à l'obsession. Si nous pouvons aider, en écoutant et en mettant le drame sur la bonne étagère, tant mieux. Parfois une tante ou une jeune grand-mère disponible atténuera les conflits... En général, tout médiateur est bienvenu !

Parfois, la télé s'en mêle. C'est devenu une mode. La télévision vient en aide aux gens. Elle s'empare des problèmes du quotidien de tout un chacun et leur apprend à les résoudre. Elle s'attaque aussi à des questions plus sérieuses de société. Pour cela, elle ne rechigne pas à vous dépêcher sur place, dans votre foyer, un spécialiste qui vous sauvera la mise en vous expliquant comment vendre votre maison invendable, comment la rénover à peu de frais, comment la redécorer, comment nettoyer votre appartement qui est un bouge sans nom, comment, femme divorcée avec des enfants ou agriculteur du fin fond de la Creuse, vous pouvez retrouver l'amour et, bien sûr, comment éduquer vos enfants et vos ados en ces temps difficiles.

En France, une chaîne de télévision diffuse régulièrement une émission de téléréalité qui, quoi qu'on en dise, attire l'attention par son exemplarité et peut même nous faire interrompre nos activités pour nous installer devant le téléviseur, c'est *Supernanny*. Nous sommes même tentés d'attendre le dénouement, pourtant prévisible parce que toujours le même. Cette supernounou, lorsqu'elle apparaît à l'écran, est un mélange d'adjudant-chef et de James Bond, mais pas de James Bond *Girl*, car elle est loin d'en avoir l'allure sexy. Au contraire même, et tel n'est pas, en effet, son office. Le générique en ombres chinoises rappelle d'ailleurs celui des films qui retracent les exploits du plus célèbre des espions de Sa Majesté. Cette femme solide et plantureuse, et surtout très très déterminée, est investie d'une mission et ne reculera devant rien pour la mener à bien. Elle arrive au domicile des familles juchée sur un cheval pour mieux dominer la situation. La mission qu'elle a acceptée est de délivrer des parents otages d'enfants en bas âge si terribles que même ceux qui haïssent les enfants ne peuvent les imaginer dans leurs pires cauchemars. Les parents, jeunes ou moins jeunes, sont sans repères, débordés, maltraités et malheureux. Les jeunes mamans pleurent à l'arrivée de Supernanny, tant elles sont tyrannisées. À son départ, ces abominables garnements qui hurlent, crachent la purée sur les murs, battent leurs parents, les insultent et ne veulent jamais s'endormir avant deux heures du matin seront devenus des enfants «cadrés» qui savent ce qu'ils ont à faire. Les parents aussi auront été recadrés par cette supernounou qui, au besoin, leur aura mis noir sur blanc sur un tableau la conduite à tenir envers leurs enfants. Grâce à ses recommandations, les parents auront repris le contrôle de la situation, et surtout le contrôle de leur progéniture. Supernanny repasse au bout d'un certain temps pour voir si le *modus vivendi* a tenu sur la durée et si «les bonnes manières», celles des parents comme celles des enfants, persistent.

En général, son départ de la famille est accompagné d'un concert de pleurs, et son retour d'une explosion de joie de la part des enfants qui se sont attachés à cette femme ferme, mais qui sait encourager affectueusement leurs progrès. Nous sommes bons spectateurs, nous aimons toujours ce *happy end* quand tout avait si mal commencé.

Les familles visitées sont en général peu au fait des pratiques éducatives et parfois n'ont pas eu de modèles éducatifs dignes de ce nom. Que fait cette supernounou? Elle est intraitable. Elle oppose une attitude déterminée quelle que soit l'obstination des enfants. Au début, les petits sont surpris devant le changement radical et se rebellent. Plus rien ne va comme ils veulent. Puis, ce sont les larmes lorsqu'ils comprennent, face à la détermination des adultes devenus soudains des éducateurs, que les règles se sont inversées et qu'elles ne tournent plus à leur avantage, que ce ne sont plus eux qui les édictent, qu'ils ne peuvent plus faire ce qu'ils veulent, qu'ils ne sont plus les rois du petit gang, qui fait régner la terreur lorsqu'ils sont plusieurs dans la fratrie. Le premier effet en est un de surprise. Par exemple, il n'y a plus de télévision dans les chambres et leur porte est fermée. La supernounou apprend aux parents à reprendre le pouvoir sur leur enfant, grâce à une saine autorité, celle qui fait grandir. Vient alors l'heure de la résignation et de l'apaisement : chacun sait désormais que les règles du jeu ont changé de façon durable. Les cartes ont été redistribuées. Surtout, les parents savent ce qu'ils ont à faire...

Une émission du même genre existe aussi pour les ados en France. C'est *Pascal le grand frère.* Pascal, avec son physique de parachutiste, et son tempérament d'éducateur et de psy, réalise des opérations commando auprès d'ados décrocheurs qui en viennent parfois aux mains avec leurs parents. Il cherche à les faire sortir d'eux, à leur faire exprimer cette pression qu'ils ont accumulée dans leur corps.

L'éducation des enfants et des ados, voilà un sujet qui fait recette ! L'éducation est médiatisée, au sens où elle est un sujet récurrent dans les médias et la téléréalité, mais aussi au sens où un tiers, un médiateur, est requis, pour aider les parents.

MAIS OÙ SONT PASSÉS LES PARENTS ?

Devant tant d'ouvrages, les parents brillent parfois par leur absence. Dans le film *LOL*[46] de Lisa Azuelos (2008) – une comédie française qui met en scène une mère divorcée et sa fille de 16 ans au milieu d'autres adolescents et parents d'adolescents –, un père, haut fonctionnaire qui rentre chez lui, voit son fils de 15 ans sauter dans un taxi à 11 heures du soir. Il demande à son chauffeur de suivre celui-ci jusqu'à sa destination, une boîte de nuit branchée où son fils a rejoint ses copains, et il pose cette question : « Mais

___
46. Acronyme en argot Internet et langage SMS pour *Laughing Out Loud* : rire à gorge déployée. En français, la tendance est d'utiliser l'acronyme équivalent « mdr » : mort de rire.

que font les parents ? » son chauffeur répond : « Ils font comme vous, Monsieur, ils croient que leurs enfants dorment tranquillement dans leur chambre… »

MAIS OÙ SONT PASSÉS LES ADOS ?

« T où ? » la question est souvent posée un peu tard. En fait, ils sont parfois (souvent ? nous ne voulons pas vous faire peur !) bien ailleurs ou ont carrément fait le mur. Il nous revient ici un souvenir cocasse. Il s'agit de l'un de nos fils, alors en « classes prépas[47] », sorti un soir et pas encore rentré à l'heure du laitier, repéré enfin grâce à la sagacité d'un copain et qui, dûment sommé au téléphone de s'expliquer ou du moins de se localiser, nous répondit : « Eh bien, je suis dans une maison et un lit, mais où ? J'sais pas, alors… Il était bien trop tard hier pour voir le chemin, tu vois ! »…Surtout quand on n'a pas bu que du lait, comme celui qui lui sort du nez !

Cette mère d'ados se plaint : « On dirait que je suis la seule à vivre toujours les mêmes situations. Est-ce que c'est moi qui les déclenche ? On dirait que c'est toujours moi qui dois leur expliquer la vie aux enfants des autres. Si je suis responsable, où sont les parents des autres, les autres responsables ? J'ai l'impression d'être à moi toute seule la SPA : la Société protectrice des ados. » Il est vrai que la technique de certains parents laxistes n'est pas mauvaise : attendre que d'autres parents marquent les limites, et passent à leur place pour le dragon de service !

Il y a de ces mères, bien souvent seules, « monoparentales », qui sont ainsi le refuge d'ados livrés à eux-mêmes qui atterrissent chez elles avec des projets plus que flous et douteux qu'il faut urgemment « sécuriser » ou désamorcer par un : « Non, vous restez dormir ici. Vous regardez un DVD parce que votre soirée où "vous ne savez pas où vous allez dormir" et "que c'est pas grave parce que vous rentrerez à quatre heures du mat dans les rues désertiques",

---

47. En France, les « classes prépas » (Classes préparatoires aux grandes écoles), préparent les étudiants aux concours d'admission de certaines écoles d'éducation supérieure.

c'est pas une trouvaille ! » Tant pis si cette mère ne fermera pas l'œil de sitôt – parce que les ados ç'a le fou rire tardif –, tandis que les parents normaux, « en couples », des autres ados dorment du sommeil du juste, convaincus que leurs chérubins sont à la soirée où on leur a dit qu'il y avait tout ce qu'il faut pour dormir en toute sécurité. Pauvres innocents !

L'IMPORTANT, C'EST LE CONTENANT ?

Fixez un cadre qui contienne en théorie. Posez les fameux parapets, ceux qui doivent être incontournables. L'adolescent a besoin de points fixes dans son monde en perpétuel mouvement, ne serait-ce que d'un point de vue hormonal. Les parents doivent fixer le cadre, et l'ado pouvoir évoluer à l'intérieur du cadre. *To contain*, en anglais, rend mieux compte de la tâche parentale. Il s'agit de contenir – il y a donc un contenu et un contenant. Le « contenant » ce sont les parents. Le contenu doit exister. Il est très important, voire plus important que le contenant. L'idée, c'est d'éviter de contenir par ce cadre le débordement de tout ordre : débordement d'angoisse, de comportements qui mettraient l'ado en danger directement (risque physique immédiat) ou de façon plus indirecte à long terme (transgression des règles de la société).

Les parents jouent le rôle de « contenant » pour leurs adolescents, mais doivent leur laisser une marge de manœuvre à l'intérieur de laquelle évoluer pour grandir, se responsabiliser. Sinon les ados peuvent se muer en fauves ou rester à l'état d'enfants et régresser.

QUELQUES REPÈRES : QUEL TYPE DE PARENTS ÊTES-VOUS ?

Vous avez bien compris que ce qui « fait retour », lorsqu'on est face aux ados, c'est sa propre histoire et donc sa propre problématique et si vous n'avez jamais fait de travail sur vous-même… vous y voilà contraint. Votre ado est votre miroir implacable.

Pour vous, comment était-ce à leur âge ? Et que signifie aider à grandir ? Qu'avez-vous déjà insufflé dans vos méthodes éducatives ? Quand ils étaient petits, est-ce que tout allait bien ? Réfléchissez et définissez-vous ! Quel type de parents voulez-vous être ? Y êtes-vous parvenus ? Voulez-vous nouer d'autres relations avec votre ado ? De nouvelles relations avec lui ? Vous allez perdre de l'autorité, vous allez vous retrouver bien seuls devant le frigo vide... Ne désespérez pas, c'est normal, vous aller retrouver liberté et temps pour vous. Une autre vie arrive, un épisode se clôt. L'enfance tire à sa fin.

LES PARENTS À LA LOUPE

Le parent incertain...

Il insécurise l'ado parce qu'il ne lui pose aucune limite ni aucun cadre. Il doute de son savoir-faire et veut être aimé ou ne supporte pas de ne pas l'être. Avec lui, c'est la valse-hésitation. L'adolescent est « parentifié » : il est, en de nombreuses occasions, le parent de son parent. C'est parfois le parent copain : « Mon fils et moi nous sommes comme des copains, d'ailleurs je lui dis tout. »

Aie, s'il entendait ce qui se dit dans le secret de nos cabinets... C'est Stéphanie qui vous dirait, en riant, maintenant qu'elle exerce notre beau métier (il n'y a pas de hasard !), à quel point les confidences de papa la mettaient mal à l'aise ! Papa était un « tombeur de nanas » et Stéphanie suivait, donnait des conseils, des appréciations sur les superbes nanas... La journaliste écrivain Marion Ruggieri a fait un amusant rapport de sa relation avec son père « ado » atteint de « jeunisme » dans *Pas ce soir, je dîne avec mon père*[48]. Un ado n'a pas à décider de l'avenir de son père ou de sa mère. Dit ainsi, vous ne vous reconnaissez pas, mais nous connaissons quantité de mères qui refusent de s'engager dans une autre voie parce que junior ne le supporterait pas. « Si t'amènes quelqu'un ici, je me

---

48. Marion Ruggieri, *Pas ce soir, je dîne avec mon père*, Paris, Grasset, 2008.

casse!» La toute-puissance enfantine ressurgit: «Je suis là, tu me dois tout, d'ailleurs, hors de moi tu ne dois pas avoir de vie, ou alors il ne fallait pas me faire naître!» Certes, l'ado a l'air de marquer un point, mais il va concevoir très vite une forme de désespérance, car l'adulte n'est plus ni un repère ni un soutien fiable. L'ado est seul, désorienté et insécurisé, même s'il semble roi parce qu'il fait souvent – et a – tout ce qu'il veut. Mieux vaut un parent qui prend le risque de se tromper qu'un parent incertain.

À noter que l'explosion des familles – décomposées-recomposées – fait qu'aujourd'hui elles peuvent être qualifiées d'incertaines, au sens où aujourd'hui papa est avec Unetelle et maman est avec Untel, qui vont amener des frères et des sœurs «tout faits» et que demain papa peut se retrouver seul et maman aussi! Adieu les petits frères et les petites sœurs ou les grands frères et les grandes sœurs «tout faits»! Quel bazar! On ignore le temps que ces alliances vont durer. Rien n'est fixe, rien ne dure. On doit s'attacher, puis il faut se détacher aussi vite. Les familles sont fluctuantes, évanescentes, à la merci du désir des parents.

Le parent qui veut être aimé, immature et faible…

Nous avons encore beaucoup d'exemples pour illustrer ce cas-là. Ce sont souvent des parents qui en ont «bavé» dans leur propre enfance, et qui ont besoin d'aimer déraisonnablement, de combler les désirs qu'ils n'ont pas pu assouvir eux-mêmes. «Ma fille, c'est tout pour moi!» disait une maman qui donnait tout jusqu'au trop-plein, jusqu'à l'écœurement. Les sorties, les sous, les dessous, tout en excès, au point que sa jeune fille criait: «Arrête, je ne veux plus rien!» L'appartement, la voiture étaient prêts avant l'envol et le permis de conduire. Il ne manquait ni un rideau ni une petite cuillère quand la demoiselle, désormais étudiante, partit finalement vivre dans un studio… chez son amour du moment! Elle ne s'est pas laissée enchaîner.

Ces parents peuvent donner la main aux parents incertains mais certains d'entre eux, au contraire de cette mère dans l'exemple précité, sont parfois capables d'abus de pouvoir lorsque l'ado qui vit toujours en eux est en rivalité avec leur ado de chair et d'os, qui ne reçoit pas alors les attentions qu'il est en droit d'espérer. L'ado est martyr, car il est souvent le portefaix des peines des adultes, en plus des siennes.

Le parent maltraitant

On dit qu'il reproduit les mauvais traitements qu'il a reçus. Il a effectivement une personnalité à pathologie lourde. L'actualité nous en donne quelques exemples effrayants, même s'ils sont heureusement peu nombreux. Les parents qui ont la main leste et le verbe haut, ceux qui enferment dans les placards, ceux qui jouent avec l'équilibre psychologique de leurs ados, ceux qui tuent pour le bien de l'enfant. Oui, nous en avons rencontré. Vous n'êtes pas de ceux-là. Nous ne traitons que de la folie ordinaire, la nôtre, la vôtre ! Celle de ceux… qui tâtonnent, alternant les bons et les mauvais jours.

SOURDS ET AVEUGLES, LES PARENTS ?

Il est difficile, lorsque l'on est parent d'entendre (au sens de comprendre) ces descriptions des différents types de parents, et même de les lire – alors que le livre est sous nos yeux –, car nous ne nous y retrouvons pas. Nous lirons entre les lignes, nous reconnaîtrons notre meilleure copine… la mère de Machin… le père de Machine. Enfin, ce n'est pas nous cet adulte aveugle et centré sur lui-même (tiens, comme l'ado, un reste d'adolescence ?), c'est un autre. Nous, nous avons le sentiment de bien faire, au contraire, et surtout, tout ce que nous pouvons, et c'est vrai ! Mais les bonnes intentions ne suffisent pas, pas plus que l'amour d'ailleurs. Le défi auquel les parents sont confrontés avec leur ado se résume en trois mots : éduquer sans contrôler.

UN DÉFI EN TROIS MOTS : ÉDUQUER SANS CONTRÔLER

Parents, sachez à quoi vous attendre. Il est important pour l'ado lui-même de remettre en cause votre façon de l'élever, hier comme aujourd'hui. C'est un exercice salutaire de tout passer au peigne fin de la raison. Et il n'en manque pas, de raison, même si parfois il fait l'âne, il n'est dupe qu'à moitié.

Une mère, en proie à la crise d'adolescence de son fils, disait : « Je prends du recul en attendant que ça passe ! » Bravo pour le recul de cette mère ! Mais ça ne passe pas, la crise d'adolescence, ça ne passe pas. C'est un passage. Ça débouche sur autre chose. On ne revient pas en arrière. Il y a un avant puis un après. Rien n'est plus jamais comme avant, même s'il y a un retour au calme et un apaisement une fois la rage passée.

L'ADO DOIT S'OPPOSER POUR SE POSER EN TANT QU'INDIVIDU

S'il a besoin de nous signifier qu'on a eu tort de l'obliger à ceci ou cela lorsqu'il était petit, c'est pour nous dire que déjà il n'était pas d'accord, que déjà il était autre, que déjà il était différent et qu'aujourd'hui, cela est encore plus vrai. Il est important pour lui de dire qu'aujourd'hui n'est que la suite logique de cette affirmation de soi en tant qu'autre. Du coup, nous, parents, nous entendons dire que nous avons tout fait de travers, que nous devons remettre en cause toute notre éducation. Tout est bon pour la poubelle ! Sans cautionner ce discours, il est crucial au moins d'en discuter et de ne pas clore d'emblée le débat en un tonitruant et définitif : « Nous avons eu raison sur tout ! Tu n'es pas en âge de juger ! » L'ado a plus que jamais besoin d'être entendu dans ce qu'il a à dire.

C'est le cas de Léa, 15 ans, qui regarde sa mère d'un air courroucé et qui lui dit : « Tu ne peux pas savoir, quand toi et papa vous m'obligiez à aller à la chorale, comment c'était l'enfer ! C'était pareil quand tu m'as fait faire ce stage de ski, à 8 ans, je t'en ai voulu ! » Et voilà pour les après-midi que sa mère a passés à l'attendre dans les couloirs du conservatoire et le stage de ski hors de prix !

ÇA FAIT DÉBAT OU ÇA SE DISCUTE !

Un ami de 60 ans nous disait qu'on assistait à son époque à un véritable conflit des générations qui, selon lui, est aujourd'hui lissé et n'existe plus, et de le déplorer ! Les parents d'aujourd'hui semblent vivre toute tentative d'opposition comme un rejet et une remise en cause d'eux-mêmes, alors que ce phénomène a toujours existé. Les familles seraient-elles plus fusionnelles, plus tournées sur l'enfant, au point que cela prendrait des proportions dramatiques, les pères ne remplissant plus leur rôle modérateur vis-à-vis des mères en ne leur disant plus : « C'est normal que cela se passe comme ça, que ton fils s'oppose ! » ?

LE BESOIN D'AFFIRMATION, OU « POURQUOI LA VISION DE MES PARENTS SERAIT-ELLE MEILLEURE QUE LA MIENNE ? »

Oui, au fait pourquoi ? Il y a une incompréhension des parents. Ils prennent pour un rejet ce qui est un processus d'affirmation. L'adolescent a un très fort sentiment que ses idées, sa façon de voir sont aussi valables que les leurs. Les parents se sentent attaqués personnellement et rejetés, comme si l'enfant ne voulait plus de leur amour. Ce qui est faux. Au contraire, il en a plus que jamais besoin. Le conflit est un passage obligé, nous l'avons déjà dit, au sens de nécessaire. À travers ces provocations, il ne fait que rejeter les traces de ses parents en lui pour sortir de l'enfance et tenter de s'individualiser en tant que sujet indépendant.

Fabien, 22 ans, parle aujourd'hui de cette période de heurts qu'il a connue avec ses parents et qu'il relativise avec le recul des années : « C'était de grosses engueulades qui finissaient par une crise de nerfs de part et d'autre. Moi, j'affirmais juste ma volonté de vivre différemment, selon mes idées, qui n'étaient pas forcément plus mauvaises que les leurs. » Ce qu'aborde Fabien, c'est ce besoin d'affirmation de l'ado qui n'est plus un enfant soumis et qui débouche sur le besoin d'être entendu dans son point de vue, d'être confirmé dans ce qu'il ressent. Cette reconnaissance de ce qu'il vit et pense, si elle était accordée par les parents, pourrait être forma-lisée ainsi : « Oui, je vois bien que c'est ton avis, explique-moi com-ment tu vois les choses. » Il s'agit d'écouter l'ado dans sa vision du monde et de lui permettre de s'exprimer, de se dire. C'est à une écoute active que les parents devraient s'adonner.

REMISE EN CAUSE DES PARENTS MAIS PAS ENTREPRISE DE DÉMOLITION !

L'adolescent met en accusation ses parents pour s'en détacher, d'où cette attaque en règle. Mais s'il passe de la critique construc-tive au harcèlement, il risque de rester perversement attaché à eux.

CONSEILS AUX PARENTS

Pourquoi nous autorisons-nous à vous donner des conseils ? Parce que nous sommes tombées à peu près dans tous les « trous » et chausse-trappes du parcours de l'éducation d'un enfant ou d'un ado, ou bien que nous y avons vu tomber d'autres que nous : patients, amis, famille. Nulle théorie, nuls principes, l'expérience, seulement l'expérience.

Renoncez au contrôle et lâchez votre ado

Les parents ont une mission qui comporte plusieurs pièges. Ils doivent assurer une tâche délicate et concilier des contraires. Le rôle des parents est difficile, car il consiste à consentir à cesser de contrôler leur enfant sans pour autant l'abandonner. Trouver la bonne distance, l'accompagner, est différent de le contrôler ou de le laisser livré à lui-même.

Pensez qu'éduquer, c'est rendre autonome

On ne peut parler d'éducation sans évoquer la question de l'auto-nomie. Toute autonomie implique d'ailleurs la reconnaissance des limites. Mais imposer des limites à son adolescent sans le rendre autonome ne sert à rien. Éduquer sans rendre autonome est inutile, pire : ce n'est pas éduquer. Si l'éducation n'a pas rendu l'enfant autonome, elle a échoué. L'éducation sans autonomie n'est que ruine de l'âme, comme dirait... l'autre[49].

> Parents entraînez-vous à accorder progressivement
> à votre enfant une marge d'autonomie.

Le but n'est pas de contrôler le jeune, mais de le laisser se responsabiliser pour qu'il finisse par se contrôler lui-même. Il faut « lâcher » son enfant, mais aussi comprendre qu'il a le droit de « se lâcher ». Un enfant bridé, dont l'espace d'autonomie est étroit, est tenté d'aller plus loin, ce qui alimentera la croyance des parents qu'il ne faut pas lui laisser cet espace de liberté parce qu'il en abusera et ne saura pas user de sa liberté de façon mesurée. Un cercle vicieux s'instaure.

C'est le cas de Fabien, 16 ans. La vie de cet adolescent est très réglementée. Elle est régie par les lois strictes édictées par ses parents. Sorties, horaires, sport, études : tout est paramétré. C'est un enfant dont on s'occupe beaucoup. Il passe d'ailleurs la majeure partie de son temps avec les adultes. Fabien est un adolescent timide, il ne fait pas de bruit. Pour la première fois, ses parents l'autorisent à aller à une soirée. Lui, l'ado calme, est tout excité. Les copains ont amené de l'alcool – cela, les parents l'ignorent. Lorsque son père et sa mère iront le chercher, ils le trouveront, au milieu des autres jeunes affolés, avec une grosse bosse au front. Pendant que les autres jouaient aux cartes, lui, assis sur le rebord de la porte-fenêtre de la maison, a fait un sort à une bouteille de vodka à l'orange au point où il a perdu connaissance et est tombé. Les autres n'ont pas compris comment cela est arrivé – Fabien est si calme. Sauf qu'il n'est pas habitué à la liberté, elle lui donne le vertige. Il

---

49. Rabelais a écrit : « Science sans conscience n'est que ruine de l'âme. »

n'est pas très sûr de lui non plus, surtout avec les filles. Sa mère lui dit qu'à son âge, on ne doit pas avoir de rapports sexuels. Quand il est seul, sans ses parents, il ne sait pas trop comment se comporter. Pour tout dire, il est perdu. Après cette soirée, ses parents concluront qu'il est influençable et immature. Ce dérapage, pour eux, est le signe qu'il a besoin d'être davantage cadré et qu'on ne peut pas lui faire confiance.

Et si c'était tout le contraire? Les ados sont comme des chats libres qui ont besoin de partir et de revenir vers la douceur du foyer, à condition qu'ils se sentent bien chez eux, à condition que ce ne soit pas l'enfer, un enfer d'indifférence, de rigidité ou de violence, ce qui revient au même, car dans tous ces cas de figure, il y a violence faite à l'enfant, violence morale ou physique.

Comprenez que ses priorités ne sont pas les vôtres

«Après tout ce que nous faisons pour lui: nous lui choisissons les mets les meilleurs et les plus sains», nous disait cette maman nourricière, pourtant très bien intentionnée, mais qui était déçue que son fils ne l'en remercie pas davantage. À 15 ans, l'ado «s'en tamponne», comme il dit, ce qu'il veut, c'est de la liberté et du temps pour écouter et comprendre ce qui se passe en lui! Les parents, aveuglés, voient à travers leur prisme, en fonction de ce qui a de l'importance à leurs yeux: «Ce qui est bon pour nous est bon pour lui.» L'ado est autre, ses priorités sont ailleurs. Il faut se mettre à sa place sans sortir de la sienne, faire cet effort de compréhension, cet effort pour le rejoindre…

Accordez-lui le droit à la connerie… L'adolescent n'est pas un adulte

Aujourd'hui, le droit à l'erreur est de moins en moins admis. Dans notre société très policée où tout est réglementé, où il y a inflation de lois répressives, l'écart ou le pas de côté n'a pas sa place. Nos enfants n'ont pas le droit de trébucher, autant à l'école que par la suite, dans leur parcours professionnel. Les voilà, en raison du problème d'emploi que l'on vit en ce moment, condamnés à ne pas se tromper, à faire immédiatement le bon choix, à trouver tout de suite le «bon créneau». Un grand sérieux s'impose à eux, une certaine gravité même, d'emblée, dès le berceau, comme si le droit à l'expérience, à l'expérimentation n'existait plus. Il n'est plus possible de rêver. Et justement, lorsqu'on ne peut plus rêver, la tentation est forte de rêver encore plus, et de se réfugier dans le rêve, voire de fuir dans le virtuel ou l'artificiel, comme dans les paradis du même nom.

Pourtant, les ados ont le droit de faire des erreurs, sinon quand les feront-ils? C'est une période où, encore chez leurs parents, ils disposent de ce filet de sécurité qui leur permet de se frotter au monde et de faire «leurs expériences», et ainsi de recevoir parfois des avertissements sans frais. Le cinéaste Claude Lelouch confiait récemment, lors d'une émission de radio, son passé d'ado nul, et l'attitude de son père pressentant son échec au bac. «Si tu échoues, je t'offre une caméra et basta», avait-il déclaré! Chose promise... il échoua et eut sa caméra.

Alors, il faut autoriser l'échec et, d'une manière plus générale, ne pas vouloir leur éviter tous les échecs et que leur vie soit un chemin jonché de pétales de roses. C'est impossible et ce serait croire, en ce domaine, en une toute-puissance imaginaire. Que nous soyons leurs parents (leur souche mère), qu'ils soient nos rejetons, de petites pousses de nous-mêmes, des rejets dirions-nous en langage horticole, que nous les ayons mis au monde pour le meilleur, que notre amour pour eux soit immense ne leur évitera pas les avatars de la vie. Qui a pu nous les éviter, même si nos parents nous ont procuré l'aide et la protection que nous étions en droit d'attendre d'eux? Chaque enfant, dès la sortie du ventre de sa mère, vit à ses risques et périls. La vie est une lutte de chaque jour, le savoir permet de l'accepter et de la trouver dès lors beaucoup plus douce. Lutter est normal. Et quel enjeu y aurait-il à réussir s'il n'y avait pas d'opposition? Quel plaisir à atteindre ses objectifs? Armer nos enfants, c'est les laisser lutter pour qu'ils développent leurs défenses.

Comment un ado à qui on ne laisse pas de marge de manœuvre peut-il éviter de faire des régressions? On a déjà observé cela chez le petit enfant lorsque sa maman veut le garder encore plus petit qu'il ne l'est. Il faut le laisser faire «ses» expériences, parfois même «prendre le bouillon», tout en l'accompagnant et en lui expliquant qu'il a le droit d'être dérouté parfois, de ne pas savoir ce qu'il va faire ou comment s'y prendre, que ce n'est pas «la fin des haricots», que c'est justement le début et le moment d'apprendre à réfléchir pour résoudre un problème comme un futur adulte. Cela est valable aussi pour l'orientation scolaire : il a le droit de tâtonner.

Accordez-lui le droit à la paresse

Il faut cesser de dire que les ados sont rêveurs ou alors le prendre comme un fait normal. Ils ont besoin de rêver et de paresser, on l'a vu. Le rêve est l'approche et la répétition sans danger de ce qui va, ou peut, se passer. Il n'est pas inutile de jouer à «Un jour mon prince viendra, alors je lui dirai que je l'attendais, il répondra que c'est bien ainsi…» C'est un apprentissage qui servira à ne pas être démuni, le jour où… C'est la vertu des livres, du cinéma et du théâtre de nous faire vivre par personnes interposées, de nous projeter dans un monde autre. Le rêve éveillé a la même vertu, sauf que nos petits génies en sont les auteurs et on sait combien ils ont du talent. Quand ils ont l'air de rien, vautrés sur leur lit, ils IMAGINENT, ils créent… un bout de leur avenir.

Gardez vos états d'âme pour vous !

Les adolescents ne sont pas des adultes. Ne vous comportez pas comme eux. Ils n'ont besoin ni de vos soucis ni de vos craintes et surtout pas de vos confessions. Ils n'ont ni envie ni désir d'entendre vos confidences qui les dérangent, on l'a dit, même si certains affirment que la relation est extra «parce qu'on se dit tout et qu'on partage tout». Un jour ou l'autre, cette douce illusion prendra fin. Combien de filles avouent qu'elles en ont assez des récits amoureux de leur mère, de leurs plaintes, de devoir les consoler si ce n'est de «les ramasser à la petite cuillère» après leurs ruptures à répétition. Et vos ados ne vous ménagent pas : «Ma mère ne tombe que sur des *losers*, si elle croit refaire sa vie ainsi, ils ont mon âge !» nous dit Catherine. Jugement sans appel, et si nous osions un : «Ça ne te regarde pas!» nous récupérerions un: «Quand elle va mal, il faut que je la console et que je sois là! Alors arrêtez de dire que ça ne me regarde pas!»

Ils détestent vos angoisses, vos maladies, vos faiblesses. C'est normal, ils en ont peur. Peur légitime d'une mère alcoolique, ou gavée d'antidépresseurs, peur d'une maladie grave. Tout cela est très insécurisant pour leurs jeunes vies qui ont encore besoin de protection. Ils ne viendront pas à l'hôpital si vous êtes malade. N'en ayez pas de rancœur, ils ne sont pas assez grands pour penser vous perdre. Alors ils fuient. Dans l'extrême, c'est la mort qu'ils fuient. C'est ce que le romancier Yann Queffélec illustre dans son roman autobiographique *Ma première femme*[50] : à 18 ans, alors que sa mère est atteinte d'un cancer du sein, il prétextera des compétitions dominicales de l'internat où il étudie la semaine, pour ne pas rentrer la voir le week-end.

Il ne faut pas leur transmettre vos angoisses, ni les charger de vos états d'âme. Il ne faut pas vous plaindre auprès de vos ados. À cet âge d'incertitudes où ils ont besoin de repères solides, rien n'est plus déstabilisant. Les garçons seront tentés de prendre en charge une mère fragile. Les filles aussi. Nous avons déjà parlé de ces ados «parentifiés», «adultifiés» en évoquant les parents incertains. C'est très destructeur pour le développement psychique du futur adulte et parfois gage de dépression dans l'avenir. À chaque âge ses responsabilités.

Un fils adulte nous disait que le fait d'avoir vu sa mère pleurer dans ses bras alors qu'il était adolescent, en raison d'un épisode dépressif consécutif au divorce de ses parents, l'avait beaucoup déstabilisé à cette période de sa vie. Pas toujours facile de ne pas céder à la tentation de s'épancher sur l'épaule de son fils lorsqu'il n'y a pas d'homme sous le toit. Or, cette épaule n'est pas l'épaule d'un homme, c'est celle d'un adolescent. Elle n'a pas la même solidité. Il faut régler ses problèmes d'adultes avec les adultes, amis, thérapeute...

---

50. Yann Queffélec, *Ma première femme*, Paris, Fayard, 2005.

Travaillez sur votre propre histoire

On n'échappe pas à son histoire. On ne peut tout à fait faire l'économie des erreurs dont on a été soi-même victime. C'est ce que l'on nomme « la chaîne des répétitions », que certains n'hésitent pas à désigner, de manière plus pessimiste et à la fois plus imagée, sous le nom de « saga des malheurs ». En fonction de son histoire, qui est toujours opérante, on n'est jamais trop de deux pour élever un enfant, espérant ainsi que les effets de la névrose d'un des parents soient atténués par les effets de la névrose de l'autre... dans l'hypothèse où les névroses sont inversées ou se complètent de façon heureuse !

S'il n'est jamais trop tard pour avoir eu une enfance heureuse, en la réinventant par son imaginaire, il n'est jamais trop tard non plus pour travailler sur son histoire et sur ses blessures, comme la blessure d'abandon, que nos enfants savent réactiver en véritables petits orfèvres lorsqu'ils semblent nous rejeter.

C'est le cas de Patricia, 40 ans, qui se sent rejetée parce que son fils, Rémy, ne veut pas qu'elle sorte de la voiture pour assister à la remise du diplôme de 1er cycle qui a lieu dans son collège. Or, elle s'en faisait une joie. Mais sur le trottoir, à l'entrée du collège, tous ses copains sont là et il n'y a aucun adulte. Alors, il lui signifie de manière véhémente qu'il ne veut pas qu'elle l'accompagne. Elle obtempère, mais pour cette mère qui se faisait une fête de l'événement et avait pris son appareil photo pour l'occasion, la déconvenue est grande, et sur le chemin du retour, elle pleure seule dans sa voiture. Elle pense que son fils a honte d'elle, ce qui la blesse cruellement. Elle se sent rejetée, elle, cette mère si attentive. À la maison, son chagrin se transformera en colère violente contre ce fils qu'elle qualifiera d'ingrat. Ce n'est pourtant pas Patricia qui est rejetée en tant que personne, ce n'est pas de Patricia en tant que telle dont Rémy a honte, mais il a honte, à 15 ans, que sa mère l'accompagne à la remise du diplôme, alors qu'il ne voit pas d'autres parents sur le trottoir. Il ne veut pas se différencier des autres, être le « fils à sa maman ». Le désarroi parental est d'autant plus violent si l'histoire du parent vient en résonance – cette impression soudaine que son enfant le quitte, qu'il ne veut plus de lui. Ce qui s'est réactivé chez Patricia, c'est sa blessure d'abandon. Si elle cherche dans son histoire, elle s'aperçoit qu'elle est marquée par le départ de plusieurs hommes significatifs dans sa vie : son père, son frère, son mari… et bientôt, celui de son fils qui se prépare. Certaines femmes n'envisagent même pas le départ de leur petit et vont s'employer à se rendre indispensables à l'avenir en lavant son linge ou en lui donnant des plats surgelés, mais gare au futur conjoint, il ne verra peut-être pas cet attachement d'un bon œil…

> *Exit* l'enfant imaginaire, vive l'ado réel !

Le désarroi surgit lorsque l'adolescent paraît. Les parents, trop bien intentionnés (pour l'ado !) sont déçus que l'enfant réel ne corresponde pas à l'enfant imaginé. Il faut dire que la tâche est ingrate pour nous, pauvres parents, la vie est un chemin de renoncements… mais rassurons-nous, elle le fut aussi pour nos parents. Allez, prenez quelques notes pour l'essentiel…

Renoncez à l'enfant fantasmé après avoir renoncé au prince charmant

On nous a menti sur deux points : l'amour et les enfants. On nous a dit que l'amour, il n'y avait rien de mieux… la vie à deux… et puis qu'avoir des enfants, ça, c'était le couronnement… de la vie à deux, de l'amour. Que c'était si beau, si mignon ! Peut-être même est-ce maman qui nous l'a dit, espérant bien avoir des petits-enfants à câliner sans les em… ennuis et l'éducation qui vont de pair. La vérité est que le parcours est semé d'embûches et de chausse-trappes, que le prince charmant n'est pas charmant (parfois pas du tout même, nous avons eu l'occasion de le démontrer ailleurs[51]), pas plus la princesse, au demeurant… et que les

---

51. Véronique Moraldi, *Gardez-vous d'aimer un pervers*, Montréal, Éditions de l'Homme, 2004.

enfants ne sont jamais sages et studieux, ou alors qu'il n'y en a qu'un comme ça par couvée !

D'ailleurs, nous en voulons pour preuve que tous les discours sur l'ado sont faits par des adultes qui trouvent que c'est drôlement e…. erdant cette crise, que ça tombe mal, oui vraiment mal, juste lorsqu'ils ont tant de choses à faire, tant de fers au feu… tant de boulot dans tous les domaines – et au « boulot », justement, pour commencer, où ils viennent enfin de l'avoir cette promotion qu'ils attendent depuis toujours – il était temps, à 40 ans passés ! Alors, il leur faut être performants, montrer qu'ils sont encore jeunes. Souvent, les journées sont longues si les nuits sont courtes. Eux aussi ont leurs angoisses. On dirait qu'il le sent, l'ado, que leurs nerfs sont à vif. Comme les adultes ont besoin de sérénité, de se recentrer, c'est le moment que choisit cet enfant qui n'en est plus un pour leur hurler dans les oreilles, les agresser, leur faire des demandes exorbitantes, comme de sortir « jusqu'à pas d'heure ». Évidemment, une fois de plus, leur sommeil sera tronqué, tronçonné même, s'ils ont négocié la permission de minuit. Ils ont du boulot au boulot, et du boulot dans leur vie. Du ménage même parfois, parce que même s'ils sont déjà engagés dans la vie, à la différence de l'ado qui ne sait pas où il va, cet engagement n'est peut-être pas le bon. Ou du moins, aujourd'hui, il peut arriver qu'il ne leur convienne plus. Les voilà prêts à changer d'orientation pour retrouver leurs… 20 ans, voire leurs rêves d'enfants. Une belle régression ! Ils ont changé oui, comme toi petit, petite. Ils sont en mutation et la carapace tombe, et le masque avec. Eux aussi sont en pleine mue ! « Toi, tu es en construction, dit l'adulte, eh bien moi, je suis en ravalement, et c'est l'échafaudage qui flanche comme mes certitudes, et tu en rajoutes une couche en ne faisant pas ce que j'attendais de toi ! » C'est vrai ça, c'est pas du jeu !

Crise du milieu de vie ! Tant de choses à faire, peut-être changer de travail, voire de conjoint parce que ça ne va pas si bien que cela avec Gilbert ou Gilberte : il y a des fois, ils auraient des envies d'ailleurs… Eux aussi ont leur crise d'adolescence. Eux aussi sont au milieu d'un gué, dans une période d'entre-deux. Mais une chose qu'on ne leur avait peut-être pas dite et qu'on aurait dû, à la place de ces foutaises d'histoires de prince charmant et de grenouillères roses et bleues, si jolies dans les magasins – seulement dans les magasins –, c'est que c'est aussi cela être parent, c'est accepter le fait que leurs enfants grandissent, leur causent du désagrément, parfois vraiment beaucoup, et qu'ils doivent tout mener de front sans faillir ! Quel défi ! Quelle folie ! D'ailleurs, ils devraient mieux comprendre leurs enfants dans ces conditions. Dans la réalité, il semble qu'il en soit autrement : il n'y a plus de place pour des adolescents en crise lorsque les parents le sont aussi ! L'ado ne trouve pas de terreau favorable pour gérer son mal être : il est plus un gêneur qu'autre chose !

Une mère nous a dit, comme elle était aux prises avec son fils de 16 ans : « Enfin, moi je veux bien, on dit qu'elle est normale cette crise de l'adolescence, qu'il faut qu'elle se fasse. Mais tous ces enfants qui sont atteints de maladies graves, on voit bien qu'ils ne la font pas, leur crise d'adolescence. Ils n'ont pas le temps de la faire. C'est quand même quelque chose qui est propre à ces enfants qui ont tout ! »

Les enfants auxquels elle fait allusion sont des enfants dans la survie, dont l'avenir est compromis, comme si pour faire cette crise de passage, il fallait avoir un avenir. La maladie comme l'extrême pauvreté, telle celle qui frappe certains enfants des bidonvilles de grandes agglomérations de pays sous-développés, changent la donne. On n'a pas le droit de se sentir mal dans sa peau lorsque sa peau est en danger permanent, non celui que l'on crée soi-même pour se fixer des limites et se sentir exister, mais plutôt le danger sournois de la maladie ou celui, implacable, de la violence sociale. Un danger qui vient de l'extérieur. Il n'y a pas de place pour les problèmes existentiels lorsque la vie est précaire, lorsque l'existence même est remise en jeu chaque jour et chaque instant. C'est ce que montre le très beau film de Danny Boyle, *Slumdog Millionaire*, où on voit grandir deux enfants orphelins dans les taudis de Mumbaï. Devenus adolescents, ils volent – l'un d'entre eux n'hésite pas à tuer – pour échapper à la mutilation imposée par les adultes qui gagnent leur vie en faisant des enfants estropiés des mendiants. Il n'est plus question de quête de sens, la seule solution pour survivre, pour ces enfants très pauvres, reste la délinquance, ou plus exactement un système de débrouillardise qui permet d'échapper à la prédation des adultes. Il n'y a pas d'autre alternative. Il n'est plus question d'avoir là reconnaissance des pairs de la cité, seulement de sauver sa peau. Quant aux enfants malades, ceux-ci acquièrent très vite une maturité, une gravité, celle que génère l'expérience de la douleur. Ils lèvent sur les adultes de grands yeux interrogatifs. La question qu'ils posent est autre : « Pourquoi moi ? » C'est celle aussi que se posent les parents : « Pourquoi lui ? » Préférons à cela une crise d'adolescence classique. La bonne crise d'adolescence des familles.

LA PIGNE NARCISSIQUE, OU
« TU SERAS POLYTECHNICIEN, MON FILS ! »

Cela ne vous rappelle-t-il pas, en version plus goy, les mères juives et les pères juifs (cela existe aussi !) : « Tu as zéro en maths, c'est pas grave, mon fils, tu seras médecin ! » sauf que souvent les parents ne sont pas aussi débonnaires quand tombe le zéro en maths, car le glas de leurs espérances résonne cruellement, surtout s'ils ont payé des années de cours de maths qui leur ont coûté un œil ou un bras !

Il faut dire que notre ego de mère ou de père en prend un sacré coup quand notre cher petit ne suit pas, mais alors pas du tout, le chemin que nous voulions qu'il fréquente ! C'est une décharge qui nous laisse raide par terre !

Certains l'ont compris très tôt, que leur enfant leur échapperait, bien avant la chute des premiers bulletins scolaires. Une mère raconte : « Mon fils m'a tout de suite fait comprendre qu'il m'échapperait, quoi que je fasse ! Il me l'a signifié à ses huit mois et je garde le souvenir de la scène gravé dans ma mémoire plus de dix-sept ans après. Je le revois, sur un petit matelas de sol – car déjà il gigotait trop pour le langer sur une table –, pour la première fois, se sauver à quatre pattes, la moitié des fesses ointe de crème, et cela cinq ou six fois avant que je puisse lui attacher sa fichue couche! C'était la première fois qu'il faisait preuve d'un tel désir de s'échapper, de m'échapper. J'ai eu ce jour la conviction qu'il en serait toujours ainsi avec lui et je ne me suis pas trompée. Je me rappelle mon sentiment de colère. J'étais vexée que désormais je ne puisse plus en faire ce que je voulais, alors qu'il ne marchait pas encore, ce joli bébé! »

Cette étape de l'adolescence rappelle celle de la petite enfance, où le tout petit se met à marcher et à découvrir le monde. Il faut le laisser aller, quitte à ce qu'il trébuche, même si, de temps en temps, il aura besoin de nos bras.

Une place dans la société

Nous, parents, voulons que notre enfant ait une place dans la société, et une bonne, qu'il ait un statut. C'est pourquoi nous ne le lâchons pas. Nous avons des désirs pour lui et des désirs sur lui. Et s'il n'est pas apte à faire des études scientifiques, si valorisées aujourd'hui, parce qu'il n'est pas doué pour les maths, et qu'il est dirigé vers un enseignement technique, nous renonçons difficilement à l'enfant fantasmé. Nous avons beau nous répéter : « Eh bien, il sera plombier et gagnera bien sa vie », c'est dans la douleur que nous en ferons le deuil. Surtout si nous sommes convaincus que ses capacités lui auraient permis d'accéder à une profession scientifique s'il s'était davantage investi dans son travail. « Les parents exagèrent : si on n'est pas polytechnicien, on est balayeur! Entre les deux, il y a une marge! » nous disait un ado… lucide.

> Inutile d'en faire un ingénieur si c'est pour en faire
> un martyr!

Le piège de l'amour/haine, ou avoir fait un enfant pour soi

Ne pas renoncer à l'enfant fantasmé, vouloir réaliser ses propres rêves ou satisfaire des besoins à travers lui conduit inévitablement à une situation d'amour/haine. Il s'agit, au-delà du cadre indispensable, d'imposer à notre jeune des contraintes (trop) strictes pour qu'il se hisse à la hauteur de nos propres désirs de parents. L'enfant est surinvesti. Il est aussi investissement, et il faut un retour sur investissement. On lui demande de rendre des comptes. Au minimum, il faut une récompense : être reconnue comme une bonne mère, être reconnu comme un bon père.

Un fils unique témoigne : « Ma mère, à mesure que sa vie la décevait (elle avait perdu l'amour de sa vie qui n'était pas mon père), moi, son fils, je me devais de la rendre plus parfaite en réussissant parfaitement. » Les mères, comme les pères, ne doivent pas investir leur enfant de leur phallus, au sens que la psychanalyse donne à ce mot, c'est-à-dire de leurs ambitions de pouvoir et de réussite : l'enfant n'est pas là pour leur donner entière satisfaction. Le risque d'un tel amour « utilitaire », c'est la déception. Or, l'amour déçu se mue immanquablement en haine lorsque l'enfant ne rentre pas dans leurs projets, ne sert pas leur narcissisme, ne les aime pas comme ils voudraient qu'il les aime !

Une mère dit, en parlant de son fils adolescent : « J'aimais mon fils, mais à voir combien il est paresseux et ne s'intéresse à rien, je suis très déçue. » Parfois, l'amour s'absente, quand l'enfant n'est pas comme le parent voudrait qu'il soit. C'est alors un amour conditionnel – peut-être le signe que le parent a fait un enfant pour lui ? C'est un amour pour avoir un enfant modèle, c'est aussi un « amour de peur ». L'enfant doit être « comme cela », conforme, sinon il ne réussira pas sa vie ! Heureusement, nous savons qu'il existe mille façons de réussir sa vie, mais cela, nos parents ne nous l'ont pas forcément dit, anxieux qu'ils étaient (déjà !) pour notre avenir. N'oublions pas, nous, de le dire à nos ados.

Ce surinvestissement de l'enfant peut servir d'excuse aux parents pour ne pas réaliser leurs propres désirs. Ils attendent que leur enfant le fasse à leur place. Nous sommes parfois surpris devant la véhémence de certains parents (et de nous-mêmes) à propos de leur adolescent : « C'est un petit con ! » Eh oui ! Comment peuvent-ils descendre en flèche ainsi des enfants qu'ils aiment ? Certains parents, qui font preuve de beaucoup de compassion pour autrui, deviennent implacables lorsqu'il s'agit de leur propre progéniture. C'est le risque, encore une fois, d'avoir fait des enfants pour qu'ils soient des répliques d'eux-mêmes ou qu'ils servent les desseins qu'ils ont pour eux. Dans un monde en perpétuelle mutation, c'est un non-sens. Et pourtant, tout d'un coup, l'ado est vu comme mauvais. Il a déçu. De surcroît, il ment, il cache, il dissimule. Évidemment, il n'a pas d'alternative face à trop de contrôle, trop de sanctions, ou même trop de sollicitude...

Ces parents contrôlants manquent d'empathie. Ils disent que l'enfant doit être sanctionné pour son bien. Ils aiment leur enfant – du moins le crient-ils à qui veut l'entendre – et c'est vrai qu'ils y tiennent, agrippés qu'ils sont à lui ! Drôle d'amour qui ne souffre pas que l'ado ne se conduise pas conformément à la volonté parentale ! Certains parents sont empêtrés dans leurs contradictions. Ils veulent que leur enfant fasse des études, mais ensuite ne le lâchent pas. Au point que l'enfant, son diplôme en poche, ne peut s'éloigner de ses parents pour exercer un emploi, tant il est dépendant.

> Rappelons-nous : le but de l'éducation, c'est éduquer
> pour sa descendance et non pour soi.

L'ado cocotte-minute

Halte à la pression ! Si l'ado est trop contraint, on n'est pas à l'abri d'une explosion ! Nos enfants sont stressés parce que nous, parents, les stressons. On reproche aux enfants dès la maternelle de trop jouer, alors que nous savons que le jeu est décisif pour que l'enfant éprouve le plaisir de l'apprentissage. Ne crions pas haro sur l'enfant roi, qui est aussi martyr à cause de la pression scolaire.

Une mère, qui a su s'arrêter à temps, rapporte : « Un jour, j'ai trouvé dans la poche du manteau de mon fils de 14 ans des lames de rasoir. C'est vrai que nous étions en conflit permanent pour tout. Lorsque j'ai vu ces lames, je me suis dit : « Il faut peut-être cesser d'être sur son dos pour tout : le travail scolaire – je le pistais sans arrêt –, les horaires. » Toutes ces contraintes que la société et notre rôle d'éducateur nous obligent de lui imposer. Je me suis dit : « Il faut lâcher un peu, pas tout, mais un peu ! » Ces lames plus que tous les longs discours, m'ont fait comprendre qu'il était mal ! »

Trop de règles imposées par les parents et la société, dans tous les domaines, sans aucune marge de manœuvre, font que certains ados sont tendus. En pareil cas, les parents feront toujours des raisonnements rationnels pour expliquer ce qu'ils imposent à leur enfant. Surtout les parents contrôlants qui veulent continuer à contrôler leur ado comme lorsqu'il était enfant. Bien sûr, il faut que l'ado ait suffisamment de sommeil pour sa santé et sa croissance qui n'est pas finie. Bien sûr, il faut qu'il travaille avec assiduité parce que le monde du travail est exigeant. Bien sûr, il faut qu'il fasse du sport pour développer et renforcer sa musculature, bien sûr... mais il n'empêche, il y a les limites du corps et de l'esprit, et les ados stressés au bord de la dépression, cela existe.

Ainsi, s'agissant des heures du coucher, c'est son choix, sa liberté de dormir à telle heure ou telle autre le week-end, mais aussi lorsqu'il a classe le lendemain, dans la limite du raisonnable, bien sûr ! On ne peut obliger un ado à dormir, on ne peut que lui demander d'éteindre la lumière. Mais alors qu'autrefois on risquait seulement un flagrant délit de lecture sous les couvertures, de nos jours, une ronde de nuit révèle bien d'autres possibilités, pour les filous, d'échapper au couvre-feu : chuchotements au téléphone, tapotements de clavier, bourdonnements d'iPod, raie bleutée sous la porte, les souriceaux *chattent* comme le chat dort. Alors inutile de se leurrer, fermons la porte et les yeux. Mais si nos jouvenceaux ont les leurs au milieu de la figure au petit-déjeuner ou, pire, sont sourds au réveil, ou pire encore, si les résultats scolaires dégringolent, il faut remettre les pendules à l'heure et veiller à un respect strict des horaires minimum de sommeil. Chaque ado, comme chaque adulte, a un rythme de sommeil qui lui est propre et des besoins différents en la matière. Pour cet adulte en devenir, l'autoriser à choisir l'heure de son coucher pour avoir ce minimum de maîtrise sur sa jeune vie est indispensable. On ne peut pas légiférer dans tous les domaines.

Et quand cela tourne franchement au drame, cet investissement narcissique...

Certains parents ne comprennent pas qu'ils sont à l'origine de la crise aiguë, à l'origine du problème. Ce sont ces parents pour qui l'obéissance passe avant la relation avec leurs enfants. Il faudrait créer, pour les parents, des comités de Salut public, où les enfants qui auraient eu à subir les affres d'une éducation trop sévère ou humiliante leur couperaient la tête ! Nous plaisantons !

Un livre, intitulé *Le chapelier et son château*[52], a marqué le père de l'une de nous deux (nous vous laissons deviner laquelle) au point que celui-ci avait quelques scrupules à imposer une réussite trop grande à ses enfants. Ce roman, de l'écrivain écossais Archibald Joseph Cronin, écrit dans les années 1930, raconte l'histoire d'un chapelier écossais, James Brodie, connu pour son orgueil colossal et sa brutalité. Très redouté de son épouse et de ses trois enfants, il n'est véritablement attaché qu'à sa dernière fille, Nessie, qu'il enserre dans l'étau de ses ambitions et à laquelle il assigne la tâche d'obtenir une bourse pour augmenter le prestige de la famille auprès des habitants du village. La jeune fille se pendra faute d'avoir réussi à atteindre l'objectif paternel.

Les parents trop exigeants n'existent pas que dans la littérature. Voici quelques histoires vraies qui relatent des cas extrêmes et ont valeur d'exemples. Elles marquent les limites à ne pas franchir et montrent jusqu'où peut aller la folie parentale dans le surinvestissement de l'enfant... jusqu'au passage à l'acte.

Un jeune homme avait échoué pour la deuxième fois sa première année de médecine. Pour lui, c'était le signe qu'il fallait changer de voie. Pourtant, son père avait réussi, en usant de son

---

52. Archibald Joseph Cronin, *Le chapelier et son château*, Paris, Albin Michel, 1940.

influence, à obtenir une dérogation du directeur de l'université pour qu'il soit autorisé, à titre exceptionnel, à faire une troisième « première année ». Mais comme le fils ne voulait plus retourner en médecine, il a fugué, puis il est revenu. Le père a alors tué son fils puis, immédiatement après, s'est donné la mort.

C'est aussi le cas du père d'une jeune fille sourde, magnifiquement rééduquée, fou d'amour pour elle, qui, la voyant s'éloigner avec un jeune homme dont il doutait qu'il puisse la rendre heureuse, l'a supprimée et s'est tué ensuite. Exemples heureusement rares direz-vous !

Il y a des adolescents pour qui le droit à l'échec ou à l'autodétermination n'existe pas. L'alternative est, pour le jeune, d'aller dans un extrême inverse, à contresens de la volonté parentale : ne rien faire, s'opposer, contrecarrer, échouer... Ce qui nous conduit naturellement à parler des réussites scolaires sur un ton plus léger...

LES ÉTUDES... LÂCHER OU PAS ?

Il est crucial de laisser notre ado prendre la responsabilité de ses études. Encore faut-il qu'il ait investi ses études, d'où l'importance qu'il y trouve de l'intérêt. Oui, mais nous vous entendons : « Il ne s'intéresse à rien ! » Pas si sûr.

« Je ne comprends pas, dit sur un ton exaspéré cette mère de garçon de 15 ans (encore !), nous sommes samedi, nous rentrons du cinéma et, au lieu d'aller recopier ses cours parce qu'il a manqué le lycée à cause de sa gastroentérite, il traîne devant la télévision. Je n'admets pas ça ! Il ne fait que ce qu'il veut ! Il dit qu'il le fera lundi. Aujourd'hui, c'est samedi. Il va attendre jusque-là ! Il ne se rend pas compte que c'est son avenir qui est en jeu. Il ne pourra jamais être ingénieur. En Afrique, des enfants font jusqu'à 25 kilomètres à pied tous les matins pour aller à l'école. Nous, lorsque nous étions jeunes, nous étions livrés à nous-mêmes, nous n'avions pas cette chance d'avoir des parents derrière comme lui, et il n'en profite pas ! » Oui, mais nous ne sommes pas en Afrique et nous sommes à l'heure d'aujourd'hui – ne soyons pas plus précises afin que ce livre ne prenne jamais de rides! Jusqu'à quel point faut-il «être derrière» ou «dessus», comme on dit. L'une de nous deux en a parlé dans son précédent livre, *Le fils de sa mère*[53], et son avis est qu'il n'est pas question de le porter à bout de bras, cet «enfant». Plus «on est derrière» et plus le jeune a le réflexe de vouloir s'échapper, transgresser, comme le petit enfant de 3 ans d'autrefois. Il veut «faire le mur». Un ado à qui on interdit de sortir va «faire le mur». Et s'ensuit une escalade: on retire le clavier pour qu'il cesse de pianoter sur son ordi, de surfer sur le Net mais, pour autant, il ne travaille pas ses cours, une fois qu'on lui «a coupé les vivres» (c'est le sentiment qu'il a) et c'est tous les jours comme ça. La bagarre, les tensions, les rapports de force, les cris, les bouderies sont le menu quotidien. Le couple en pâtit. Les parents se sépareraient presque pour cela par moments. Ces pauvres parents perdus, devenus pour le coup d'affreux bourreaux culpabilisants, vont jusqu'à lui jeter au visage cette ignominie: «Tu veux qu'on se sépare, ton père et moi (ou ta mère et moi, c'est selon) c'est ça que tu veux?» et le non moins pauvre ado, effrayé devant tant d'enjeux soudain entre ses jeunes mains, pense: «Mais non, moi je veux juste vivre!» Hélas! toute l'énergie de la mère a été «pompée» par ce combat et elle en veut à son époux de ne pas prendre le relais par moments. Alors, le soir, elle n'a plus goût à la bagatelle! Lorsqu'on en est rendu là, il est évident qu'il faut changer son fusil d'épaule, car les attaques narcissiques et les insultes ne sont pas loin, de part et d'autre d'ailleurs. Gardons à l'esprit que nos enfants ont un grand pouvoir de nous mettre en colère, autant que les voitures et les ordinateurs qui tombent en panne!

Vie facile ou peur de l'avenir?

À votre décharge, parents, nous entendons votre peur de l'avenir pour votre adolescent. C'est bien normal, mais quel est l'avenir de vos enfants? Qui peut le prédire? Vos parents ont-ils prévu le vôtre? Bien sûr que non pour la plupart d'entre vous, qui d'ailleurs

---

53. Véronique Moraldi, *Le fils de sa mère, de la force du lien mère-fils, op. cit.*

en tirent argument : vos parents n'en ont pas fait autant pour vous que vous n'en faites pour vos enfants, sinon vous auriez mieux réussi. Pas si sûr ! Alors les temps sont-ils plus durs qu'avant pour que les parents aient peur ? Nous le croyons. Malgré les apparences, la vie n'est pas plus facile ni plus douce pour nos ados. L'avenir est incertain et les études ardues. Le confort n'est pas synonyme d'espoir. Sept cents adolescents meurent, en France, chaque année. Alors, ne nous contredisons point en criant partout que nos enfants sont rois et que c'est pour cela qu'ils ne font pas grand-chose, si nous redoutons pour eux les temps qui courent. Gardons à l'esprit que l'enfant roi et l'enfant martyr se ressemblent.

L'adolescent est en demande de responsabilité. Il est indispensable de lui en donner. Donnons-lui au premier chef celle de sa vie et laissons-lui la responsabilité de ses études et de l'organisation de son plan de travail.

LIBÉREZ-VOUS DE VOTRE PEUR D'ÉDUQUER, SOYEZ FERMES !

Il est bien évident que durant cette crise, l'amour inconditionnel en prend un coup ! Personne n'aime les conflits, à part ceux qui sont masochistes de nature ou qui ont baigné dedans toute leur vie. Quand les conflits deviennent permanents, on souhaite que l'ado débarrasse le plancher. On l'exile en colo, en pension. On donne des autorisations aberrantes, tout pour ne plus le voir. « Nous n'en pouvons plus, il bousille notre vie ! » s'exclament les parents. À noter que l'ado dit la même chose ! Dans ce cas, il ne faut pas se sentir coupable de l'aversion que :

- nous ressentons pour notre adolescent, lorsqu'il nous échappe. Notre échec cuisant s'exprime par un « Je n'ai pas su ! » qu'il faut poursuivre par « Je n'ai pas pu. Pourquoi ? » Et hop, retour urgentissime sur notre histoire, présente et passée ;
- nous provoquons chez lui, qui va faire poindre en nous le complexe du parent bourreau : « Il me déteste ! »

Aucun doute : Il ne faut pas douter de nous-mêmes. Ce doute-là provient du vécu, de la position et de la place par rapport à nos propres parents. Éduquer, c'est aussi douter sur le sens que l'on donne à l'éducation, sur ce que l'on impose. Une chose est sûre, il ne faut pas douter qu'il est nécessaire d'éduquer, d'imposer et d'asseoir son autorité, une autorité légitime, dans le respect de la personne humaine. Mais chassons le doute et il revient au galop ! Chassons-le de manière récurrente, car sinon on peut compter sur lui pour revenir nous miner sourdement et nous faire trembler sur nos fondations ou sur notre fondement. Cela est d'autant plus vrai que si, pour nos enfants, nous occupions la place suprême, pour nos ados ce n'est plus le cas. Mais pour autant, restons sereins et gardons le cap au milieu de toutes leurs remises en cause !

Se libérer de la peur d'éduquer, c'est donc se libérer de la peur de déplaire. Éduquer ce n'est pas faire plaisir et c'est même souvent causer du déplaisir. Pour autant, il faut faire plaisir à son ado, mais chaque chose en son temps. Il ne faut pas confondre autorité et séduction. Tant pis si notre cote d'amour est en chute libre ! Rassurons-nous, ce sera (peut-être) de courte durée. Encore qu'une éducation démocratique et des règles imposées expliquées et comprises, qui ne sont que le reflet de la réalité de la société, atténuent la frustration du jeune et donc le ressentiment envers les parents.

Et si, comme les explorateurs, nous prenions la boussole. La boussole, c'est le ressenti intime, que d'autres appelleront le bon sens, c'est la conviction intime. Si un comportement de notre ado nous choque profondément, vient en opposition radicale avec nos valeurs, il ne faut pas l'accepter. C'est un indicateur, à condition d'avoir travaillé sur son histoire et de s'être débarrassé des ressentis parasites.

Renoncez à être aimés un temps, ou la haine nécessaire

Il ne faut pas s'attendre à un amour linéaire, ni à la reconnaissance. La place de parent est une place exposée aux ressentiments. Bien plus, la haine est nécessaire. Ici nous nous adressons aux mères, plus particulièrement, qui peuvent être un catalyseur de haine à l'adolescence.

D'une façon générale, l'amour a besoin d'intégrer la haine pour éviter la fusion. La mère est le premier objet d'amour, il faut que l'adolescent s'en détache, particulièrement le garçon. Accéder à l'Œdipe, c'est accepter que la mère soit atteinte et non détruite. Il faut que l'adolescent puisse haïr sa mère sans la perdre. Plus l'ado a sa mère sur son dos, plus il va la haïr et la rejeter par un mouvement naturel, et plus sa mère va le cerner, plus les décibels vont monter. Plus la mère se sentira rejetée, plus, à son tour, elle risque de nourrir à la fois du ressentiment à l'encontre de son rejeton et d'éprouver de la tristesse. Elle a posé les interdits, le cadre, et a joué son rôle sans états d'âme. Les parents et les enfants sont comme des hérissons. Trop de proximité conduit à des frictions.

Prenez l'exemple de cette mère et de son fils. Elle n'a pas cédé à l'une de ses demandes, alors il menace de la haïr à vie, rien de moins, car ce qu'elle lui refuse est vital pour lui, du moins le pense-t-il. Elle le frustre, et la frustration, il ne supporte pas. Il est comme le petit garçon qui se roulait par terre quand elle lui refusait un joujou, sauf qu'il n'a plus 3 ans et il le lui signifie : « Je ne te le pardonnerai pas maman ! » Elle lui répond : « Eh bien, plus tard tu me feras des restitutions symboliques ! Tu me donneras un petit objet qui représentera cette violence que je t'ai faite en ne te donnant pas mon autorisation ! »

Cette mère est-elle condamnée à la haine éternelle ? N'y croyez pas ! Et dans l'extrême de l'extrême, nous dirons tant pis, puisqu'elle est sûre de son fait, de l'interdit posé et qu'elle reste en harmonie avec ses principes. Mais il faut que l'ado sache et voie que, malgré ses attaques, sa mère est toujours là. C'est cela l'atteindre sans la détruire. Touchée mais pas coulée ! Sainte mère ! Indestructible.

Finissez-en avec le complexe du parent bourreau : « Pauvre petit ! »

Il n'y a de bourreau que s'il y a une victime. Beaucoup d'erreurs éducatives découlent de la notion de culpabilité parentale. La peur et la culpabilité sont deux « empêcheurs d'éduquer rond ». La peur qui nous conduit à retenir l'enfant empêche de le pousser vers l'autonomie. Si, par exemple, nous apprenons qu'un ado a été poignardé dans une arrière-cour, dans un quartier *a priori* bien fréquenté que notre fille traverse tous les jours pour aller au lycée, allons-nous lui interdire de passer par ce quartier et l'obliger à faire un détour ? Sûrement pas ! Nous y reviendrons plus loin. Quant à la culpabilité, elle et dangereuse car elle empêche de frustrer. Abordons-la sous cet angle de la frustration de l'enfant… mais aussi du parent.

Petit détour par la frustration et le manque, ou pourquoi il est nécessaire de frustrer – s'il est nécessaire de le préciser…

La mère doit accepter de confronter son enfant aux réalités de la vie. Pour cela, elle doit accepter sa propre frustration, et renoncer à tout fournir, à tout donner à son enfant.

L'enfant qui n'a pas été frustré va traîner toute sa vie une angoisse considérable dont il ne pourra jamais se débarrasser. Toute privation aura sur lui l'effet d'une menace de mort imminente. Les mères aveuglées par l'amour maternel qui ne refusent rien à leur enfant – et par la suite à leur adolescent – croient assister à l'émergence de l'individualité de l'enfant. Elles s'en réjouissent et ne veulent pas priver ni brider leur chérubin. C'est sur le terreau de cette éducation mal menée dans l'enfance que prennent racine les problèmes de l'adolescence.

Aldo Naouri fait, de façon intéressante, le lien entre la frustration et le temps, dans son ouvrage précité[54] : « Un grand axe de l'éducation : aider un enfant à trouver sa place dans son histoire et dans l'espace comme appréhender sans terreur l'écoulement du temps, toutes choses destinées à lutter contre l'illusion de toute puissance infantile. » Cela ne peut que passer par la frustration.

L'ennemi est cette culpabilité structurelle des parents. Tout se passe comme si ceux-ci voulaient se racheter d'on ne sait quelle faute imaginaire en cédant, en adoptant une attitude de soumission

---

54. Aldo Naouri, *Éduquer ses enfants, l'urgence d'aujourd'hui, op. cit.*, p. 262.

face à leurs enfants. Nous, les femmes, pouvons nous sentir coupables, par exemple, de ne plus être au foyer.

TROP EN FAIRE PLUTÔT QUE PAS ASSEZ...

Un autre obstacle à éduquer réside dans «le trop» qui fait écho à ce «trop» d'incertitude et de contradictions en matière de messages éducatifs, de sorte que, dans l'ignorance du «bien faire», «du faire juste», nous préférons parfois «trop en faire», surtout pour éviter la culpabilité. C'est le cas de cette mère, qui préfère en faire trop que de se dire un jour: «Je n'en ai pas fait assez» ou de se le faire reprocher par d'autres. Sauf que «trop en faire» revient souvent à mal faire et peut aussi être à l'origine de problèmes.

Il nous semble que les enfants qui reprochent à leurs parents «d'en avoir trop fait» sont nombreux. Car «en faire beaucoup» n'est pas synonyme d'éduquer. Et surtout pour ce trop, il faudra remercier. «Je me suis sacrifiée pour mes enfants» n'est pas une phrase à penser ni à prononcer! La reconnaissance trop grande pèse. Trop devoir à ses parents charge les enfants d'une dette qui les écrase, sauf s'ils ont fait leur l'enseignement de l'apologue de l'aigle de Freud[55], selon lequel ils sont redevables envers leurs enfants de tout ce qui leur a été donné par leurs parents, et non pas envers leurs parents de tout ce que ces derniers ont fait pour eux.

La notion de sacrifice en matière d'éducation nous semble une lourde erreur. Éduquer son enfant n'est pas se sacrifier, car tout sacrifice demande une contrepartie, comme dans les temps antiques, pour s'attirer la bienveillance des dieux... Nos adolescents ne nous paieront pas de retour. Écoutez plutôt les horreurs que disent les parents sacrificiels: «Je n'aurais pas dû faire d'enfant, car je me suis sacrifiée pour rien!» ou «J'ai perdu vingt ans de ma vie!»

---

55. *Voir* Véronique Moraldi, *La fille de sa mère, op. cit.*

CRUEL DÉSAVEU, OU POURQUOI IL EST ABSOLUMENT NÉCESSAIRE DE NE PAS ÊTRE UN PARENT PARFAIT – S'IL EST *NÉCESSAIRE* DE LE REPRÉCISER...

Martine, divorcée énergique et mère très responsable de deux filles, se fait dire par la dernière d'entre elles, âgée de 23 ans : « Toi et papa vous avez trop travaillé. Vous n'avez pas pensé suffisamment à vous, mais trop à nous. Je ne ferai pas comme vous. Je veux réussir mon couple, moi ! » Et vlan, que faut-il entendre ?

Que nos enfants ont des besoins que nous méconnaissons et que nous fantasmons. Que parfois, croyant bien faire en leur fournissant ce dont nous avons manqué, « nous tombons à côté », car ce n'est pas ce qu'ils attendaient et les voilà encombrés. Force est de constater que cette jeune femme a rappelé à sa mère l'importance de l'entité du couple, et que la fonction parentale n'est pas l'essentiel dans la vie d'une femme ou d'un homme. Que cela soit rappelé par l'enfant est à ce titre exemplaire. Quand on croit avoir montré le bon modèle, celui du travail et du mérite, et que l'on s'entend dire que ce n'est pas la valeur première, on comprend que les effets de l'éducation par l'exemple nous échappent, que nos enfants peuvent prendre le contrepied de ce que nous leur avons enseigné. Cet exemple nous inspire une autre réflexion : « parentalité » et « conjugalité » – au sens de vie conjugale – sont véritablement des ennemis jurés ! Le couple a une vie autonome et le rôle éducatif assumé à l'égard des enfants n'est pas bon pour lui. Il est même antiérotique. Qui n'a pas été interrompu dans ses ébats ou ses débats pour assurer l'une ou l'autre mission éducative, comme par exemple empêcher le plus grand de tuer sa petite sœur ? Par voie de conséquence, des parents essentiellement tournés vers leur couple ne seront pas des parents éducateurs, pas plus que ceux essentiellement centrés sur leur carrière professionnelle. Quel dilemme ! Après tout ce que nous venons de dire sur la nécessité absolue d'éduquer, il reste un bémol, celui de la mauvaise éducation dont nous avons déjà parlé.

MIEUX VAUT TROP D'ÉDUCATION QUE PAS D'ÉDUCATION DU TOUT ?

Pour les parents qui s'interrogeraient encore sur la légitimité d'éduquer les enfants… Aldo Naouri soulève une question importante : vaut-il mieux souffrir de troubles psychologiques suite à une éducation trop rigoureuse que de défauts éducationnels ? Pour lui, la réponse est oui. Une éducation trop rigoureuse susceptible de créer des troubles chez l'enfant serait préférable à une éducation défaillante. Et ce, même si une éducation trop rigoureuse peut engendrer chez les jeunes sujets des troubles très différents, en fonction de leur structure psychique et aussi de l'intention de l'éducateur, qui sont tout autant des entraves au développement harmonieux de l'individu.

C'est le cas de Patrick, 55 ans. Son père, adepte des châtiments corporels, avait pour habitude de lui faire écrire des dictées le matin avant qu'il ne parte en classe. Tant que Patrick faisait des fautes, il le retenait, si bien que l'enfant arrivait en retard à l'école et était systématiquement puni. L'école était devenue source d'angoisse pour Patrick, qui a raté ses études : « Lorsque je roulais à vélo à toute vitesse vers l'école parce qu'enfin mon père m'avait lâché, j'imaginais qu'il allait m'arriver un accident, que j'allais tomber, me faire écraser par une voiture, que ce serait le moyen de faire cesser ce calvaire, car à cet instant, tous les matins, j'avais envie de mourir. » Patrick ne fait pas de fautes d'orthographe, mais à quel prix ! Il avait une très grande peur de son père et il dit : « Si je m'arrêtais au moment de faire une connerie, c'était parce que j'avais peur que mon père ne me tue lorsqu'il l'aurait appris. » On voit que Patrick avait en lui un père intérieur puissant, mais c'est aujourd'hui un adulte perturbé qui a du mal à s'insérer dans la société, qui a un problème avec l'autorité, celle des employeurs par exemple, et qui éprouve le besoin de transgresser les interdits. Il se place toujours en situation d'être puni.

À son tour, il est devenu parent, et si les sentiments qu'il éprouve pour ses enfants ne sont pas à mettre en doute, la manière dont il les éduque est souvent empreinte de violence verbale, voire parfois physique. Très souvent, il lui arrive d'avoir des propos cruels, tels ceux que son propre père tenait à son égard. Il s'en repent ensuite, mais ne peut s'empêcher de recommencer. Cet arbitraire, cet excès de sévérité, de rigueur et ces humiliations dont il a eu à souffrir, il lui arrive de les reproduire.

Autre cas d'éducation rigoureuse, celle qu'a reçue Serge, 41 ans, de sa mère cette fois. Ayant reçu elle-même une éducation très rigide, elle a imposé à son fils unique un cadre très strict, lui interdisant de s'exprimer, l'empêchant d'émettre son avis : « Tu ne réponds pas », « Tu ne parles pas à table ». Aujourd'hui, Serge dit qu'il ne sait pas « répondre » à un employeur ni se positionner face à lui. Surtout, comme toutes les décisions étaient prises par sa mère pour et à la place de son fils, et qu'elle lui a servi de guide absolu et intransigeant sur le cap à prendre et à tenir, il est, à l'âge adulte, un homme qui n'a pas d'objectif propre. Habitué à être guidé, il s'est retrouvé, à la mort de sa mère, désorienté, comme s'il n'avait pu développer, à l'intérieur de cette éducation, un espace d'autonomie dans lequel il aurait pu grandir. Cette mère avait élevé ce fils pour elle, pour en faire ce qu'elle voulait, pour qu'il soit un chirurgien ou un dentiste. Or, la seule issue de secours qu'il restait à ce fils pour échapper au totalitarisme de cette éducation était de résister sur le plan scolaire. Il n'a rien fait à l'école pour ne pas réaliser le désir de sa mère. Il ne lui restait que ce « lieu » pour lui échapper. Il n'avait pas le droit de regarder la télévision, même pas seulement certains soirs, comme les autres enfants. Elle lui intimait l'ordre systématique de monter dans sa chambre s'il avait des velléités de s'attarder. Il montait, rêvait, mais ne travaillait point. C'était sa revanche, son échappatoire. Ouf ! Il avait là une sorte de liberté qui l'a peut-être sauvé du pire mais qu'il paie cher aujourd'hui !

Nous serons moins tranchantes qu'Aldo Naouri. Pour nous, une éducation strictement autoritaire est aussi dommageable qu'une éducation trop permissive. Là intervient la nécessité de s'assurer que cette autorité – dont les parents sont légitimement détenteurs de par leur position – soit exercée dans le sens du bien de l'enfant et non pour la satisfaction de leurs propres désirs, même inconscients, désir de domination notamment. Comme le père de Patrick qui, de manière perverse, faisait punir son enfant par d'autres alors qu'il aurait pu dispenser ses cours d'orthographe à tout autre moment que celui précédant le début de la classe. On voit parfois combien l'histoire parentale détermine les éducateurs que les parents seront.

> Ce qui compte, c'est donc l'histoire parentale, l'histoire des parents, lorsqu'ils étaient enfants.

Pour autant, cela ne justifie pas que les parents ne remplissent pas leur fonction éducative au plus près de l'intérêt de l'enfant. Ainsi, si l'éducation est synonyme de redressement d'enfant, elle sera à coup sûr source de troubles psychologiques. Les jeunes qui subissent une éducation trop sévère ont tendance à s'autopunir, à avoir davantage d'accidents, à se suicider. Ils sont exposés à la névrose et à l'inhibition. Ils manquent d'autonomie, sont dépendants. Les enfants qui ont été sanctionnés durement deviennent soit des êtres soumis, soit des êtres violents avec leurs propres enfants. Le docteur Gordon pense que les meilleurs collaborateurs des enseignants autoritaires sont les parents qui ont connu un enseignement ou une éducation autoritaire.

COMBIEN IL EST RISQUÉ DE LAISSER TOMBER SON ADO !

Souvenons-nous de notre jeunesse, retrouvons la mémoire. Rappelons-nous, parents, qu'on ne sort pas de l'enfance aussi facilement. Une fois cela fait, mettons en place une liberté surveillée, continuons à protéger nos ados et ne les laissons pas livrés à eux-mêmes. À défaut, le risque est grand. Il faut continuer à assurer cette présence, cette assistance, ce que nous nommerions une position d'abstention attentive.

- Je ne contrôle plus mon ado comme lorsqu'il était enfant.
- Je suis témoin de la réalité en lui assurant un cadre.
- Je suis là pour lui apporter secours et assistance.
- Je reste en contact mais je ne le retiens pas…

Ce qui est demandé à nos ados, dire adieu à l'enfance, rien de moins, est très difficile. Pour l'occasion, la nature, qui est bien faite, en les inondant des hormones nécessaires les pousse spontanément à chercher plus d'autonomie. Or, nous, adultes, qui ne sommes pas à une contradiction près, voulons faire prendre conscience à ces « enfants » de la réalité, mais aussi les retenir de s'y frotter parce que nous en avons peur, à juste titre. Cela revient à dire : « Reste petit, ne sors pas et travaille bien à l'école parce qu'il y a du chômage partout. » Ça a du bon, en effet, que les enfants restent petits pour le travail scolaire, les parents le sentent, comme le prouve l'anecdote qui suit d'ailleurs, mais ce n'est pas le sens des choses et cela peut les mettre en porte-à-faux par rapport aux autres enfants qui rejettent les « petits ».

« Vous avez de la chance, il est jeune ! » disaient à sa mère les profs d'Antoine, qui a passé le BAC et est entré en classe préparatoire à 16 ans – il est aujourd'hui ingénieur. Ce « petit » a toujours « traîné » deux années d'avance… Il était donc moins travaillé que les autres par tout un tas de choses. Les concours deux ans plus tard c'était peut-être fichu ! Mais il a payé sa note. Deux ans d'avance, c'est aussi les copains pas gentils qui vous massacrent, qu'il faut apprivoiser pour être accepté. Ce sont les quolibets, les mesquines vengeances…

À ce propos – petite digression –, tous les parents pensent que leur enfant est surdoué ou précoce et qu'il doit sauter une classe. Les enseignants sont farouchement contre. Certains parents sont prêts à changer leur enfant d'école pour se faire entendre. C'est parfois vrai que le petit a de l'avance, et il existe des classes pour enfants précoces. On peut toujours y recourir, mais à tout moment cet enfant peut devenir un ado normal.

Il est aussi de bon ton de choisir un grand lycée, au prix de gros efforts… Souvent trop gros ! Parents, il n'y a pas que le grand lycée pour l'épanouissement ! Alors que nous écrivons, deux hebdos français dressent une liste des meilleurs lycées ! Ça ne suffit pas ! Heureusement, les commentaires sont de qualité. Dans le magazine français *Le Nouvel Observateur* du 14 avril 2009, on peut lire : «Plonger l'élève dans une compétition exacerbée peut le tirer vers le haut… ou le casser.»

Mais reprenons le fil de notre propos. Ne lâchons pas nos ados dans la nature, car la société n'est pas une bonne mère pour eux, mais pour autant, renonçons à vouloir les garder enfants et enfermés, même au nom du fait qu'être parents, c'est protéger sa progéniture du risque. C'est impossible.

Métro, boulot, ado

Les vérités les plus criantes, les plus évidentes sont celles que l'on ne voit pas et, au premier chef, chez ceux qui sont les plus près psychologiquement et physiquement : nos enfants. Ceux qui font parfois partie des meubles, qu'on ne voit pas souffrir tant notre quotidien nous absorbe et qu'il est organisé. Qui sait ce qui se passe dans la tête de l'ado ? Qui sait quelle tempête y souffle ? Qui a le temps de le voir, de s'y attarder ?

Résultat, lorsque nous nous interrogeons, que nous nous remettons réellement en cause, il est parfois trop tard. Nous voulons croire que tout va rentrer dans l'ordre alors qu'il vient de fuguer. C'est un premier avertissement… mais comme il est revenu et que là, il fait la vaisselle, ce n'est donc pas si grave. Il a voulu attirer l'attention de ses parents. C'est fait ! Il a vu s'afficher l'inquiétude sur nos visages. Tout reprend comme avant. Pourtant, s'il est parti, c'est qu'il a voulu fuir un conflit, faire cesser une tension ou se sauver d'une mère abusive… La fugue est proche de l'acte suicidaire, gardons cela en mémoire. Il faut écouter son ado quand il dit : «J'en ai marre !» Il résonne différemment de notre : «J'en ai marre !» à nous !

Maintenir le contact à tout prix

Il faut se rappeler qu'on vit à côté d'un mutant muet, même s'il peut par moments se mettre à hurler, qu'il faut être attentif à ses changements d'humeur, à tous ses combats intérieurs et surtout, garder le contact à tout prix même lorsque le torchon brûle… Ne jamais rompre le dialogue même si les comportements de notre enfant nous bouleversent ou nous donnent envie de nous taire.

Il n'est pas question de lui mettre un bracelet au pied comme un détenu en sortie surveillée, le téléphone portable suffit pour le joindre – ce dont ne disposaient pas nos parents, qui soit nous bouclaient à la maison ou ne savaient pas où nous étions, cela valait parfois mieux pour eux. Ce portable est-il un outil de contrôle supplémentaire ou permet-il au contraire d'accorder plus de liberté à l'ado puisque celui-ci est joignable en permanence et qu'il le porte au corps ? Le pire étant lorsqu'il sonne sans réponse parce qu'il est au fond de son sac. Les images les plus folles peuvent alors défiler devant nos yeux, nous le montrant au fond d'un ravin ou assommé dans un coin ! C'est placer beaucoup de confiance en un petit appareil qui peut être défectueux. On ne sait pas ce que l'ado fait. Un téléphone n'est pas une webcam, et tant mieux pour l'intimité de l'ado !

Ne pas laisser tomber son ado, c'est aussi le guider, parfois choisir pour lui ou tout au moins l'aider à choisir, à prendre une voie qui soit près de sa nature lorsqu'il est perdu dans son orientation scolaire, car c'est pour lui une grande source de tourment. Il a conscience que l'heure est grave. Les ados ont peur de ce qui leur arrive, aussi veulent-ils pouvoir se rassurer : ils ont toujours leurs parents et ils peuvent compter sur eux.

CHAPITRE 5

Les messages essentiels non négociables, et comment les faire passer

Il n'y a pas de règles sans amour ni d'amour sans règles.
JACQUES LECOMTE

I l y a des messages qu'il faut faire passer, sinon nous ne rempli-rions pas notre mission éducative auprès de notre adolescent. Le premier devoir est de lui montrer comment fonctionne la société. Quand bien même il aurait des velléités révolutionnaires, il lui faudra négocier avec elle, et donc avec lui-même.

PAS DE MORALE. LE PARENT : NI CURÉ NI PROF, SEULEMENT TÉMOIN DE LA RÉALITÉ

Ce qui n'est pas compris n'a guère de chances de se voir imposé, car cela sera vécu, à cet âge, comme une contrainte insupportable. Vous pouvez dire à votre ado : « Tu travailles pour « toi », tant que cela ne représente rien pour lui, cela ne représente rien ! « Moi » n'a pas envie de travailler ou ne s'impose pas de travailler, si vous préférez. En revanche, « moi » a envie de s'amuser, ça oui ! Ce qui est plus parlant, c'est de lui montrer qu'il n'aura pas tout sans travailler et que ses parents ne seront pas toujours là pour pallier ses carences. Pas de renflouement de compte en banque en vue ! Il faut lui enseigner la réalité, ne pas le nourrir de leurres.

UNE ÉDUCATION RÉALISTE :
« EH OUI, C'EST ÇA LA VIE, MON CHÉRI ! »

> Les parents, comme les enseignants, doivent être les témoins lucides et impartiaux de la réalité.

« Vous, les parents, vous êtes des casseurs de rêves. On prévoit avec les copines des voyages au bout du monde, des séances de gymnastique dans des salles de sport "trop bien" à côté du lycée et vous nous dites : "Non ce n'est pas possible, il faut le prévoir, le budgéter etc." », s'écrie Jennifer. Nos ados rêvent, comme nous à leur âge, et nous leur apparaissons comme des brideurs, des limitateurs de vitesse. Dans ces moments-là, parents, une petite astuce que vous appliquez peut-être et qu'on a déjà évoquée : attendre que les parents d'un des amis posent l'interdit. Cela évite d'être les seuls destinataires des foudres.

Voici un exemple d'éducation non réaliste. C'est celui d'une fille qu'on élèverait de nos jours dans l'idée exclusive du mariage, ou dans une culture familiale mégalomaniaque du genre : « Dans notre famille, on ne peut pas déchoir ! » et ce, même si l'enfant n'a pas les moyens intellectuels, manuels ou artistiques lui permettant de réussir. C'est ce que nous appellerons le « mythe familial », qui sévit parfois dans certaines « lignées » dont les temps fastueux passés n'ont plus cours aujourd'hui. « Dans notre famille, les femmes n'ont jamais travaillé » et « Je suis une fin de race », nous disait un aristocrate désargenté. Ce qu'il a dû entendre de la bouche de ses parents (ça ne s'invente pas !) ne fut guère stimulant pour sa vie professionnelle et sa vie tout court, mais a plutôt fait de lui un mort vivant. Mieux vaut être au début de quelque chose qu'à la fin. Ces mythes entretenus peuvent conduire à des situations que les parents auront à regretter eux-mêmes. Qui n'a pas connu, dans son entourage, au moins un de ces enfants de 30 ans toujours à la maison que les parents entretiennent ?

Anna, justement, a 30 ans. Elle fut le « récepteur » du message paternel cité plus haut : « Dans notre famille, on ne peut déchoir ! »

Anna veut être romancière, mais ne peut se contraindre à écrire plus de trois pages. Elle veut bien aussi consentir à être avocate internationale, mais suivre les cours à la faculté est au-dessus de ses forces. Dans tous les emplois de complaisance que sa mère a pu obtenir pour elle grâce à ses relations, elle n'a tenu qu'un ou deux jours, parfois trois. Le père d'Anna, qui avait amassé une très grande fortune, est mort brutalement après avoir fait de mauvaises affaires qui l'ont ruiné. Du coup, la mère au foyer s'est mise au travail. Aujourd'hui, elle a Anna à sa charge, qui ne peut envisager aucun projet réaliste de crainte de « déchoir », et qui n'a pas la bonne place, celle qu'on lui désignait, mais qu'elle ne peut atteindre…

Si pour nous, parents, l'important est de cesser de croire en l'enfant imaginaire, il nous faut aussi montrer à cet enfant réel ce qu'est la réalité. S'il est difficile pour le parent de laisser tomber son rêve d'avoir un enfant parfait, imaginez combien il n'est pas aisé pour cet être qui sort de l'enfance de laisser derrière lui des rêves qui l'accompagnent depuis des années pour entrer dans la réalité de plain-pied : le travail, le monde de l'argent, une société dure et sans partage. Même si des marchands de rêve, les publicitaires, lui font croire à un monde virtuel, compliquant encore la tâche parentale.

LE DÉCALAGE ENTRE LE MESSAGE PARENTAL ET CELUI DE LA SOCIÉTÉ, OU LE MAUVAIS RÔLE DE LA SOCIÉTÉ DE CONSOMMATION

Les parents pensent qu'il ne faut pas que leurs ados soient mis à l'index, qu'ils doivent être comme les autres. Cela part d'un bon sentiment. À cet âge, le besoin d'appartenir à un groupe et de s'y identifier est crucial. Or, la société montre tous les symptômes du laxisme et de la permissivité. Elle véhicule, à travers de fausses images (démagogie de l'enfant prodige, de la *Star Académie*), une idée de réussite sans travail. Certains y voient une volonté politique que les futurs citoyens soient ineptes et inaptes. On maintiendrait «le peuple», au sens romain du terme[56] (et surtout les enfants), dans l'ignorance et on l'endormirait en le gavant de bêtises... Dépenser évite de penser. S'affichent sur les murs de nos cités des femmes et des hommes à peine plus âgés que nos ados, beaux et parés comme des dieux, vivant dans des décors de rêve, conduisant des voitures somptueuses. Ou bien ce sont les produits high-tech dernière génération qu'il faut posséder, sinon «T'es pas dans le coup!» ou pire «T'es rien!», qui nous font trembler, nous, les mères, qui craignons que nos enfants se fassent détrousser, agresser, et qu'on les leur «pique». Comme lorsqu'ils étaient petits... Il leur faut les derniers jouets électroniques – ils en ont pris l'habitude très tôt avec les Game Boy. Au rebut les jouets en bois de nos grands-parents! La vague écologiste n'est pas encore devenue tsunami. Alors aujourd'hui, ce n'est que suite logique. Nos ados aiment les gadgets : des jouets pour plus grands, même beaucoup plus grands – c'est maman qui s'est acheté le dernier iPod. Oui, ils ne sont pas les seuls à tomber dans le piège. En France, combien de dossiers la commission de surendettement voit-elle passer chaque année? Des adultes qui ont flanché et rempli leur maison de ces objets superflus et design au moyen de crédits à la consommation pratiqués à des taux que les usuriers de Balzac eux-mêmes n'auraient pas osé. Dépenser au-delà de ses moyens, vouloir au-delà de ses efforts pour l'obtenir en termes d'investissement dans le travail, voilà les conséquences d'un tel message visuel désignant un monde qui a tout du virtuel.

Ce que ces images montrent à nos enfants, c'est donc une société du tout désir, du tout plaisir. Ce discours est-il ringard? Les images dont on nous bombarde sont en tout cas peu réalistes... En revanche, les vendeurs qui distillent le message tentateur, voire diabolique, ont bien la notion des réalités économiques, eux. Et nos petits ados, avec leurs quelques sous d'argent de poche, rêvent du jour où ils pourront se payer tout ça, sauf que ce ne sont plus les bonbons convoités de la boulangerie. «Économise!» leur disent les

---

56. «Du pain et des jeux», disait Juvénal.

parents. Peut-être dans un million d'années auront-ils réuni la somme nécessaire… Il est en tout cas certain qu'ils devront négocier avec leur frustration.

En réalité, il faut beaucoup de ténacité pour réussir de nos jours, plus qu'il n'en a fallu aux générations précédentes. C'est un hiatus, un paradoxe, voire un leurre, dans lequel tombent nos ados. C'est pourquoi les parents qui cherchent à être des parents éducateurs éprouvent de la difficulté et rencontrent l'adversité quand leurs messages sont contraires à ceux des sirènes de la société de consommation. Ils culpabilisent parfois, car ils craignent de faire de leurs enfants des ados mal dans leur peau devant leurs camarades qui ont « tout », voire des ados parias qui seraient rejetés par les autres, par le groupe. Une chose est sûre, un adolescent auquel les parents n'auront pas montré les règles de la « vraie » société deviendra à coup sûr un paria ou restera à leur charge.

FACE AUX AUTRES PARENTS, DÉMISSIONNAIRES OU LAXISTES…

Et s'il n'y avait que la société de consommation comme ennemi juré du parent éducateur… mais il y a aussi les autres parents, ceux qui n'ont pas du tout les mêmes valeurs, qui acceptent tout ou qui se permettent tout, les démissionnaires et les laxistes, qui font passer le parent éducateur pour le dernier des ringards. Alors, parents, plus que jamais quand le bateau tangue trop à cause du roulis et que la météo annonce un avis de tempête force quatre, il ne vous reste qu'à vous accrocher désespérément au bastingage et à vomir dans les rouleaux, ou alors à vous en tenir à vos principes de ringards (pour l'ado) : les fondamentaux (pour nous).

DES RÈGLES AUXQUELLES ON CROIT

Notre autorité est à la fois légitime, par notre position, et conditionnelle, car pour qu'elle soit reconnue par notre adolescent, elle doit reposer sur de solides fondements, afin que nos ordres, voire nos demandes, soient marqués du sceau de l'authenticité : nos convictions les plus intimes. Aujourd'hui, toute proposition parentale est discutée. L'idée de hiérarchie, de pouvoir et de statut ne suffit plus. Il n'y a d'ailleurs plus de hiérarchie, même si le rang générationnel impose qu'il y ait des places différentes. Le père doit s'imposer par sa compétence, ses qualités personnelles, on l'a vu, et la mère itou ! La famille n'est plus verticale, elle est systémique, immanente et l'autorité y est négociée en permanence.

POLITESSE, RESPECT DE L'AUTRE, VALEUR DE L'EFFORT : « ON N'A RIEN SANS RIEN... » ET BON SENS...

Bien entendu, il faut oublier la morale, celle du curé et de l'«instit» d'autrefois, mais sans transiger sur le respect de règles essentielles non négociables. Nous ne sommes pas au souk de Marrakech, il n'y a pas de fausses remises qu'il faudra payer très cher plus tard ! On n'a rien sans rien, ou on n'a quelque chose qu'en contrepartie de quelque chose. C'est-à-dire du travail, du temps, de l'énergie, de l'argent, ce dernier renvoyant aux premiers : le travail, le temps, l'énergie. Or, on l'a vu, ils nous l'ont dit : «On n'a pas le temps.» Alors comment faire ?

Si les jeunes ont «une tendance au plaisir» d'abord, au travail ensuite (s'il reste du temps !) alors que les générations antérieures donnaient la priorité au travail, nous l'avons vu (ça ne fait pas un peu vieux c... de parler ainsi ?) comment restaurer le goût de l'effort ? Ce serait la fameuse frustration qui aurait fait défaut dans l'enfance qui serait la cause du malheur.

Une évidence : en fonction de tous ces motifs de distraction aujourd'hui, il faut au moins que leurs études les intéressent, qu'ils se sentent bien «dedans». Beaucoup d'enseignants rendent compte d'un gros problème de rapport au savoir également. L'un d'entre eux nous disait : « Avant, on transmettait un héritage culturel, aujourd'hui, les valeurs sont différentes : ils veulent faire un métier qui rapporte de l'argent, des biens matériels. C'est à cela qu'ils pensent. » Et bien sûr sans trop d'efforts. Qui s'en étonnerait ?

Et pourtant, il ne faut pas oublier d'inculquer la notion de plaisir à nos enfants. Je vous entends : « Pour cela, ils n'ont pas besoin qu'on leur fasse un dessin : le plaisir, ils connaissent ! » Bien sûr et tant mieux ! Ce que nous voulons dire, c'est que nous devons leur montrer que nous aussi savons faire les choses par plaisir et pas seulement parce que c'est utile, sinon la rébellion les guette, voire la dépression, s'ils nous écoutaient à la lettre, il faut bien le reconnaître, avec toutes ces règles et ces contraintes que nous égrenons à longueur de journée et de papier... Le principe de plaisir est vital.

Nous nous heurtons à la difficulté de faire passer les messages malgré la liberté de parole de nos ados. Paradoxal ? Non, parler librement ne signifie pas communiquer, ce n'est qu'une première étape nécessaire mais non suffisante. La première des questions qui vient à l'esprit semble une évidence mais n'en est pas une : « Jusqu'à quand poser des interdits ? » Lorsque l'enfant atteint l'âge de la majorité ? Pierre Mâle, inventeur de la psychiatrie de l'adolescent, situait l'adolescence entre 12 et 30 ans. Le Dr Patrick Delaroche dit : « De par mon expérience, lorsqu'on entre à la faculté, on est encore adolescent[57] ! » Voilà qui va faire plaisir à plus d'un !

POUR ÉDUQUER, IL FAUT ÊTRE LÀ... UN MINIMUM !

La question demeure, de l'éducation en lien avec le taux de présence, ou bien avec la qualité de la présence. Nous devons toujours trouver le juste milieu, mais la part des choses est si difficile à faire pour nous, parents, qui ne sommes que des humains qui font ce qu'ils peuvent. Reste qu'il faut une certaine disponibilité déjà, dans un premier temps, pour énoncer les messages. Ils ne peuvent être livrés par un parent absent physiquement ou absent psychiquement. S'il n'est pas nécessaire d'être tout le temps présent pour faire passer les messages, il est nécessaire de l'être un minimum, et

---

57. Patrick Delaroche, *Parents, vos ados ont besoin de vous !*, Paris, Nathan, 2008, p. 9.

surtout psychiquement. Ce qui compte, nous l'avons déjà dit, c'est la qualité de la présence et de la disponibilité. À cet égard, de nos jours, on remarque une certaine tendance du retour des pères et des mères au foyer. Le retour des parents au «foyer-refuge» est-il un bien ou un mal? Ces parents seront-ils des éducateurs? Ils fuient souvent le monde professionnel et risquent de surprotéger les enfants, de les surinvestir.

LA VALEUR DE L'ÉDUCATION PAR LE BON EXEMPLE, OU LES CHIENS NE FONT PAS DES CHATS !

L'adolescent est un fameux détecteur de failles parentales, nous l'avons vu. Nous avons dit aussi qu'il est roi devant les fautes de ses parents, un roi certes fainéant mais aussi maudit, car ce sont ses repères et ses illusions qu'il perd dans cette bataille, où il pousse ceux qui lui ont donné la vie dans leurs retranchements et les accule à leur vérité intime. Ces illusions perdues sont celles de son enfance. Leur disparition en sonne le glas.

> Les adolescents «obéissent[58]» non pas à ce que l'adulte dit, mais à ce qu'il est.

Obéir, suivre les prescriptions de l'adulte, s'en remettre à lui, on l'a vu, ce confort-là est un jour retiré à l'enfant. La légitimité de l'adulte repose longtemps sur ce fondement: «Papa, ou maman, sait pour moi, sait ce qui est bon pour moi.» Cela est d'actualité tant que l'enfant est petit, tant que l'adolescence n'a pas surgi, avec ses interrogations et ses choix de vie qui s'annoncent – choix que l'adolescent, en définitive, doit faire seul, en se cherchant, en cherchant qui il est, qui il va devenir et ce qui est bon pour lui en fonction de sa personnalité naissante. Pas facile!

---

58. Nous n'aimons pas ce mot, obéir!

Oui, un jour, l'enfant se rend compte que l'adulte ne sait pas. Vient le moment où l'adulte n'a plus de mots. Ses mots sont insuffisants. Ils ne peuvent répondre aux questions. L'adulte peut douter aussi des réponses à apporter. L'adolescent doit pouvoir se référer à autre chose, à ce qu'il voit, pour le prendre et le faire sien ou le rejeter. L'adolescent est comme saint Thomas, il ne croit que ce qu'il voit, d'où la valeur de l'éducation par l'exemple. La force de l'exemple, le bon comme le mauvais, est très puissante.

« Pourquoi le mauvais exemple est-il toujours plus prégnant que le bon et le respect de l'autre ? » nous demandait cette mère dont le conjoint n'était pas un modèle pour son fils. L'éducation par l'exemple joue plus que jamais pour un garçon. *Le comportement, l'attitude du père, sont en effet des supports essentiels qui aident à l'identification et à l'éducation d'un enfant de sexe masculin*[59]. Quand le père n'est pas modèle, la mère a beaucoup de mal à faire passer les messages, qui sont vécus comme des ordres et des contraintes.

> À parents solidaires, ado solidaire.

La relation parents-ado repose plus que jamais sur la loyauté et la réciprocité. Si les parents n'aident pas leur enfant à résoudre ses problèmes lorsqu'il n'y parvient pas tout seul, il y a peu de chances que les parents obtiennent sa collaboration dans d'autres domaines. L'ado a aussi besoin d'être fier de ses parents. Qu'ils manquent à l'éthique est très « dénarcissisant » pour lui. Il a besoin de modèles. Les enfants qui insultent leurs parents sont, dans biens des cas, des enfants qui ont été insultés ou heurtés.

---

59. Véronique Moraldi, *Le fils de sa mère*, op. cit., p. 241.

PAS D'ÉDUCATION SANS EXPLICATIONS

Voilà un sujet qui a fait couler beaucoup d'encre en France ces derniers temps, où l'on a assisté à une belle querelle de psys. Nous avons dit, en début de chapitre, que l'adulte rectifie, amende, mais ne se substitue pas, ce qui rend logique de concevoir la démarche éducative en deux temps : expliquer puis imposer, comme la Française Claude Halmos le préconise, à la différence du pédopsychiatre Aldo Naouri, dont la démarche est moins relationnelle, qui considère que lorsqu'on donne un ordre à un enfant on ne doit pas l'expliquer, car c'est se justifier. Pour lui, ce qui est essentiel, c'est la détermination du parent, foin d'explications, l'ordre avant tout. Il est vrai que ce dernier parle plutôt de l'éducation des enfants[60]. Inutile de préciser que pour les adolescents, c'est impossible. Comment leur imposer sans expliquer ? « Nous ne sommes plus des mioches ! » vous diront-ils, et c'est vrai ! Du coup, nous sommes plutôt dans le registre de la négociation, même si certaines règles ne sont pas négociables, on l'a vu. Toutefois, cela ne signifie pas qu'elles ne doivent pas être expliquées. Il s'agit de justifier sa position et non de « se » justifier. Bien sûr, lorsqu'il est de la responsabilité de l'adulte de décider et d'agir vite pour la sauvegarde du jeune, « l'ordre » peut précéder et l'explication être différée.

Règle comprise est toujours mieux tolérée

Le vieux Platon énonçait déjà que l'éducation avait pour but d'inculquer à chacun le respect réfléchi de la loi. Il faut expliquer, ne pas renoncer à expliquer, même si on récolte un : « Je ne veux pas t'entendre ! » comme c'est fréquent, on l'a vu. Il faut des phrases simples et courtes, marquantes, des images *punchées,* des *flashs*. Ils sont habitués à cela. Pas de longs discours psychologiques ou philosophiques. Surtout pas de fatras psychologique, nos ados détestent la psycho. Il faut leur rappeler pourtant que ce n'est pas que pour les fous... et même s'ils le conçoivent, habitués désormais

---

60. Aldo Naouri, *Éduquer ses enfants, l'urgence d'aujourd'hui, op. cit.*

qu'ils sont à toutes ces émissions de téléréalité qui déferlent sur les écrans, où il y a toujours «un psy de service» sur le plateau, ils n'aiment pas entendre cela dans la bouche de leurs parents et être un cas d'étude. «Ne dis pas à ma mère que ton petit frère ne peut pas se séparer de toi plus de quelques jours et que tu es comme sa seconde maman parce qu'elle va te prendre une heure à part, t'as pas fini!» dit Robinson à sa petite amie de 17 ans.

Faites appel à la raison, la chose la mieux partagée du monde[61]

Nous devons faire confiance à nos adolescents. Ils sont capables de raisonner et de se raisonner, quitte à les y aider un peu. C'est le rôle de l'«adulte cadre».

Prenez l'exemple de cet homme, qui s'écrie, lors d'une réunion parents-enseignants, alors que l'on aborde le sujet de l'outil qu'est Internet, outil auquel certains parents et autres vouent une haine farouche et qu'ils accusent de tous les maux: «Mais, c'est vous, les enseignants, qui devez leur interdire de faire des recherches sur Internet, les obliger à aller chercher dans les bouquins lorsqu'ils ont un exposé à faire!» N'est-ce pas stupide et rétrograde de se priver de cette source d'informations qui fait partie du monde moderne? Ne vaut-il pas mieux leur apprendre à en faire un usage raisonné?

D'ailleurs, ils savent que passer leur vie devant l'ordinateur, «c'est abuser», comme ils disent, ceux qui font ça, ils les appellent les *no life*. Ils adorent sortir en bande et quand ils tapotent sur leur clavier, c'est plus pour communiquer qu'autre chose. «Il faut que j'aille sur l'ordi, j'ai quelque chose à dire!» s'écrie Sandra, juste avant de rejoindre ses copains au cinéma. MSN, c'est moins cher que le téléphone et c'est illimité. Bien des ados prennent le Net pour ce qu'il est: un outil.

---

61. Ainsi que l'avançait René Descartes dans *Le discours de la Méthode*, publié en 1637.

UN ADULTE DE CONFIANCE

Il est important que l'autorité soit légitime, détenue par des personnes de confiance. Il y a des adultes qui n'ont pas reçu d'éducation, ou qui ont reçu une éducation pervertie, ou qui sont sous l'emprise de névroses, on l'a déjà vu. On peut se poser la question de leur aptitude à éduquer leurs enfants ou leurs élèves, ou même leur légitimité à le faire.

Or, les ados doivent éprouver de la confiance envers ceux qui leur imposent la règle, ils sont très sensibles et lucides face à l'intention des éducateurs, qu'ils ressentent plus ou moins consciemment. L'éducation n'est pas forcément bonne et ceux qui veulent imposer l'autorité ne sont pas forcément animés de bonnes intentions, ainsi du titre donné à son film autobiographique par le cinéaste espagnol Pedro Almodovar, *La mauvaise éducation*, parce que l'éducation qu'il a reçue est pervertie, que l'adulte (le curé) se sert de l'enfant, du préadolescent pour assouvir ses désirs, ici sexuels.

> Ce qui est crucial, c'est la sincérité du parent ou de l'enseignant, l'authenticité de la démarche.

SANCTION OU PUNITION?

Sachez que tout ce que nous disons n'engage que nous et qu'il n'y a pas de recette miracle en matière d'éducation, s'il est nécessaire de le préciser. Tout dépend des enfants, des circonstances. Une éducation sur mesure en fonction de la nature de l'enfant serait-elle nécessaire? Souhaitable? Nous posons la question. Mais nous avons quelques certitudes que nous voulons partager: nous croyons que la punition crée l'opposition. Elle prive de la satisfaction d'un besoin, crée une frustration et débouche sur l'agressivité.

L'autorité, parce qu'elle vise à imposer des règles, est étroitement liée à la sanction, sans laquelle la règle reste lettre morte. La règle a besoin de la sanction pour être respectée par les adultes, comme par les adolescents. C'est la condition de la cohésion sociale. Qui respecterait les limites de vitesse sans la peur du gendarme et des contraventions ?

Ce qui n'implique pas autoritarisme et sévérité. La sanction doit être juste et proportionnelle à la transgression, et toujours dans le respect de la dignité humaine. La punition, qui est fondée sur l'idée de privation, a plus pour visée de donner satisfaction à l'adulte qu'un effet réellement éducatif. En effet, la punition à base de privations, voire de sévices, s'appuie sur l'illusion que cette privation, ou la douleur qu'elle cause, débouchera sur une prise de conscience salutaire et entraînera un changement de conduite. Or, elle jette l'adolescent dans un état réactionnel sans faire cesser le comportement, dès lors que l'approbation du jeune ou la conscientisation du caractère préjudiciable de son comportement n'est pas acquise.

> Punir ne sert à rien si l'adolescent ne comprend pas pourquoi il est puni et s'il n'entrevoit pas les problèmes que pose son comportement.

D'autant qu'à cet âge, les privations, plus limitées et inefficaces, sont difficiles à gérer pour les parents, l'adolescent ayant beaucoup plus d'autonomie qu'un enfant. Les petites privations et punitions n'ont plus de portée. À l'adolescence, pour qu'elles soient opérantes, il ne pourrait y en avoir que de très lourdes. Bien des menaces ne sont alors plus de saison. Notre ado échappe à la punition.

Si, bien souvent, les parents ne tiennent pas longtemps les privations – hormis les parents autoritaires qui en infligent de très sévères, prenant le risque du pire –, c'est qu'ils savent bien que ce n'est pas la bonne solution. En outre, l'effet d'une punition est éphémère et ne dure qu'autant que la gêne occasionnée par cette punition. À l'adolescence, l'autorité est remise en question avec son arsenal la sanction, et surtout la punition.

À cet âge, seule la sanction peut être efficace, car elle reste le moyen de confronter les adolescents à la réalité. Elle obéit à une autre dynamique que la punition. Elle aide à intégrer l'idée que la loi est extérieure au désir. Selon le psychosociologue Jacques Salomé, elle n'est pas une agression et ne vise ni à humilier, ni à diminuer, ni à enlever. C'est une balise qui permet de s'entraîner à se contrôler face à la pression des désirs. La sanction est basée sur la réparation du préjudice que le jeune aura causé à autrui si son comportement a nui à un tiers (vol dans un grand magasin ou dégradation de biens). La chose volée dans le magasin doit être payée ou rendue. Le mur dégradé doit être repeint. Au contraire, la punition consisterait à priver l'adolescent chapardeur de sorties, ou d'ordinateur! La privation est sans rapport avec le préjudice occasionné.

Si c'est contre lui-même que l'adolescent agit (défaut de travail scolaire par exemple), faire appel à sa raison et requérir son adhésion reste le seul moyen d'obtenir qu'il modifie éventuellement son comportement. Pour cela il est nécessaire de communiquer amplement. À plus forte raison, s'il met en danger son corps, inutile de préciser que la solution est ailleurs que dans la punition.

La sanction ne doit pas être utilisée de manière abusive afin de déresponsabiliser son auteur du rôle éducatif qui lui incombe, en amont comme en aval de la transgression. Elle serait vouée à l'échec. Ainsi, aujourd'hui, l'administration des collèges constate que les professeurs se déresponsabilisent par rapport aux faits qui se déroulent dans leur classe. Les demandes de sanctions déposées par les professeurs pleuvent sur les bureaux des proviseurs, alors que la difficulté pourrait se régler dans la classe, entre les murs, sans demander l'intervention de l'administration. Tenez! Pour apporter de l'eau à notre moulin, abordons une punition très répandue.

Petite privation humiliante et inutile : la suppression du clavier de l'ordinateur

Ah! le clavier de l'ordinateur, que de salive il fait couler et de cris il fait résonner dans la maisonnée! Un enjeu crucial, un haut lieu de la guerre familiale, à égalité avec le lave-vaisselle, dans un autre registre, c'est dire! C'est lui le responsable désigné de l'échec scolaire des enfants. Il a détrôné la télé! On ne prive plus de télé (cette punition était plutôt pour les quadragénaires d'aujourd'hui, qui ont raté leurs études hier), on prive d'ordi. Les générations se suivent et se ressemblent.

Se faire enlever le clavier de l'ordinateur est humiliant pour le jeune. C'est une mesure que l'on peut prendre à l'encontre d'un petit enfant, à qui l'on confisque sa trottinette, mais pas contre un jeune de 15 ans, qui est dès lors infantilisé et maintenu dans un état régressif. Est-on sûr que si l'on enlève le clavier de l'ordinateur, il va utiliser ce temps pour faire son travail scolaire ou lire, par exemple? Il faudrait aussi supprimer tous les appareils que lui fournit la technologie nouvelle et qui seraient à sa portée, pour l'empêcher de communiquer avec ses copains. L'ordinateur crée effectivement une dépendance – comme le téléphone portable –, aux rendez-vous avec les copains ou les petits copains…

Une mère raconte: «Ma fille de 15 ans est amoureuse d'un adolescent étranger de son âge qu'elle a rencontré pendant les vacances. Ils communiquent via le Net tardivement le soir, d'autant qu'il y a un décalage horaire. Je ne me vois pas lui interdire cela. Je ne peux que lui expliquer qu'elle doit concilier les deux: être amoureuse et réussir ses études, que toute sa vie il en sera ainsi, alors autant qu'elle apprenne tout de suite à concilier la vie sentimentale et le travail.»

Si cette mère enlève le clavier d'ordinateur à sa fille, cette dernière lui en voudra à mort. Cet acte sonnera le début de la révolte «grave», car on a vu combien l'amour est important à cet âge. Elle ne peut que poser un cadre, des limites: «Je te demande de te coucher à telle heure pour assurer ta journée de cours du lendemain dans de bonnes conditions, et d'avoir fini ton travail scolaire avant d'aller sur le Net. C'est la condition.» Liberté, liberté… encadrée.

La vie est là, qui pousse. On ne peut dire: «Passe ton bac d'abord!» parce qu'après il y aura peut-être les études supérieures, etc. Ce n'est pas forcément une bonne chose d'arriver à la fin de ses études à 25 ans, en forçant un peu le trait, sans avoir eu aucune expérience sentimentale!

«Action, réaction!»

Voici un exemple très parlant fourni par le cinéma : dans *Les choristes*, de Christophe Barratier, s'opposent deux façons de concevoir l'être adolescent, ainsi que l'éducation et notamment la sanction. Nous est donné à voir un bel exemple de conception «pré-Doltoienne» où l'enfant et l'ado sont loin d'être des «personnes». En 1949, Clément Matthieu, professeur de musique au chômage, est le surveillant nouvellement embauché dans un internat réservé à des garçons difficiles, «Le fond de l'étang». Le directeur Rachin y fait régner une discipline de fer. Son mot d'ordre, «action, réaction!», est comme un cri de guerre qui rythme tout le film. Tout élève qui commet une faute est puni sans pitié. Matthieu comprend que les enfants ont besoin de plus de compréhension et de liberté et cherche une alternative à la sanction. Il forme une chorale pour donner un but à ces garçons turbulents et désœuvrés. Peu à peu, le calme et la discipline reviennent dans l'établissement. Surtout, les apprentis chanteurs sont très appliqués. Le talent vocal de l'un d'entre eux en particulier, Morhange, garçon buté et renfermé face aux adultes, est révélé. Matthieu n'échouera qu'avec Mondain, un garçon confié à l'internat par un psychiatre et qui est accusé à tort par le directeur d'avoir dérobé une grosse somme d'argent appartenant à l'internat.

Cette circonstance n'est pas sans rappeler celle rapportée dans son livre autobiographique, *Vipère au poing,* par le romancier Hervé Bazin, dans laquelle la mère tortionnaire du petit Hervé, surnommée Folcoche, une contraction de «folle» et de «cochonne», simule la disparition d'une somme de 1000 francs pour que son propre fils, accusé à tort de vol, soit envoyé en maison de redressement. À l'époque, on ne plaisantait pas! Mais aujourd'hui, on plaisante de moins en moins semble-t-il, si l'on en croit cette nouvelle alarmante, qui a été annoncée en 2008, de la réunion d'une commission, en France, pour examiner la possibilité d'abaisser l'âge de la responsabilité pénale pour les mineurs, inaugurant un vaste débat engagé entre les pays européens sur l'âge de la responsabilité pénale des enfants… des chiffres comme 12 ans ont été évoqués. Rien que d'y penser…. Il est clair que ceux qui prônent un tel abaissement de l'âge auquel un enfant pourra être mis en prison n'ont aucune notion de l'être enfant ou adolescent, qu'ils voient comme un adulte en réduction. Or, l'enfant et l'adolescent ne sont ni des sous-produits d'adultes, ni des adultes en réduction. On en reviendrait à nouveau à ne pas prendre en compte la spécificité de l'enfant, comme avant madame Dolto. Nous frémissons à la pensée que les belles « conneries » de l'enfance ou de l'adolescence, faites dans le feu de l'excitation et l'émulation de la bande de copains, comme des rites de passage : « T'es cap ? T'es pas cap ? » pourraient finir devant un juge, voire entre quatre murs. Ce que l'on remarque, c'est l'échec de cette manière forte, répressive, de cette loi du Talion qui n'a pour effet que d'amplifier le désir de rébellion des adolescents.

« Qu'est-ce que tu peux me faire ? », ou une sanction à mûrement réfléchir

Pas plus bêtes que les parents, bien souvent beaucoup moins, les bougres le savent bien aussi, quand ils jaugent, évaluent avant de transgresser, de quel arsenal nous allons bien pouvoir user pour les sanctionner : « Qu'est-ce que tu vas me faire ? » dit l'adolescent du haut de ses centimètres de plus et de toute son effronterie, sous-entendu : « Que peux-tu me faire ? » « Tu ne me mettras pas à la porte de la maison, tu aurais trop peur pour moi », pense-t-il tout bas. Voilà pour la mère ou le père, la mère, surtout, qui n'a pas le cœur de mettre sa progéniture dehors. Au proviseur : « Vous n'allez pas m'exclure du lycée ? Vous n'oserez pas pour si peu ? » Ou bien « Je n'attends que ça ! » et là, c'est plus grave, la sanction est sans effet. Quand dans l'extrême, le renvoi de l'école n'a plus guère de pouvoir, c'est que l'ado a déjà fait la rupture dans sa tête. Cette mesure-là annonce bien souvent un engrenage du pire !

C'est pourquoi la sanction doit être très réfléchie, sinon elle a peu de chances de donner des résultats, nous l'avons déjà vu et le reverrons plus loin. Mais examinons ce qu'il nous reste à nous, parents, comme autres solutions qui ne sont pas les meilleures… et que nous utilisons puisque nous ne sommes pas parfaits !

La carotte qui précède le bâton?

« Donner », acheter de beaux vêtements, de belles chaussures chères et exiger du travail en contrepartie, c'est la tentation qu'ont beaucoup de parents, c'est le principe de la récompense à l'envers : cela ne marche pas. Les ados ne travaillent pas pour des chaussures de marque ou le dernier jean à la mode. Le parent se déculpabilise ainsi de son impression d'être un mauvais éducateur et cède à tous les désirs de son ado, qui rechigne pourtant au travail scolaire. « Je t'achète le dernier iPod mais, en contrepartie, je te demande de bons résultats au lycée ! » Ce sont des dons conditionnels, en retour desquels on exige quelque chose. Or, un don est un don. Si l'on exige une contrepartie, ce n'en est plus un. L'instant se profile où le parent va brandir le vieux chantage affectif usé du sacrifice financier, qui dans le temps résonnait ainsi : « Je me saigne aux quatre veines, je me prive pour toi et… » Vous connaissez la suite : « Voilà comment tu me remercies ! » Alors qu'il vaut mieux pratiquer le : « Je suis là pour assurer tes besoins, non tes désirs. » C'est une notion que les enfants comme les adolescents comprennent très bien. « Je suis là pour assurer ton besoin d'être chaussé confortablement mais pas celui d'avoir des chaussures de marque très chères. » « Si tu désires le dernier iPod, tu attends Noël ou ton anniversaire, ou tu économises ton argent de poche. »

Bref, parents, si vous voulez acheter le dernier iPod à votre ado, faites-le et assumez-le, mais ne tentez pas d'en faire, par une sorte de détournement, une mesure éducative. Votre ado n'est pas dupe. (Il est mort de rire intérieurement mais n'en laisse rien paraître, il n'est pas fou !) Personne n'y croit, ni lui ni vous. Et après, ne culpabilisez pas d'avoir cédé ! Ne culpabilisez pas davantage si vous le lui avez refusé, cet iPod.

LE CAS DES BANLIEUES DIFFICILES, UNE *JOURNÉE DE LA JUPE*?

Dans le film de Jean-Paul Lilienfeld, *La journée de la jupe*, véritable drame cornélien révélateur du malaise des banlieues françaises, tout est dit : le ras-le-bol des profs, le décalage des valeurs laïques et de celles des jeunes de la cité qui appartiennent à d'autres cultures, la démission des adultes démunis. Tout est exposé sans complaisance : la loi de la cité où les plus forts asservissent les plus faibles et le non-respect des profs.

Sonia est professeur de français et elle dispense ses cours en jupe. Pour cela, elle se fait traiter de pute. La violence est quotidienne dans sa classe, dirigée contre le prof, mais aussi entre élèves. Elle commence dans le couloir qui mène au théâtre où Sonia veut faire rentrer sa classe pour lui faire jouer du Molière. Sonia va être victime d'un engrenage terrifiant et pourtant crédible. Elle veut mettre à la porte du théâtre Moussa, le caïd de la classe, particulièrement insultant à son égard. Moussa refuse et la menace. Le sac de ce dernier tombe par terre. Un révolver s'en échappe. S'ensuit une lutte pour le récupérer, le coup part, la balle va blesser Moussa à la jambe. Dans un premier réflexe, Sonia, dépassée par les événements et qui a le révolver en main, demande à ses élèves de se coucher par terre, comme lors d'une prise d'otages. L'arme au poing, elle se rend compte qu'elle a soudain le pouvoir sur ces jeunes dont, jusque-là, elle n'arrivait pas à obtenir l'attention et le respect. Prenant pour la première fois l'ascendant sur ces gamins incontrôlables, elle va pouvoir faire sa classe, enfin, dans un calme forcé. Elle va alors donner le cours prévu sur Molière, obligeant Moussa à répéter, le révolver collé sur la tempe, le véritable nom de Molière : Jean-Baptiste Poquelin. On croit rêver ! On se prend à imaginer ce qu'en aurait pensé le fameux Jean-Baptiste, pourtant peu conformiste. Sonia va profiter de ce temps imprévu et improbable pour reprendre la parole, pour dire ce qu'elle pense d'eux à ses élèves, de leur comportement, de leur machisme. Elle va les mettre face à leurs contradictions, à l'absurdité de leurs affirmations et de leurs croyances. Elle va leur parler de ce qu'eux nomment « le respect », mot trompeur qu'ils invoquent lorsqu'elle leur demande de s'asseoir en alternant, une fille, un garçon : « Ça se fait pas m'dame de s'asseoir à côté d'une fille, c'est respect m'dame ! » alors qu'à côté de ça, ils traitent les filles de putes si elles sont en jupe, se vantent de les «nicker» et les violent à plusieurs pendant que l'un d'entre eux filme la scène. Les passions vont s'exacerber entre les protagonistes de ce huis clos oppressant. Les griefs entre jeunes vont remonter en surface dans cet espace hors du temps où tout peut être dit, tandis que dehors, le GIGN[62] se prépare à donner l'assaut et que les parents massés devant le lycée, eux aussi, soudain décrivent la réalité devant les journalistes. Ils expliquent la peur et l'insécurité au quotidien. La parole est libérée. La vérité va éclore, elle n'est pas belle à voir : la violence entre élèves, les rapports de force – garçons contre filles, forts contre faibles. Les alliances vont s'inverser. Ceux qui ont des comptes à régler s'empareront du *gun* et tiendront en joue leurs copains : la jeune fille qui en a assez de la domination des garçons, le jeune racketté qui ne supporte plus d'être humilié et battu par Moussa. Sonia leur expliquera qu'ils doivent travailler parce que leurs parents se sont déracinés pour qu'ils aient une vie meilleure, qu'il faut qu'ils travaillent pour que ce sacrifice ait un sens, que ce n'est déjà pas facile d'être noir ou arabe, alors si en plus on n'a pas de diplôme : «La seule solution c'est l'école pour s'en sortir, mais vous, vous préférez la *Nouvelle Star* ou les *people*!» ce que pourraient aussi s'entendre dire les jeunes de milieux plus favorisés… Comment gérer la laïcité avec des élèves de confessions différentes ? Sonia refuse le port de signes distinctifs dans sa classe. L'école est laïque. Le professeur qu'elle est en sait quelque chose. Elle qui est arabe aussi mais ne l'a jamais dit à ses élèves. «On savait pas m'dame. Pourquoi vous nous l'avez pas dit ?» «Je suis professeur de français, je suis professeur de français!» martèle Sonia en réponse. Son père n'a plus jamais voulu la voir depuis qu'elle a épousé un français. Il ne voulait pas non plus qu'elle vienne chez eux en jupe. Sa famille a rompu tous liens avec elle pour toutes ces raisons. Dans cet espace clos, les «enfants» prendront une leçon de vie, mais aussi une leçon de mort. L'élève «racketté» a «pété les plombs», il a tué un autre élève. Même si Sonia s'accuse de ce meurtre, on ne la croit pas,

---

62. Groupe d'intervention de la Gendarmerie nationale française.

alors elle tirera sur la caméra pour qu'on ne filme pas l'adolescent devenu assassin malgré lui. Le raid abat la prof. Une de ses revendications : l'instauration d'une journée nationale de la jupe, qui existe déjà sous une autre forme, en France, dans la région bretonne, où a eu lieu, en 2009, la troisième édition du « Printemps de la Jupe et du Respect ». Quand on pense au combat mené par des générations de femmes pour porter le pantalon, quelle ironie du sort ! Quel renversement ! Il y a encore bien de l'ouvrage à faire et du chemin à parcourir dans les esprits pour faire évoluer les rapports entre les filles et les garçons et combattre les stéréotypes, les propos et les violences sexistes.

Le fatalisme, ou la spirale de l'échec

Il y a les enfants rois, et puis il y a les enfants martyrs à l'origine de la violence : ceux qui n'ont pas de famille structurante. La mère de Salim, un garçon déscolarisé et sans emploi, témoigne : « Il a gardé trois jours sa casquette et on l'a vidé du lycée. Et là où on l'a accepté ensuite, c'était pas mieux, je me doutais que ça allait finir comme ça ! » Pour Salim, ce fut le parcours de la formation, des petits boulots. Il aide sa mère comme il peut. Elle l'a élevé seule, sans le père. Salim explique : « On est payé si peu par les patrons, alors la tentation est grande de l'argent facile. »

En France, dans les banlieues, il n'y a rien à faire. Quarante pour cent de la population est au chômage. Les jeunes squattent les abribus. Une gardienne d'immeuble qui les connaît depuis qu'ils sont enfants constate : « Les locataires pensent que ce sont des voyous, mais moi je les connais depuis toujours. Ce ne sont pas des voyous ! Et puis, si on dit que ce sont des voyous, alors c'est fini ! » Et la situation s'aggrave. Ceux qui ont 17 ans aujourd'hui ont conscience que ceux qui suivent, « les petits frères », vont « tomber » plus tôt qu'eux-mêmes dans « la fume », le vol, etc. Malgré l'état souvent dégradé des bâtiments, dont les travaux de réhabilitation s'enlisent la plupart du temps, les jeunes sont fiers de leur cité qui représente leur territoire, leur famille.

L'échec de la réponse répressive : l'étiquetage et la surenchère sécuritaire

La tolérance zéro et l'incarcération ne sont pas des solutions pour les jeunes en difficulté. Il faut se garder de faire des amalgames. Leur rébellion contre les adultes et la société, qui fait office de «parents», s'explique par la dureté des circonstances, le désœuvrement, la déscolarisation et le chômage. On dit d'eux qu'ils «tiennent le mur», puisqu'ils passent la journée dehors une jambe appuyée contre le mur. Chez eux, c'est la promiscuité, la famille s'entasse dans quelques mètres carrés. Certains commettent des actes de délinquance de plus en plus tôt. À 13, 14 ans, ils attaquent des fourgons blindés de transport de fonds, ce qui ne s'était jamais vu jusque-là. Les policiers, avec qui les rapports sont difficiles et à l'égard desquels les jeunes sont volontiers provocateurs, encore une fois, comme vis-à-vis de figures parentales, invoquent eux-mêmes, pour expliquer ce passage à l'acte, le manque de reconnaissance et l'appât du gain.

En France, en 2009, suite à un affrontement dans un établissement scolaire entre jeunes appartenant à des bandes rivales, la réponse du gouvernement fut sécuritaire. Le principal qui a voulu s'interposer a été roué de coups. Dès lors, on annonce que 184 établissements, parmi les plus touchés par les actes de délinquance, vont faire l'objet du contrôle des cartables à l'entrée et dans les salles. Des opérations coup-de-poing dans les quartiers sensibles vont être menées. La police va assister les enseignants. Mais ce train de mesures laisse les enseignants sceptiques. Comment fouiller 800 élèves ? Ils sont conscients de la nécessité de développer le dialogue. Ils ne demandent pas davantage de policiers, avec lesquels ils travaillent déjà et qui interviennent régulièrement, mais du personnel éducatif supplémentaire. Le procureur de la République a réfuté le fait qu'il y ait eu une action concertée à l'encontre du principal dans cette affaire. En revanche, il a déclaré qu'il s'agit de jeunes qui n'ont pas accès à la culture, ni aux mots, et qui utilisent la seule forme d'expression qu'ils connaissent : la violence. Il a requis l'éloignement temporaire des mineurs de leur milieu et de leur environnement pour poursuivre leur scolarisation et faire un travail éducatif de qualité.

Il n'empêche, on parle de «sanctuariser» les écoles. On imagine des kalachnikovs à l'entrée des lycées. On croit revoir défiler devant nos yeux des scènes de *Mad Max*, en une funeste escalade...

Les cinéphiles se souviendront peut-être de *Graine de violence* (*Blackboard jungle*) de Richard Brooks, en 1955, déjà! Très novateur pour son époque, ce film montre les rapports difficiles entre un professeur débutant et ses élèves. L'action se passe dans une école secondaire d'enseignement professionnel, dans un milieu urbain new-yorkais pauvre où l'éducation est non seulement méprisée, mais considérée comme inutile. En mobilisant des élèves pour monter le spectacle de Noël de l'école et en ayant recours à des activités ludiques, le professeur d'anglais parvient à les intéresser à sa matière. Ce film est une étude réaliste de la délinquance dans les milieux urbains populaires américains et des rapports entre les jeunes selon les origines ethniques et en fonction des clans, des bandes, des gangs. C'est pourquoi il reste d'une incroyable actualité au regard des problèmes actuels de violence juvénile et scolaire. Le réalisateur et l'auteur du livre original ont voulu montrer que seule l'**éducation** permet à ces enfants de s'en tirer et d'acquérir un comportement positif. Ils montrent aussi l'incapacité des professeurs à maîtriser le comportement des élèves, déjà... en 1955: «Je ne suis pas préparé à maîtriser une émeute!» dit le professeur. Un policier déclare: «Ces gosses sont à l'image du monde, perdus, méfiants, effrayés...» Rien n'a changé.

La seule réponse est l'éducation

L'être humain est malléable, particulièrement lorsqu'il est jeune. L'expérience avec ces jeunes en difficulté montre que, pour beaucoup d'entre eux, il n'est jamais trop tard pour faire appel à leur raison, à leur pulsion de vie et surtout, pour reprendre leur éducation. Ils souhaitent, pour la plupart d'entre eux, trouver une vie normale avec une place dans la société. En France, il existe des classes « relais », où les enfants prennent une respiration et de bonnes attitudes avant de retourner dans le cursus normal. Ce sont des élèves dont on ne veut plus nulle part et que des éducateurs et des enseignants vont pendant quelques mois éduquer, voire materner, même câliner, toutes choses que l'on ne peut faire à l'école. Cela commence par le (ré)apprentissage d'un rythme de vie.

Ces élèves en difficulté, qui mettent d'ordinaire les professeurs en échec, adoptent rapidement de nouveaux comportements dès lors qu'on leur redonne un cadre, un rythme et de l'amour. Ce ne sont plus des ados « qui tiennent le mur ». On voit ainsi *a contrario* les dégâts causés par l'absence d'éducation. Ces jeunes ont besoin d'éducateurs, mais il n'y a guère que la police et les juges pour leur poser des limites. Ces jeunes ne sont pas responsables pour autant de leurs carences éducatives.

À Londres, à l'initiative de certains chefs de grandes tables, on donne leur chance à certains jeunes appartenant à des gangs et impliqués dans des actes de délinquance graves, avec usage de révolver et armes blanches, en leur offrant du travail dans les plus grands et prestigieux hôtels, pour leur montrer qu'il existe une alternative, pour qu'ils « voient » de façon concrète autre chose, pour qu'ils commencent à se projeter et, qui sait, à se rêver autrement qu'en braqueur et voleur. Cela dit, n'est-ce pas trop provoquant d'opposer à ce point luxe et pauvreté ?

Ces jeunes en souffrance ont inventé leur musique, comme les noirs chantaient le blues. Les textes de certains rappeurs, très violents, décrivent le quotidien des banlieues, notamment celui des tournantes, comme la chanson de La Fouine, Sefyu et Soprano (2009) intitulée *Ça fait mal,* et dont le refrain est : « Ça fait mal, ça fait mal ».

De l'influence de l'environnement : « laisse béton ! »

L'une de nous avait 18 ans et elle entendait déjà parler de ces violences perpétrées dans les banlieues en France. Cela fait presque une trentaine d'années et elle pensait déjà, dans sa jeune tête, lorsqu'elle passait en voiture au milieu des champs, ces grandes étendues si présentes en France – qui ont fait dire à ce ministre du « bon roi » Henry IV, Sully, que labourage et pâturage étaient les deux mamelles de ce pays – que la violence urbaine était vraiment un phénomène... urbain. Que feraient ces jeunes au milieu des champs ? Sûr qu'ils n'auraient pas le même comportement... Nous savons : l'idée est simpliste mais n'est-ce pas ce qu'ils expriment lorsqu'ils disent aujourd'hui : « Marre des bâtiments ! » Montrez-leur la mer pour voir... Oui, pourquoi pas la mer ? Ce qui a été tenté, parfois trop tard ou peut-être mal. L'an passé, quelques ados encadrés d'éducateurs, en virée sur la Côte d'Azur, terminèrent leur séjour au poste de police après avoir cassé portes et mobilier du lieu trop luxueux où ils logeaient ! Inaccessible et insoutenable rêve ! En revanche, beaucoup d'expériences de raids en pays étrangers ou de travaux d'utilité publique ont été de véritables bouffées d'air et des moments de partage fabuleux pour d'autres.

Les désœuvrés dans les villages ne sont pas mieux, répondront les contradicteurs... Certes...

> On ne peut résoudre les problèmes humains
> que par l'humanisme.

Nous refermons cette parenthèse à propos des banlieues et des jeunes en sérieuses difficultés parce qu'il nous semble qu'on ne pourra régler le problème que par l'humanisme et l'éducation, et non par la répression, et que ce désastre humain, s'il prend aussi ses racines dans la misère et le rejet social, est la plus « lourde » preuve qui existe de la nécessité d'éduquer les enfants et les ados, car à défaut, le risque est grand du désœuvrement, de la désespérance, et donc, de la délinquance. Alors, comment éduquer ? Pas n'importe comment !

ÉDUCATION, COMMUNICATION ET RELATION : TROIS INSÉPARABLES

Nous avons compris qu'il était indispensable, en tant que parents, d'avoir des exigences et de faire preuve de rigueur vis-à-vis des adolescents. Nous avons aussi la conviction que la fermeté ne doit pas exclure le respect, que les deux ne vont pas l'un sans l'autre, qu'ils marchent l'amble. Ce qui devrait résoudre le conflit intérieur auquel nous sommes bien souvent en proie, nous, parents, partagés que nous sommes entre sévérité et tolérance. Nous pouvons être à la fois fermes et respectueux.

NI PARENTS AUTORITAIRES NI PARENTS PERMISSIFS : LA TROISIÈME VOIE

Certaines mères qui ont tout accepté de leur fils, et notamment la paresse, continuent aujourd'hui à subvenir à leurs besoins. Il n'est pas question de passer d'un extrême à l'autre, soit du contrôle à la permissivité. Simplement, il ne faut pas partir du principe que l'enfant est mauvais. Si les parents n'écoutent pas leurs enfants, ne pratiquent pas un minimum de démocratie, les enfants seront tentés de croire qu'ils sont traités comme des « gamins » même si ce que leur impose leur parent est légitime. La conséquence, c'est la perte de crédibilité. Si l'on n'explique pas, l'enfant croit à l'arbitraire : « Tu ne rentres pas à 20 heures parce qu'il y a du danger la nuit, l'hiver, etc. » Animal en chaîne, fauve en cage, étalon qui rue, telles sont les images qui viennent à la pensée lorsque l'ado se croit l'objet d'une mesure inique.

CE QU'IL NE FAUT PAS FAIRE

S'il n'est pas toujours aisé de donner des conseils en matière d'éducation, parce qu'il n'y a pas de véritables règles, au moins avons-nous davantage de certitudes quant à ce qu'il ne faut pas faire. Il y a ainsi des repères *a contrario*. Un parent n'est ni un censeur ni un professeur. C'est pourquoi nous disions qu'il ne faut pas refaire

l'école à la maison! De manière générale, il est absolument décon-
seillé, et d'ailleurs impossible, de revenir à l'éducation d'antan à
l'heure actuelle, même si cela démange certains...

En finir avec le père Fouettard!
Le retour du père éducateur

On a parlé de la perte d'autorité des pères. On connaît le rôle du
père dans l'éducation, et notamment dans celle d'un garçon. Les
psys (nous, en l'occurrence), vous ont expliqué que cet homme
avait besoin pour cela de la collaboration active de sa femme. On
vous a dit aussi que la mère doit transmettre l'histoire du père, la
filiation, que celui-ci doit être présent dans la tête de cette dernière
même en son absence, ce qui ne signifie pas qu'elle doive attendre
le retour du père le soir pour en faire un distributeur de fessées à
retardement: «Tu vas voir quand ton père sera rentré, la rouste
que tu vas prendre!» Ce qu'ont fait des générations de mères avant
nous: nos fesses s'en souviennent!

Il est connu aussi que le père est la *source* d'autorité, que la mère
doit dire non «au nom» du père, la mère devenant l'*agent* de l'autorité. Ce sont les mères qui doivent poser les interdits au nom du
père, etc. Le père «source» et la mère «exécutante» pourquoi pas?
Même si le législateur a donné aux parents l'autorité partagée sur
leur enfant. Nous ne contestons pas, bien évidemment, la nécessaire autorité du père, mais ce que nous ne voudrions pas, c'est
qu'après avoir donné un grand coup de manivelle en arrière, nous
donnions maintenant un grand coup de manivelle en avant, ou
l'inverse! Nous ne vous dirons pas d'aller à gauche ou à droite,
nous ne voulons pas faire de politique. Ce n'est pas parce que
l'autorité du père a été malmenée ces quelques décennies qu'il faut
en revenir au père Fouettard, car les enfants d'aujourd'hui ne sont
plus ceux d'hier, et oui, là nous sommes d'accord, madame Dolto
est passée par là, comme monsieur Gordon[63].

---

63. Dr Thomas Gordon, *Éduquer sans punir, apprendre l'autodiscipline aux enfants*,
   Montréal, Éditions de l'homme, 2003.

> Ne faites pas à vos enfants, sous prétexte qu'ils sont vos enfants, ce que vous ne voudriez plus qu'on vous fasse.

En finir avec les injonctions, les ordres et l'obéissance!

Nous démolissons ici des siècles, voire des millénaires, d'éducation autoritaire. Ce n'est pas une fantaisie, il faut se rendre à l'évidence: les ordres indiscutables ne marchent plus. Il y a des enfants plus transgressifs que d'autres. Il vaut mieux amener l'enfant à obéir aux règles de la vie qu'à nous obéir: «Tu m'obéis, oui ou non?», «Tu vas m'obéir, oui ou non?» Quand on sait combien la relation parent-enfant est chargée d'enjeux affectifs, on peut imaginer que la tentation est forte pour le chérubin de répondre: «NON!» ou de le penser, et de n'en faire qu'à sa tête, ce qui n'est guère mieux! Demander: «Tu fais ce qu'il faut, oui ou non?» ou «Tu te comportes correctement, oui ou non?» est déjà mieux. Parfois, deux rappels à l'ordre sont même nécessaires. Dire: «Je te demande de…» est toujours préférable, parce que plus clair.

Nous devons rompre avec nos habitudes de dire des phrases du genre: «C'est comme ça et ça ne se discute pas!», même si nous pouvons y recourir en dernier ressort, puisque l'adulte reste le maître à bord, le seul juge et l'unique garant de ce qui est important pour son enfant, au sens éducatif du terme. On peut tenter le parallèle entre l'école et la famille: interdire sans expliquer peut jeter l'adolescent dans le réactionnel.

Heurts et malheurs d'une éducation autoritaire

> Une éducation trop stricte est aussi préjudiciable qu'une éducation laxiste, car elle conduit à fuir, fuite physique ou fuite psychique (par le repli sur soi, l'alcool, la drogue, etc.)

Une discipline trop sévère cause des dommages aux enfants sur le plan émotif et du point de vue de la santé mentale. Il ne s'agit point ici de remettre en question la discipline, mais plutôt une dis- cipline trop sévère. On peut, en outre, douter de son efficacité. Les dictateurs provoquent toujours, tôt ou tard, leur chute. Leurs sujets se révoltent, se soulèvent. Il en va de même des tyrans dans les couples et les familles. Ils provoquent le divorce et la fugue.

Passer en force n'a jamais été une bonne méthode sur le long terme. Il vaut mieux obtenir l'adhésion. Les punitions trop fré- quentes et trop sévères peuvent pousser l'adolescent à se replier sur lui-même et retarder sa maturité affective. Répondre avec colère à une attitude désobéissante ou d'entêtement n'est pas non plus une bonne solution à long terme. C'est le rôle de l'adulte de sortir du réactionnel pour revenir à plus de relationnel. Surtout, le fait d'appliquer des mesures de plus en plus sévères risque de cau- ser, chez l'adolescent, des blessures psychiques encore plus graves. C'est ce que l'on observe parfois à l'école, d'où il repart humilié, ce qui risque de faire de lui un ado décrocheur qui aura peur de retourner en cours ou n'en aura plus le goût. On approche ici de la zone critique de la violence faite à l'enfant.

Il faut se méfier de l'obéissance. L'obéissance déresponsabilise. On a vu ce que l'obéissance aveugle à des ordres iniques, contraires à l'éthique humaine, a produit pendant la Deuxième Guerre mondiale : l'extermination des Juifs. Au nom du devoir d'obéissance, des fonction- naires ont envoyé à la mort des enfants du même âge que les leurs.

Ces pratiques créent deux catégories de personnes, les soumis et les insoumis, mais n'entraînent pas l'adhésion. Hitler a com- mencé par séduire les Allemands, puis il les a terrorisés, mais il n'a obtenu l'adhésion réelle que d'une poignée de personnes. En outre, ces pratiques ne favorisent pas l'autodiscipline. C'est ce qu'ex- prime le docteur Gordon lorsqu'il écrit : « Les mesures de contrôle externe ne constituent pas la meilleure façon d'enseigner aux enfants la maîtrise interne de soi. La discipline punitive (…) n'in- culque pas l'autodiscipline aux enfants. » Ou encore, « Moins on contrôle, plus on influence[64]. »

---

64. Dr Thomas Gordon, *op. cit.*, p. 85 et p. 111.

Les cinéastes servent également la cause d'une éducation humaniste avec des films comme *La vague*, déjà cité, mais aussi *Le ruban blanc* de Michael Haneke, qui a gagné la Palme d'or au Festival de Cannes en 2009. Ce film dépeint les méfaits d'une éducation ultrarépressive, et démontre qu'elle porte en germe la montée du nazisme, fabriquant de petits monstres qu'elle mène au sadisme et qui deviendront les futurs nazis. Nous revient en mémoire le souvenir d'un copain de fac qui, lorsqu'il était enfant, se faisait fouetter à genoux par son père. Arrivé à la fac, il a fait partie d'un groupe extrémiste de droite. Il était contre la démocratie. Il avait absolument fait siennes les idées autoritaires de son père.

Les attaques narcissiques, ou l'effet boomerang : « C'est toi qui dis, c'est toi qui y es ! »

Entre parents et ado, il arrive que douceur et empathie soient en berne et que les rapports deviennent très violents. Une chose est sûre : tout ce que vous envoyez par le conduit de la relation vous sera retourné illico par votre ado et, au premier chef, les agressions verbales et les disqualifications. C'est pourquoi, s'il faut qualifier, étiqueter quelque chose, c'est le comportement par rapport à une norme que l'on imagine mais surtout pas l'adolescent lui-même. Les phrases du genre : « Je n'aime pas un adolescent qui… » sont à prohiber.

Prenez l'exemple d'Anthony. Il essaie de prendre son père en défaut. Il s'oppose à chacun de ses dires, cherchant à lui prouver à son tour qu'il est « bête » parce qu'on lui retourne systématiquement ce qualificatif. C'est une escalade d'attaques narcissiques. Le parent attaque et l'enfant riposte en attaquant à son tour, puis le parent attaqué réattaque à nouveau. C'est un engrenage sans fin. Dénigrez votre enfant et il vous dénigrera pareillement. Harcelez votre enfant, il vous harcèlera à son tour. C'est un effet boomerang implacable. Comparez votre enfant à d'autres, il vous comparera aussi aux adultes de sa connaissance : « Et toi ! Et toi, maman ! », « Et toi, papa ! », « Et vous, les parents ! » C'est le « C'est toi qui dis, c'est toi qui y es ! » certes régressif – ce sont les petits qui disent cela dans la cour d'école –, une sorte de miroir utilisé par les enfants lorsqu'ils se sentent agressés par les propos de leurs parents – qui ne sont pas différents de ceux des enfants de la cour de récré. Il ne faut pas entrer dans ce jeu de comparaisons : « Regarde comme Untel est mieux que toi ! » Encore une fois, il faut qualifier le comportement par rapport à une norme mais non qualifier l'enfant.

Pourquoi réagissons-nous ainsi par ces attaques narcissiques ? Non pas parce que nous sommes « mauvais » nous, parents, mais parce que, trop humains, lorsque notre ado nous pousse dans nos retranchements ou que nous en avons peur parce qu'il nous déstabilise par ses comportements inhabituels, nous nous défendons perversement en multipliant les attaques narcissiques.

Le cas des enseignants dénigreurs et intolérants

Ah ! tout ce que l'ado peut réveiller en nous… et chez les enseignants ! Claude Halmos, dans son livre *Grandir*, déclare : « Les ados savent très bien pointer là où ça blesse parce qu'ils ont un sens aigu du rapport à la vérité[65]. » Le problème est que la névrose est opérante chez les profs comme chez tout être humain. Aussi faudrait-il qu'ils aient fait un travail sur eux-mêmes pour savoir ce que réveillent en eux leurs élèves, sauf que pour eux, ce sont 30 enfants, et non un ou deux, qui appuient là où ça fait mal !

Dans un forum du journal français *L'Express,* en mars 2009, la question « Professeur, un métier pourri ? » était posée aux internautes pour qu'ils témoignent. Comment « le plus beau métier du monde », en référence au titre d'un film français de Gérard Lauzier (1996), qui décrivait déjà la vie difficile d'un professeur parachuté dans un établissement sensible d'une banlieue difficile, est-il devenu un métier pourri ? Pourquoi certains enseignants sont-ils respectés et d'autres non par les mêmes élèves ? Ce ne sont pas ceux qui crient, parce qu'ils ont peur ou pour d'autres raisons, qui sont respectés, ni ceux qui se laissent déborder sans s'imposer. À propos de l'autorité, on dit d'un adulte qu'il s'impose par son regard,

---

65. Claude Halmos, *Grandir,* Paris, Fayard, 2009.

sa voix. Tout n'est pas qu'une question de discours. C'est une attitude plus globale et infraverbale, en dehors des mots, la communication d'inconscient à inconscient. Si l'adulte n'est pas centré, l'enfant le sent et il s'infiltre dans la brèche.

À ce propos, si nous avons parlé des professeurs en difficulté face aux élèves, nous recueillons aussi beaucoup de paroles rapportées imputables à ces professeurs qui sont bien malvenues et traduisent un non-respect des élèves : « Vous vous prenez pour quoi ? Je ne dis même pas pour qui ! » « Vous êtes tous des nuls ! » annonce, dès le début des cours, l'enseignant de mathématiques à ses élèves. « Il n'y a pas un "matheux" dans cette classe ! » Voilà ce que Martina rapporte à sa maman le soir, terrorisée. C'est peu encourageant pour la suite ! Il faut un moral d'acier pour s'accrocher à la matière après un jugement aussi définitif, un étiquetage aussi dévalorisant. Il y a de quoi perdre la foi et prendre les maths et les « matheux » en horreur ! Ne devrait-on pas enseigner la psychologie à certains professeurs qui oublient qu'ils travaillent sur l'humain… qui est malléable et imprévisible ? Encore une fois, nous ne sommes pas là pour juger, ni dispenser des solutions « miracles », seulement pour soulever quelques questions.

Une femme, professeur de français, relate : « J'ai interrogé cet élève habituellement sans histoire. Il m'a répondu : "Qu'est-ce que j'en ai à faire ?" Je n'ai rien dit, j'ai senti à son attitude qu'il n'était pas bien. Il était effondré sur sa table. J'ai décidé de le laisser tranquille, mais au cours suivant, ça s'est passé différemment : la prof de physique n'a pas accepté sa réponse, la même qu'il m'avait faite, et elle l'a mis à la porte de la classe. À la suite de cela, il a disparu. On l'a cherché dans tout l'établissement. Il s'était enfermé dans les toilettes. On a eu très peur. En fait, il était en plein chagrin d'amour ! »

Les professeurs humanistes ne sont pas chahutés, c'est plutôt rassurant. Une mère témoigne de la demande qu'elle a faite à sa fille après la réunion parents-professeurs : « Pourquoi votre prof d'anglais déclare qu'il n'y a pas de chahut à son cours, alors que la plupart des autres enseignants se plaignent de l'indiscipline de votre classe ? » « Parce qu'elle nous traite normalement, comme des êtres humains, et puis quand elle dit quelque chose, on le sent bien que c'est comme ça et pas autrement. C'est un petit bout de femme qui ne plaisante pas », répond Laura, du haut de ses 15 ans et de son mètre soixante-quinze. Humanisme ne rime pas avec laxisme.

Être enseignant ne signifie pas seulement dispenser un enseignement, c'est avoir en face de soi des êtres humains. S'il n'y avait pas quelque chose à faire de plus que donner un enseignement, un DVD ferait l'affaire. Il y a beaucoup plus. Il y a la formation de l'humain, le contact avec l'humain. Il va falloir faire avec cet être humain, aujourd'hui plus qu'hier.

> La solution aux graves problèmes que connaît l'enseignement ne peut résider que dans l'humanisme, toujours plus d'humanisme.

Voici une phrase que l'on entend couramment dans la bouche des parents : « Mon enfant fonctionne à l'affectif. » Aux ados qui disent avoir des problèmes avec un prof, nous répondons : « Tu as un problème avec ton prof de nature relationnelle ? Tu dois prendre malgré tout le contenu de la matière qu'il enseigne, car tu retrouveras cette matière l'année prochaine. Alors tires-en le meilleur parti et sers-toi du manuel. » Nous avons certes raison, mais il faut une belle dose de maturité pour appliquer ce principe.

On remarque à ce propos que la fameuse éducation par l'exemple fonctionne très bien pour l'enseignement aussi. Lorsqu'un ado nous dit : « Je l'aime pas ce prof ! » cela peut sembler immature, primaire. « On ne peut aimer tout le monde, répond-on. Il y aura toujours des gens que tu n'aimeras pas et que tu devras supporter, avec lesquels il te faudra négocier plus tard, ton voisin, ton collègue de travail. » Sauf que les jeunes n'aiment pas, en général, pour des raisons bien valables, et que dans ce raccourci « Je n'aime pas », il y a bien autre chose. Les adultes peuvent avoir de mauvaises raisons de ne pas aimer, comme la rivalité, l'envie, etc. Les ados, eux, cherchent plutôt des modèles auxquels s'identifier. Ils n'aiment pas les «bouffons», comme ils disent, ou les adultes qui manquent de «congruence», en langage de grands. Les adultes qu'ils aiment sont ceux qu'ils peuvent admirer, qui sont ouverts, sincères, centrés et respectueux des jeunes. C'est pourquoi ils ont parfois de meilleurs rapports avec des adultes autres que leurs parents : amis de la famille ou enseignants. À quand le prof à la carte, avec lequel circulerait le plus d'empathie ? Cela existe aux États-Unis ! *On n'apprend pas d'un prof qu'on n'aime pas*[66], c'est le titre d'un livre où les auteurs, David Aspy et Flora Roebuck, livraient, dès 1990, les résultats d'une étude rigoureuse par laquelle ils prouvaient les bienfaits d'une éducation humaniste, les jeunes apprenant d'autant mieux qu'ils vivaient une relation pédagogique de qualité.

Il y a bien sûr le problème particulier des collèges et des lycées dans des banlieues sensibles où les professeurs sont en réelle difficulté. Nous en avons largement parlé. Mais, là encore, il demeure nécessaire d'avoir l'art et la manière.

L'art sans la manière

La pire des attitudes est bien celle qui consiste à écarter ce que l'ado tente d'exprimer, parfois maladroitement, d'un revers de la main avec une phrase du genre : «Tu n'es qu'un gamin ! Tu auras la parole quand tu gagneras ta vie !» Ce qui revient à dire : «Tu es nul et non avenu et n'as pas le droit à la parole.» Là, il faut s'attendre au minimum à l'explosion de l'ado, qui entre dans le réactionnel et pourra aller jusqu'à mettre en scène ses divergences avec ses parents, bien souvent de façon excessive, par le biais de passages à l'acte. Au pire, c'est l'intégration, chez l'ado, de l'avis parental, ce qu'on appelle l'introjection : «Oui je suis nul !» ou «Je n'ai aucun droit à faire entendre ma voix», ou pire «Je n'ai aucune légitimité à donner mon avis.» Cet adulte de demain n'osera peut-être jamais faire valoir son point de vue. Les parents doivent recon-

---

66. David Aspy et Flora Roebuck, *On n'apprend pas d'un prof qu'on n'aime pas*, Montréal, Actualisation, 1990.

naître qu'il n'est plus un enfant, qu'il a ses propres idées et envies. Ce qui n'est pas évident pour certains d'entre eux, devinez lesquels… les parents… les parents contrôlants. Oui, vous avez gagné ! L'ado, quant à lui, a le droit de dire que la façon de voir de ses parents lui déplaît, mais il a les mêmes devoirs qu'eux, à savoir qu'il doit le faire sans grossièreté, sans faire de mal ni humilier.

CE QU'IL FAUT FAIRE

Nous pensons que le problème – et donc la solution – tourne autour du respect, et que la pierre d'achoppement se situe là : le respect réciproque, préalable à toute communication réussie.

Respect !

Le respect doit être réciproque. Voilà une évidence qui ne l'est pas tant que ça. Nous entendons déjà nos détracteurs dire : elles enfoncent des portes ouvertes, ces deux-là. Faites un tour dans les écoles et dans les familles, vous verrez, leur répondons-nous, histoire d'enfoncer une autre porte ! Nous, les parents, n'avons pas été habitués tant que cela à respecter notre prochain comme nous-mêmes, justement parce que nous n'avons pas appris à nous respecter. Notre enfant hérite de cela, au premier chef, celui qui est le plus proche de nous, notre prolongement narcissique, que nous maltraitons comme un autre nous-mêmes, bien assurés de l'aimer. Nous sommes, pour la plupart, des enfants qui ont été maltraités verbalement, voire humiliés par les adultes, parents et enseignants. Ces adultes, dans leur grande majorité, n'étaient pas mal intentionnés, ne leur en voulons pas, ils n'avaient pas appris eux-mêmes, ils reproduisaient ce qu'ils avaient vécu, ce qu'ils avaient (mal) appris.

Mais les enfants d'aujourd'hui ne sont pas les mêmes, ils ne sont pas les enfants que nous étions, nous, leurs parents. Écoutez ce qu'écrit… une élève, dans *Entre les murs,* un livre de François Bégaudeau, qui est une chronique savoureuse de la vie d'une classe de 4e dans un collège d'une cité française, vue au travers du prisme de son professeur de français. Une élève, Alyssa, s'essaie à une argumenta-tion ayant pour sujet l'autorité, suite à l'explication qu'a donnée le prof du mot laxiste. Laxiste = permissif a-t-il écrit au tableau. Cela lui donne à penser, à Alyssa… et il y a fort à penser aussi que l'auteur, enseignant lui-même, partage son point de vue… Reproduisons ce point de vue, fautes d'orthographe et de syntaxe incluses.

« Faut-il restaurer l'autorité qu'ont connue nos grands-parents à l'école? je pense que l'on doit laisser le passé derrière nous et que les choses qui ont bien fonctionné auparavant seront peut-être moins efficaces maintenant et dans le futur. Je pense que c'est à l'adulte de s'affirmer et d'imposer ses règles selon ses valeurs, et non pas au nom d'une mode qui revien-drait en force et qui consisterait à être plus sévère envers des élèves. Bien que le manque d'assiduité, de respect et bien d'autres facteurs qui sont la cause de cette remise en ques-tion, soit souvent présent au sein des établissements, restau-rer cette autorité encore dans les mœurs des anciens serait-il la bonne solution? Moi, je ne le pense pas. Les jeunes d'aujourd'hui n'accepteraient pas une telle autorité. Ils ne l'imagineraient même pas. Cette nouvelle génération n'est majoritairement pas partisane de sanctions, d'une pression constante et intempestive, elle en a assez comme ça. De plus, certains pays, en particulier ceux du tiers-monde, appliquent ce mode d'enseignement dans leurs écoles et moi je pense pouvoir vous dire que les élèves auraient bien aimé être à notre place! Alors si c'est pour restaurer quelque chose par nostalgie du passé, non[67]!»

Une éducation respecteuse de l'adolescent développe l'estime de soi, avec tous les corollaires qui s'y rattachent, dont une motiva-tion plus importante. En conséquence, ni liberté totale, ni discipline trop rigoureuse pour nos ados d'aujourd'hui.

---

67. François Bégaudeau, *Entre les murs*, Paris, Gallimard, 2006, p. 160.

COMMENT AVOIR UNE BONNE RELATION AVEC SON ADO ?

Nous avons parlé d'autorité, d'éducation. Tout cela s'inscrit dans le cadre d'une relation de l'adulte à l'adolescent qui est avant tout une relation entre deux individus : lorsqu'elle est bonne, les jeunes recherchent les conseils et les opinions de leurs aînés, ce qui ne signifie pas que le conflit n'existera pas. Pour que la relation soit bonne, il y a des principes de communication à respecter, outre ceux que nous avons déjà préconisés.

Le confirmer, le gratifier dans ce qu'il est

« Je n'aime pas un ado qui roule des mécaniques ! » dit le père, qui, à ce moment, se fait castrateur. Pourtant, c'est peut-être le seul moyen, maladroit, que l'adolescent trouve pour tenter d'exister aussi dans son identité masculine face à la figure masculine du père, surtout si le père est dominant.

Parfois le père est pris en défaut par le fils, qui a trouvé la bonne réponse avant lui dans l'un ou l'autre domaine, et désormais le surpasse, alors il rechigne à lui faire sa place en écoutant sa proposition. Il dit : « Je ne vais pas écouter un ado ! » Il faut un âge pour être écouté ? Ce n'est même pas certain ! On a vu des parents qui n'ont jamais reconnu que leur enfant ait été suffisamment « grand » pour qu'il soit **autorisé** à donner son avis, comme le dit bien l'expression. Même lorsqu'il s'agit d'un adulte de 40 ans !

« C'est un petit. Il veut faire des choses, mais c'est un petit ! » disent certains parents. Certes, ce n'est pas faux, mais pour l'aider à grandir, il faut l'accepter et le reconnaître, sinon il ne grandira jamais, et accepter qu'il fasse, même maladroitement.

Maryse Legrand, psychologue clinicienne, parle de « confirmation » au sens de la méthode ESPERE de Jacques Salomé[68]. Elle explique que cette confirmation renforce le Moi tout en favorisant son intégration, son unification et en permettant au vrai *Self* d'exister.

---

68. Jacques Salomé, *Pour ne plus vivre sur la planète TAIRE*, Paris, Albin Michel, 2003.

En reprenant l'expression de Winnicott, la confirmation donne verbalement à l'adolescent la preuve, en retour, qu'il a été reconnu comme un être vivant. Les ados ont besoin d'être reconnus dans ce qu'ils sont en train de devenir et aussi que l'on reconnaisse qu'ils sont des êtres en devenir. La confirmation revient à dire : « Oui, j'entends bien que c'est ton avis. Peux-tu m'en dire plus ? »

Le confirmer dans ce qu'il ressent

Ils ont aussi besoin d'être reconnus dans ce qu'ils ressentent. S'ils sont en proie à un chagrin d'amour, ils ont besoin d'entendre que ce n'est pas simple à leur âge – tout comme d'ailleurs pour les adultes qui sont censés avoir plus de recul – et qu'ils ont le droit aussi d'être déprimés par moments, que ce n'est pas anormal, que le lycée, on comprend bien, ce n'est pas facile tous les jours, on est passés par là, mais qu'on s'en sort, oui on s'en sort de ce petit état dépressif qui surgit parfois. On connaît ça nous aussi les adultes. Il faut leur dire qu'on ne peut pas toujours être sur la brèche, beau, brillant, populaire et motivé, que parfois on a besoin de faire la boule, que c'est pas de la tarte de devoir bientôt devenir un adulte. Voilà pourquoi, par moments, ils nous font des régressions. Ils ont besoin d'être maternés, qu'on leur fasse un petit plat et surtout, qu'on discute puis aussi qu'on les prenne dans nos bras, même s'ils sont plus grands que nous. Dans ces moments-là, ils n'ont pas besoin qu'on leur montre la règle, ils ont besoin qu'on leur montre qu'on est là, même si le reste du temps ils sont autonomes. Le but n'est pas de vouloir gagner sur son enfant : « J'ai réussi à lui faire faire ce qu'il ne voulait pas faire ! »… ça, c'est une triste victoire. Non, le but c'est de lui montrer ce qu'on sait de la vie, de ses règles, de ses contraintes, mais aussi de ses moments de joie et de tristesse. C'est cela la transmission.

Lui témoigner de l'empathie, de la compréhension et du respect, et être authentique

Les parents les mieux intentionnés ne comprennent pas toujours que l'adolescent est un être en croissance et en souffrance. Ils ne reconnaissent pas à leur enfant le droit d'être mal, alors qu'il leur arrive de l'être eux-mêmes. «Mais qu'ont-ils donc, ces jeunes?» nous demandent-ils, on l'a vu.

LE « TU » QUI TUE

Lorsqu'une personne vient nous voir en consultation, nous nous verrions très mal ne pas témoigner à son égard empathie, compréhension et respect et lui dire: «Non mais ça ne va pas du tout vous! Il n'y a que vous pour avoir des idées pareilles! Et puis alors vous, vous faites vraiment n'importe quoi! Il va falloir vous corriger!» Il n'y a pas que le «tu» qui tue, il y a aussi le «vous» qui tue... Sauf si notre client est masochiste ou s'il a envie de revivre la situation et de se faire taper sur les doigts par un substitut de papa ou maman, comme dans le bon vieux temps! Pourquoi agirions-nous ainsi avec nos propres ados? Les parents ne sont pas des psys, mais ils pourraient par moments se comporter comme tels sans avoir été formés à la relation d'aide, ils pourraient en appliquer quelques principes de base simples.

> Éduquer, certes, mais ne pas juger.

SOUPLESSE ET CAPACITÉ D'ADAPTATION FONT MIEUX QUE FORCE...

Avoir recours à la notion d'équilibre et au bon sens, comme dans un couple, est très utile aussi en matière d'éducation! Trop de rigidité tue la créativité face à une situation, pour l'ado comme pour le parent.

Prenons l'exemple de cette jeune fille de 16 ans qui, comme son professeur est absent en fin de matinée et que sa mère déjeune au bureau, a invité quelques copains de classe chez elle pour le lunch. Le soir, la mère rentre avant la fille et constate que la vaisselle remplit l'évier et que, comble de mauvaise surprise, la vaisselle propre qui remplit le lave-vaisselle n'a pas été vidée. La totale! Sa fille lui expliquera en rentrant qu'elle a été prise par le temps, pour la reprise du cours de 14 heures (ouais, elle n'y a pas pensé plus tôt, alors!) et n'a pas eu le temps d'achever l'intendance. En attendant, la mère ne va justement pas en faire un plat, va peut-être vider le lave-vaisselle, y ranger la vaisselle sale, et différer la participation de sa fille en lui demandant d'assumer une autre tâche en contrepartie de celle qu'elle a effectuée pour elle. Il faut savoir différer, c'est une question d'équilibre global sur un certain laps de temps. C'est comme dans un couple: tantôt l'un fait quelque chose pour l'autre, tantôt c'est l'inverse. Tantôt l'un est gagnant, tantôt c'est l'autre. Chacun son tour.

> Le paradoxe: on a l'habitude de dire que le perfectionnisme est un défaut, mais les parents voudraient qu'il n'en soit pas un en matière d'éducation!

Une mère raconte: «Avec ma fille de 15 ans, ça va seulement parce que je ne la "flique" pas. Je pointe les erreurs qui lui sont préjudiciables. Je marque la limite, mais je ne l'agace pas de mille questions. Si je lui demande si elle a fait son travail scolaire pour demain, elle me répond: "Laisse-moi m'organiser, je n'ai plus 10 ans!" Je lui laisse une liberté à l'intérieur des limites.» Il est aussi malvenu de passer d'un extrême à l'autre. Il faut savoir aussi que si on laisse de la liberté dans un domaine à un adolescent, dès lors, il est difficile de revenir en arrière. Il vous répondra: «Ne fais pas ta "Unetelle" ou «Ne fais pas comme le père "d'Untel", lorsque vous le questionnez un peu plus que d'habitude, et là, il vous cite le nom de quelqu'un que son œil lucide a catalogué comme trop intrusif et abusif.

Les adolescents se comparent les uns les autres: «Machin a le droit de…», «Machine a plus d'argent de poche que moi.» Les parents éducateurs répondent: «Ici, c'est comme ça, parce que je pense que… pour moi, il est important que…» Là, ils peuvent décliner leurs valeurs et annoncer les faits réels qui peuvent motiver les différences. Les ados ne sont pas idiots, ils peuvent comprendre. Ils ne sont plus des petits enfants auxquels il fallait imposer parce que les explications n'étaient pas forcément à leur portée.

Un adolescent trop «serré» s'aperçoit que les copains de son âge ont plus de liberté que lui et risque «d'enrager». Bien sûr, il sait au fond de lui que «Guillaume qui n'a pas de limites, qui rentre n'importe quand, qui fait ce qu'il veut, que ses parents s'en foutent, c'est pas normal. Il y a quelque chose qui cloche…» Mais il n'est pas fou, il compare ce qui est comparable. De tout temps, il y eut des enfants non cadrés, le cadre signifiant aussi rythme de vie :

- Ne pas être dehors la nuit, sauf exception sécurisée ;
- Dormir et manger correctement, à des heures régulières ;
- Observer les rites familiaux ;
- Travailler ;
- Faire du sport ;
- Aider aux tâches ménagères ;
- Entretenir sa chambre, etc.

Cela peut paraître élémentaire mais bien des jeunes ne répondent pas à tous ces critères.

TROP DE REFUS TUE LE REFUS !

C'est ce que disent souvent certains enfants : «Maman, tu dis toujours non !» ou «Avec toi c'est toujours non !» On observe que les parents qui sont plutôt «acceptants» sans être laxistes, dès lors qu'ils font une remarque sur un comportement pour l'occasion inacceptable, voient que leur remarque a plus d'impact sur l'adolescent.

> Voici deux principes que parents et enseignants devraient employer :
> - Il faut savoir accepter pour pouvoir refuser ;
> - Il faut savoir dire oui pour pouvoir dire non.

QUELQUES CAS... «D'ÉCOLE», OU CONCRÈTEMENT, COMMENT COMMUNIQUER?

Les pairs... pas les pères et les mères... ni la mer, ou sauvé par le message «je»

Vous vous promenez en voiture avec votre ado. Il écoute «sa» musique ou joue à «son» jeu sur son iPod, ou son i... on ne sait plus quoi – la technologie allant plus vite que nos jours qui sont trop remplis, comme nos vieilles mémoires qui sont trop saturées pour qu'on assimile tout ça, nous, les parents! Votre ado, donc, joue comme vous passez dans des paysages magnifiques, comme les gorges du Colorado (en moins bien quand même!) ou les falaises d'Etretat, pour faire court, et vous lui dites: «Andrew, arrête de jouer, regarde le paysage s'il te plaît» (nous adorerions nous arrêter sur ce faux «s'il te plaît» si nous avions le temps!) Andrew, comme tous les ados, dit «non». En langage ado cela donne: «NAN! J'en ai rien à faire, Man, du paysage! C'est bon, j'ai d'jà vu la mer!» Mais voilà que votre mari s'en mêle: «Arrête ça tout de suite, je te dis!» Et là, c'est le drame! Pearl Harbor rejoué dans la voiture... Car bien sûr l'ado en plein «réactionnel» s'en-tête! La seule possibilité, en pareil cas, c'est d'employer un message «je», d'exprimer ce que l'on ressent, de dire ce que l'on pense surtout sans g.... euh... crier, ce qui peut donner ceci: «Je trouve dommage que tu ne regardes pas le paysage alors que tu peux jouer à ton jeu lorsque le paysage est moins pittoresque, que l'on est sur l'autoroute, ou sur le chemin du retour à la maison.» Rien ne dit que vous serez entendu, mais au moins vous aurez évité le pugilat. Vous lui avez présenté une alternative de comportement sans rien imposer, évitant de le jeter dans le réactionnel inévitable causé par l'interdit véhément. Et puis, pensez à une chose impensable: votre ado n'a pas les mêmes centres d'intérêt que vous, on vous l'a pourtant déjà dit, vous n'écoutez rien vous non plus! Ah! vous voyez, ce n'est pas agréable quand on vous parle sur ce ton... L'ado, la mer ça le gave à la longue. La mer, c'est bien avec les potes et pas avec les parents et, justement, il est en train de discuter sur son portable avec son meilleur ou sa meilleure pote. Et alors, les potes, c'est plus important que toutes les falaises et les mers de la planète réunies, non ?

Lui parler de soi, se positionner, ou « J'ai un problème »

Lorsque nous vivons des difficultés personnelles qui demandent de la compréhension à l'ado, il faut faire appel à son humanité et à sa raison, en lui montrant que nous avons un problème humain, nous-mêmes en tant que parents, dont découle la demande que nous lui faisons, que nous sommes des hommes et des femmes. Pour ne pas avoir l'air exigeants ou agressifs ou autoritaires, il est important d'expliquer les raisons de notre besoin. Ce qui fait dire au docteur Thomas Gordon : « Les parents doivent se poser cette question : que se passe-t-il ? Quels sont mes besoins frustrés par le comportement de l'enfant ? Quels sont les sentiments premiers que je n'aime pas[69]. »

C'est ce que nous expliquions plus haut lorsque nous parlions de pigne narcissique. Ce sont ces besoins frustrés qui peuvent causer un tel changement chez des personnes bienveillantes, capables ordinairement de beaucoup de compassion, qui tout d'un coup en viennent presque à haïr leur enfant parce qu'il ne rentre pas dans leurs projets, dans leur besoin, qui est, en réalité, d'être rassuré sur l'avenir professionnel de leur enfant, et ce, même pour des choses plus bénignes que la réussite scolaire.

Prenez l'exemple de cette mère qui prend conscience de cette situation : « Soudain, j'ai momentanément haï ma fille parce qu'elle me mettait dans l'inconfort. J'avais besoin d'elle à cause de ma lombalgie. Elle ne m'a pas rendu le service dont j'avais besoin. J'étais en colère qu'elle rentre tard. En fait, cet horaire de rentrée m'aurait convenu si je n'avais pas eu besoin d'elle. »

Ces sentiments contradictoires pour un enfant aimé, parfois unique et couvé, peuvent provoquer chez certains parents une véritable souffrance, un authentique conflit intérieur

---

69. Dr Thomas Gordon, *op. cit.*, p. 150.

intrapersonnel. En disant à son enfant : « Ton comportement me pose un problème… », on évite ainsi les attaques narcissiques dont on a parlé plus haut. Ce n'est pas l'ado qui pose problème, c'est son comportement, avec lequel il ne faut pas le confondre.

Lui raconter nos peurs

La peur est une très mauvaise conseillère en tous domaines, et aussi en matière d'éducation. Nous ne parlons pas ici de la juste et nécessaire évaluation du danger.

Voici l'exemple d'une situation où la peur motive une interdiction parentale non raisonnable. Lionel dit à sa mère, sur un ton péremptoire qu'on perçoit faussement assuré, car il se doute de la réponse négative de cette dernière : « La semaine prochaine, je vais à la manif des lycéens. » « À 15 ans, tu n'as pas le droit de manifester ! » lui rétorque-t-elle. Pourquoi ? C'est la question qui vient inévitablement aux lèvres. « Pourquoi j'en aurais pas le droit moi, hein ? » répond immanquablement Lionel. Cela revient, en effet, à nier que l'adolescent soit un individu doté d'un esprit d'analyse d'une situation donnée, et d'un jugement suffisamment développé pour qu'il puisse trouver contestable, par exemple (au hasard !), une réforme initiée par un gouvernement concernant expressément son cursus scolaire ou que, s'il en est capable, il n'a pas le droit d'exprimer sa désapprobation en manifestant dans la rue. On retourne à l'*infans*[70] muet, bâillonné. À compter de quel moment le jeune est-il capable de discernement ? C'est ce qui fait questionnement, s'agissant notamment de la responsabilité pénale des enfants, dont on a vu qu'elle tendait à être dangereusement abaissée de nos jours, dans certains pays.

Cette mère inquiète aurait dû, plutôt que de poser cet interdit humiliant, parler de sa peur à son fils. Pour cela, il faut que cette dernière prenne profondément conscience qu'une grande partie de son interdit vise à se rassurer elle-même par rapport à ce qu'elle

---

70. Selon le terme de Sandor Ferenczi, dérivé du latin *infans, infantis,* signifiant : qui ne parle pas.

imagine qu'il pourrait arriver à son fils si la manifestation dégénérait. Par exemple, elle le voit pris en sandwich entre des «casseurs» et les Compagnies Républicaines de Sécurité – si c'est en France –, harnachées de casques et armées de boucliers, pires que des gladiateurs dans une arène, face à lui, son petit, sans autre protection que son sac à dos. Rendu aveugle par les bombes lacrymogènes, le voilà qui roule sous les pieds de ces hordes de sauvages! Ce qui n'est pas si tiré par les cheveux lorsque l'on voit ce qui se passe dans la réalité au journal du soir! Vivre, c'est risquer. Or, le rôle que s'imposent les parents par nature est de limiter les risques, mais si cela n'est pas toujours possible, cela, en outre, n'est pas souhaitable.

Prenez l'exemple d'une autre mère, qui donne un coup de fil réprobateur à sa fille à 14 h 30, alors que celle-ci devrait être rentrée depuis une demi-heure: «Tu avais dit que tu devais être à la maison à 14 h 00!» et suit un lot de reproches. La jeune fille se justifie. Le bus a du retard. Ça fait plus d'une demi-heure qu'elle l'attend. Pourquoi ne s'enquiert-elle pas plutôt de la situation au lieu de commencer par un reproche? Sa première question aurait dû être: «Comment vas-tu?», ce qui aurait permis à l'adolescente d'expliquer son contretemps. Ici encore, c'est l'angoisse de la mère qui la rend agressive. C'est bien sûr sa peur et son angoisse à elle que celle-ci doit travailler, au lieu d'en charger sa fille et de la culpabiliser.

Cela a à voir avec l'autorité, au sens où l'enfant semble avoir désobéi puisqu'il n'a pas respecté l'horaire, le cadre. Mais le cadre doit être aménagé en fonction d'éléments extérieurs incontrôlables, comme le retard du bus. Sous couvert d'autorité, c'est parfois une perversion de celle-ci qui peut s'exprimer: l'autoritarisme.

Est-ce que nous nous inquiétons de manière objective ou subjective? Est-ce que nous nous inquiétons pour notre enfant ou pour nous? Le faisons-nous pour notre besoin à nous ou pour son besoin à lui de sécurité, par exemple? Pour notre besoin de nous rassurer sur notre pouvoir parental ou notre besoin de la présence de notre enfant, lorsque nous avons tendance à être trop fusionnels avec lui, et que notre vie n'est pas suffisamment remplie ailleurs ? Autant de questions auxquelles il n'est pas facile de répondre et qui demandent un peu d'introspection, et donc, de recul. Encore une fois, loin de nous l'idée de faire un quelconque procès aux parents. Nous savons, pour l'avoir expérimenté, que nos ados réveillent en nous de très grandes terreurs. Nous avons peur pour leur vie. Souvenons-nous que nos enfants sont nos talons d'Achille dès qu'ils sont sortis du ventre maternel.

Une peur parentale parmi tant d'autres : le laisser sortir jusqu'à quelle heure ?

Tous les parents sont confrontés à cette question un jour : est-ce que l'heure limite que je pose est une heure correcte, objectivement, ou est-ce que ma peur fait que je restreins la plage horaire ? Il en va de même pour les autorisations de sorties tardives ou en soirée. Chacun doit accepter d'échanger avec l'autre, doit accepter d'aller à sa rencontre pour savoir ce que représentent, dans son imaginaire, les sorties du soir, pour partager ce qu'il y a de commun, de différent, mais aussi d'incompatible dans les positions respectives.

Une mère témoigne : « Ma fille a compris que je lutte contre une peur et que je la terrasse (la peur pas ma fille !), celle de la voir sortir à une heure un peu tardive, surtout par rapport à mes représentations. Elle me rassure, m'appelant depuis son portable dès qu'elle est arrivée, et comprend l'effort que j'ai fait sur moi-même pour faire un pas vers elle et m'en sait gré. Elle sait aussi que si elle respecte la règle, elle gardera ma confiance et sa liberté. »

Lui faire des demandes claires

Les parents doivent faire des demandes claires et précises : « Noémie (ou Antoine, pour en finir avec les réflexes patriarcaux qui veulent que ce soit toujours à nos filles que l'on demande de récurer les casseroles !), je te demande de faire la vaisselle. » C'est le fameux cas de figure que tous les parents ont vécu un jour, même vous, nous en sommes sûres ! La mère de famille quitte sa couvée après déjeuner et lance à la volée : « Je veux que lorsque je rentre ce soir, la vaisselle soit faite ! » le discours étant censé s'adresser à ses enfants et même, qui sait, peut-être au mari, s'il est là. Un message indirect n'a aucune chance d'aboutir, c'est-à-dire qu'il ne tombe dans aucune oreille, du moins, personne ne se sent concerné puisqu'il n'est pas nominatif. Aussi, on imagine après ce que la mère vient de dire et la manière dont elle a formulé les choses, que comme dans *Cendrillon* ou *Alice au pays des merveilles,* les assiettes, les bols, les verres vont se soulever en direction de l'évier et se laver tout seuls. Quelle naïveté !

Lui apprendre à communiquer

La communication, ce n'est pas inné. À l'exception de certains adolescents qui montrent des dispositions précoces en la matière – ce sont ceux que l'on va toujours chercher en cour de récré, depuis l'enfance, pour qu'ils servent de médiateurs –, les autres ont besoin d'apprentissage.

Le meilleur moyen d'apprendre à l'adolescent à communiquer est de lui donner l'exemple, en exprimant ses ressentis et en l'invitant à exprimer les siens. Cela va au-delà du simple fait de l'écouter, il faut être à l'écoute de ses messages infraverbaux qui trahissent ses émotions, voire son malaise. Cela est valable pour les filles comme pour les garçons. Les premières parlent davantage au travers de somatisations, les seconds par le biais de passages à l'acte.

Les garçons ne savent pas toujours s'exprimer. Il faut les inciter à le faire avant de réagir de manière coercitive tout de go à leurs actes, car les actes sont un langage lorsque l'on n'a pas pu s'exprimer. Il faut saisir le moment propice pour parler à son ado et communiquer avec lui. Inutile d'essayer de capter son attention lorsque « son esprit est à la cuisine », comme le jeune Gargantua de Rabelais. Inutile d'essayer de lui inculquer des principes vitaux lorsqu'il paresse.

LORSQU'IL N'Y A PAS DE PARENTS...
IL EXISTE DES SUBSTITUTS PARENTAUX

On dit souvent qu'il y a «trop de parents», au sens où les parents sont étouffants et font parfois pire que mieux. Trop c'est trop! Le «petit» aura du mal! Et on enfonce un peu plus loin le clou en déclarant que sans les parents, les enfants s'en sortent très bien. Sans aller jusqu'à la caricature, il est possible de constater que nombre de jeunes «résilients», au sens de la résilience de Boris Cyrulnik, «des sans parents» «des sans familles» ont fait les bonnes rencontres. Ils ont trouvé sur leur chemin ces tuteurs de résilience et su s'en saisir pour reprendre le cours de leur croissance affective et de leur développement d'hommes et de femmes en devenir. Car «pas assez» ou «pas du tout de parent» n'est pas un atout dans la vie, sauf si on a la chance de rencontrer ces fameux substituts qui aideront à se structurer, même si la blessure demeure...

Les enseignants humanistes

D'autres ont pu tenir le rôle d'éducateurs à la place des parents. Ceux qui auraient cette vocation par définition sont les enseignants, mais l'école n'est pas toujours le lieu où les enfants vont acquérir les bases nécessaires à la réussite de leur existence. Nombre d'adolescents dits «décrocheurs» sont en rupture de bancs avec l'école parce que certains enseignants, loin de les avoir encouragés, les ont humiliés et désespérés, on l'a vu. Mais le corps enseignant compte aussi beaucoup de ces professeurs, femmes et hommes, que nous qualifions d'humanistes, auprès desquels de nombreux jeunes trouvent la volonté de se sortir d'une situation familiale difficile. Nous avons déjà fait l'apologie de l'enseignement humaniste. Des hommes et des femmes ne nous ont pas attendues, pas davantage qu'ils n'ont attendu les résultats des travaux de David Aspy et Flora Roebuck[71] pour remplir leur mission d'éducateur au sens noble du terme.

---

71. David Aspy et Flora Roebuck, *op. cit.*

Ce sont ces enseignants qui savent toucher un enfant, entrer en contact avec lui. L'adulte doit être bienveillant. Il doit bien sûr aimer les élèves, même s'il est sévère avec eux, au sens où il est exigeant parce qu'il cherche à leur faire rencontrer le meilleur d'eux-mêmes. Ces enseignants ont existé de tout temps. Des vocations sont nées, des vies ont été sauvées, des mauvais chemins ont été évités grâce à eux. Beaucoup d'écrivains en font le témoignage. Il faut si peu pour aider un adolescent en difficulté : une main tendue, une attention, autant dire de l'amour. Nous avons vu de nombreuses vies scolaires sauvées par ce nouveau regard bienveillant. La relation précède l'apprentissage. La reconnaissance précède la connaissance. «Quand on apprenait le latin à Paul, c'était parce qu'on connaissait le latin et qu'on connaissait Paul», dit très joliment Jean-Claude Barreau, dans son ouvrage précité[72].

Pierre, 70 ans, a perdu sa mère très jeune. Il a été placé chez une tante peu aimante qui le considérait comme un fardeau et le maltraitait. Cet enfant privé d'amour fut placé en pension dans une institution religieuse où rites et prières pratiqués quotidiennement finissaient par le plonger dans un ennui profond. Mais il y fit la rencontre d'un professeur très âgé et très sévère réputé pour n'avoir mis la moyenne à aucun de ses élèves depuis 50 ans ! L'histoire de Pierre est une histoire ancienne mais elle est transposable dans la réalité d'aujourd'hui. Pierre serait resté moyen, voire aurait peut-être fait des «bêtises», aurait «mal tourné», comme on dit, s'il n'avait pas trouvé sur son chemin cet austère et sévère père enseignant la littérature. Il aurait peut-être fugué du pensionnat pour aller voir le monde. Il l'avait fait une fois. Et les adultes implacables auraient dit que c'était un enfant perdu, un orphelin, et que c'était normal. Pierre témoigne : «Jusque-là, j'avais d'assez bonnes notes en travaillant peu. Avec lui, je suis descendu à 4 sur 20. C'était un homme qui mettait des notes négatives. Un jour, miracle, j'ai obtenu la moyenne, un événement qui n'était pas arrivé depuis un demi-siècle, puis j'ai eu un 14, et ensuite j'ai été présenté au concours

---

72. Jean-Claude Barreau, *op. cit.*

général et j'ai remporté le premier prix. » Pierre est devenu professeur à l'université. En lui inculquant la rigueur et l'exigence vis-à-vis de soi-même, « le père » lui a permis de faire sortir le meilleur de lui-même par le travail. Ainsi, il l'a élevé vers le Ciel. Normal pour un « père »... C'est un cas de résilience.

Conclusion

BOUCLER LA BOUCLE : QUE FAIRE QUAND « C'EST TROP LA CRISE » ? REQUÉRIR LA MÉDIATION D'UN TIERS ?

Ce tiers, ce peut être les grands-parents. On a remarqué que ceux-ci, débarrassés de la nécessité d'éduquer, peuvent être de pertinents conseillers et offrir des lieux de repli où les régressions sont possibles et autorisées. Les mamies « crêpes et riz au lait » et les papis pêcheurs qui ne jugent point leur petit chéri mais ne manquent pas de charger papa et maman : « Tu sais comment est ton père, il est pas méchant mais… » Ainsi, le conflit de générations est reparti ! On peut aussi avoir recours à une sorte de médiation familiale, s'il y a des amis qui font office de parrains et marraines, ces fonctions remises à l'honneur, on l'a dit.

ET QUAND C'EST PLUS GRAVE, L'EMMENER CHEZ LE PSY ? Y ALLER… AU MOINS SOI-MÊME

C'est le cas de Patrick, 14 ans, et de ses parents. Lorsque ces derniers sont allés voir le psy avec leur fils et que celui-ci les a confortés dans leur démarche éducative et leur rigueur, tous ont été rassurés : les parents comme l'enfant, qui a quand même déclaré à la sortie de la séance : « Eh ben, je plains ses enfants ! » Mais le soir, il a soulevé sa mère de terre et l'a embrassée, il a dit « Ma petite maman ». L'éducation des parents a été validée par un tiers. Il était cadré. Il savait que ses parents avaient raison, que toutes ces contraintes, c'était le bon chemin. Ses parents n'étaient pas des « paranos » ou d'odieux geôliers, comme il le disait.

L'enfant recadré est un enfant heureux, rassuré sur la conduite à tenir, orienté. C'est un enfant dans l'action. Dans la majorité des cas, sauf ceux vus précédemment dans le chapitre 2, il s'agit bien plus d'un problème relationnel que d'une pathologie. Il ne faut pas voir des enfants violents partout et s'attacher à dénouer le normal du pas normal. À l'adolescence, il y a une violence, une façon de s'opposer qui n'a pas le même sens qu'une pathologie, nous l'avons bien compris! Le psy est alors un repère, un tiers, un «témoin lucide», selon le terme d'Alice Miller. Celui-ci peut énoncer la règle sans que l'affect soit en jeu.

Même lorsque c'est grave, Donald W. Winnicot enseignait qu'un comportement antisocial n'était parfois rien de plus qu'un SOS, que le désir d'être réconforté par des personnes fermes, aimantes et en qui l'on puisse avoir confiance. Mais il faut quand même se méfier... Réfléchir à quel psy vous allez vous adresser, de quelle obédience... Un psy autoritaire? Un psy réactionnaire? Un psy humaniste? Vous savez déjà auquel va notre préférence...

NOUS SOMMES TOUS DES ENFANTS DE DOLTO, MERDE!

Nous sommes tous des enfants de Dolto, à moins d'être très vieux ou d'avoir été élevés par des parents très «réac».

L'AMOUR, UN PASSEPORT POUR LA VIE

On ne peut imposer des règles sans amour. Il faut que l'amour accompagne l'ado sur son chemin d'initiation, l'amour venant de l'autre, d'abord de ses parents, puis des autres adultes, notamment des enseignants. Leur bienveillance est comme autant de sésames, de passeports pour l'avenir. L'amour lui vient aussi de ses pairs, de son amoureux ou de son amoureuse.

ÉLOGE DE L'ADOLESCENCE

L'adolescence, c'est l'âge des héros et des héroïnes. Dans la littérature, beaucoup de héros sont des adolescents. Ils ont pour nom

Meaulnes (personnage du *Grand Meaulnes* d'Alain Fournier), Gigi, héroïne de Colette dans le roman éponyme, François, héros du *Diable au corps* de Radiguet. Ces œuvres, plus ou moins autobiographiques, ont pour héros des adolescents qui découvrent l'amour. Elles racontent leurs premiers émois sentimentaux, leur découverte de la sensualité, leur maladresse et leur fascination. La passion amoureuse est un viatique de l'adolescence à l'âge adulte. Octavio Paz, dans *Le labyrinthe de la solitude*[73], explique qu'on a raison d'imaginer les héros et les amants sous les traits d'adolescents. Roméo et Juliette, Tristan et Iseult illustreront à jamais, dans nos imaginaires, le mythe de l'amour passionné et contrarié. L'adolescence est l'âge de l'expérimentation, des grandes passions, de l'héroïsme voire du sacrifice. Que de matière à faire des romans !

ADOLESCENCE, SUITE ET FIN

Tout ce qu'on rejetait ado, à l'âge adulte on l'accepte, ou tout au moins on s'en accommode. C'est peut-être cela aussi l'éducation : apprendre à l'ado à faire et à accepter de faire cette négociation intrapersonnelle, à accepter la réalité tout en sachant qu'il peut être un agent de changement d'une partie de cette réalité, et lui montrer comment trouver un espace d'autonomie, de liberté, à l'intérieur de la réalité. La plupart des jeunes gens sans compromis de 68 sont aujourd'hui bien installés dans la société, dont ils ont intégré les contraintes. Ils sont avocats, notaires… propriétaires…

Gardons à l'esprit qu'un jour cette période prendra fin. Faut-il s'en réjouir ? Oui et non, parce que c'est le signe que notre enfant se sera adapté à ce monde, mais aussi qu'il aura renoncé à cette saine rébellion, comme nous l'avons fait nous-mêmes, peut-être… à moins que nous soyons restés des «adultolescents»… Regrettons aussi que les rites de passage, si pleins de symboles et de sens, n'existent plus. Nous souhaiterions les redorer, même s'ils semblent démodés.

---

73. Octavio Paz, *Le labyrinthe de la solitude*, Paris, Gallimard, 2006.

Les anniversaires sont en général très fêtés dans l'enfance – jusqu'au ridicule parfois. Si on fête les six ans de l'enfant en louant le McDo pour l'occasion, ou en faisant, à la maison, une fête avec clowns et spectacle, que restera-t-il pour éblouir ses 17 ou 18 ans? Le bal du bac, les soirées d'intégration des Écoles supérieures, la remise des diplômes marquent ces passages, et tant pis s'ils sont trop arrosés! Les conscrits d'antan, avec la fête «initiatique» qui suivait, marquaient ainsi leur entrée dans l'âge adulte. Certes nous ne nourrissons aucune nostalgie de ce genre, surtout quand elle menait à la guerre, mais un minimum serait le bienvenu. Et puis quoi, il ne s'agit pas d'aller montrer sa vaillance en tuant le lion, mais juste de sauter le pas!

Gardons toujours une part de cette adolescence, celle qui nous fait vivre nos excès qui fondent notre identité et le cœur de notre personnalité: nos folies ordinaires. Comme nos adolescents, cédons parfois à l'enthousiasme et à la fascination. *Exit* les vieux croûtons!

EXHORTATION

À toi, l'ado!

Ton père et ta mère quitteras devrait être le 1er commandement. Tu le dois, tu dois «t'arracher», c'est bien un mot à toi ça? Allez, on «s'arrache»! Tu es formidable dans tes métaphores! Pile poil exact. On s'arrache. Pour cela, l'ŒDIPE tu dépasseras!

Nous avons été très peu théoriciennes sur ce coup-là. Nous savons que cette vieille histoire trop galvaudée fait sourire. À tort, nous la trouvons toujours magnifique et terriblement émouvante, terriblement exacte. Que celui ou celle qui, enfant, n'a pas voulu épouser son père (ou sa mère) lève le doigt.

«Mais c'est quoi cette salade?» penses-tu, comme tous tes copains. «J'ai jamais voulu épouser ma mère!» Prends garde, ceux qui lisent cette légende en sortent un peu dérangés. «J'ai trouvé en moi comme partout ailleurs, des sentiments d'amour envers ma mère et de la jalousie envers mon père, sentiments qui sont je pense communs à tous les jeunes enfants[74].» Le vieux Sophocle ne dit pas autre chose.

Simplifions. Il apparaît, ce fameux complexe vers les 2 ou 3 ans. Le petit garçon commence à ressentir un attrait irrésistible pour Maman, mais Papa est un obstacle et un rival. Faut-il supprimer ce père aimé ou éloigner cette mère dangereuse? Dilemme plus que cornélien qui se règle (sagement en apparence) par une envie de ressembler à ce père que maman adore, espérant ainsi sinon l'amour de maman, mais d'une autre semblable à elle! Même histoire pour les filles qui, tout en souhaitant ardemment garder papa, sont aussi fort attachées à leur mère nourricière. Aucune hésitation, tu le comprends, il faut s'arracher de là. Il n'y a qu'inceste et interdit. Et enchaîner sur la génération suivante. Qui voudrait vivre avec les yeux crevés? Plaignons ce pauvre Œdipe qui n'a pas su déjouer le piège!

Donc la page tournée, pars à la recherche des remplaçant(e)s. Rien de mieux que ces petit(e)s ami(e)s pour oublier et commencer ta nouvelle histoire. Beaucoup de romances vont s'enliser, te faire souffrir à cause de ces racines qui ne sont pas encore arrachées et persistent à te retenir. Heureusement, tu as toute la vie pour y parvenir, et toutes les expériences sont bonnes à prendre. Il faut tout tenter plutôt que ne rien tenter. L'attente ne fait pas progresser! Souviens-toi de Godot, l'attendu de Beckett (pour une fois nous ne te donnons aucune référence, voir Google, tu sais très bien faire). Attendre d'être prêt n'a pas de sens, on n'est jamais prêt, sauf en essayant. Par essais et erreurs, comme la souris dans son labyrinthe. L'indépendance est à ce prix.

En 2009, être indépendant, c'est gagner sa vie. Avoir un métier qui permet de vivre, de s'insérer dans la société, et si c'est possible, de s'y trouver bien. C'est tout cela qu'il faut accomplir pendant cette courte période. Faire des études, attraper un job, alors que la sexualité t'obsède et que l'amour te fait souvent pleurer. Heureusement,

---

74. Freud, lettre à W. Fliess du 15 octobre 1897.

tu peux trouver quelques jokers si tu t'es gouré en cours de route. Cours du soir, validation d'acquis, séparation, nouveaux départs, TOUT est possible, certains le font, ou l'ont fait, brillamment. Dans notre jargon, on appelle ça la « résilience » et c'est bon à n'importe quel âge ! Il faut faire remonter ton désir à la surface, s'il se fait taquin et se cache, et ne pas te décourager. N'écoute pas les Cassandre, ou, si tu préfères, les pessimistes, ceux qui prévoient la fin du monde !

Et le bonheur ? Question de cours et notion indéfinissable. Essaie de te sentir utile, aimé et reconnu. Sinon, il te reste cette voie que nous combattons : ne pas grandir, rester ado toute ta vie avec tes désespoirs, tes régressions, ton pied dans le caniveau et l'autre sur le trottoir. Les savants, toujours friands de « complexes », nomment celui-ci le complexe, ou le syndrome, de Peter Pan. Notre génération a connu un exemple célèbre, qui sert de laboratoire à toutes les démonstrations. Tu sais que nous parlons de cet enfant, Michael, si maltraité par son père et apparemment si malheureux dans son enfermement, malgré sa fortune et son talent, dans Neverland, ce pays de nulle part...

Pour finir cet ouvrage que nous te dédions, à toi, Florence, Noémie, Anne, Pascal, Thomas, Alice, Matthieu, à vous tous qui nous avez tellement intéressées, nous vous souhaitons « de garder de l'enfance et d'Amélie, ils sont liés, l'amour de l'inconnu à défricher, avec la peur au ventre comme jouissance[75] ».

À vous, parents !

Nous vous souhaitons cette belle aventure qui vous fera grincer des dents. Eh quoi, n'est-ce pas un plaisir que de voir votre ado vous battre au rami, puis au tennis, puis vous dire, pour descendre la poubelle : « Pousse-toi, Man, je vais le faire ! » de l'appeler quand Internet coince ? De voir avec quel toupet il va soudain réfuter toutes vos convictions, prendre la parole le soir du réveillon pour insister sur tout ce que votre génération de « gâtés » (de gâteux...)

---

75. Bernard Giraudeau, *Les dames de nage*, Paris, Métailié, 2007.

a raté ? Écologie : zéro, vous laissez la planète exsangue. Les retraites ? Pour nous, avec tous ces vieux, il n'y en aura pas ! Nous accusions nos parents de laxisme et de lâcheté ! Pareil, disent-ils, ni plus ni moins grave. Nous vous l'avons dépeint, votre lascar, il est sans pitié, et ne lui rétorquez pas : « Qu'aurais-tu fait à ma place ? » Il n'y est pas.

Vous avez aussi compris que la chose la plus dure pour nous était justement de la revivre, notre foutue adolescence, avec ses souvenirs mal enfouis, ses désirs inassouvis, ses désespoirs sans sparadrap, ses humiliations refoulées que nous traînons comme de vieilles malles éventrées ? Méfiez-vous d'elles, ce sont vos pires ennemies. Non, votre fils ne sera pas chef d'orchestre, pas plus que vous n'êtes diva d'opéra ! Vous ne lui épargnerez pas les souffrances, mais vous vous réjouirez de ses joies. Ne rêvez pas à sa place, ou alors vous reproduirez tout ce qui vous a fait si mal, et que vous ne pouvez pas avoir oublié si vite.

« On va peut-être tirer quelque chose de toi ! » disait ce père à sa fille de 30 ans... Formule ô combien malheureuse, manque de tact. Pour autant, on vous le redit, il faut être ferme pour ces ados sans repères. Notre société a édicté des lois et des codes que nous devons transmettre, et bâti un socle qui garantit son devenir, sauf à jouer l'ermite dans sa caverne. Nous sommes des passeurs, des passeurs de relais, nos ados vont bien si nous allons bien. Chacun d'un même côté de la route, en rang ou en désordre, il suffit de passer le pont.

N'oublions pas que l'adolescence est aussi une chance inouïe. Une chance d'évacuer tous les maux de l'enfance, de régler ce qui n'a pu l'être encore, car dans le vacarme et le désordre, tout peut se rejouer. On pardonnera encore à l'ado les ajustements, les errements. Après, il sera trop tard et on sait que le verdict sera sans pitié.

Alors à vos ados et bonne route !

ANNEXE

Enquête : Être jeune à « L », en 2009

« J e n'ai pas le temps », « Je n'aime pas lire », ce sont surtout ces deux phrases qui nous ont attirées, nous les avons notées et analysées dans les pages précédentes, pour ceux qui veulent plus de précisions voici une brève analyse du contenu. Les jeunes qui ont répondu à cette enquête sont intéressants, car ils ne relèvent pas d'une « catégorie » quelconque, ni d'un quartier défavorisé ni d'un quartier huppé. Ils ne manquent ni d'idées ni d'à-propos. Ils ont des désirs bien à eux et pas si compliqués que cela. Nous déplorons – mais c'est notre défaut ! – le peu de lecteurs et ce crucifiant « Je n'aime pas lire », nous qui nous cachions pour lire en paix pendant les longues études de l'internat. Il est vrai, comme le dit une de nos ados, qu'« un rien nous amusait ». Ils ont trouvé d'autres façons de comprendre le monde et sont leurs propres poètes. Ils ne veulent pas participer à la vie politique ? Souhaitons que les responsables politiques l'entendent, car ils souhaitent être solidaires et aider les plus déshérités !

L'enquête « Être jeune à « L » » avait pour ambition d'être un outil d'expression des souhaits et des attentes des jeunes, avec un objectif : réunir tous ceux qui désiraient s'impliquer dans un premier Conseil municipal de jeunes. Plus de 200 questionnaires ont été remplis. Cinquante pour cent des répondants sont âgés entre 11 et 13 ans, 40 pour cent ont entre 13 et 15 ans, et 13 pour cent seulement ont entre 15 et 18 ans. Il s'agit donc, pour la plupart, de collégiens de L. Cela s'explique notamment par le fait que l'information est bien passée au niveau des collèges, et qu'ils ont été plus mobilisés, mais aussi parce que la tranche des 11 à 15 ans a trouvé plus d'intérêt dans cette consultation. La répartition sexuée est globalement équilibrée, 47 pour cent des répondants étant des filles et 53 pour cent des garçons.

STATISTIQUES

Nul étonnement pour les lecteurs, la première place dans les activités revient au sport. Un peu plus des deux tiers des jeunes pratiquent une activité sportive, dont la moitié en club. Il est vrai que la ville est bien équipée et que les clubs sportifs locaux sont très dynamiques.

Les loisirs socioéducatifs et culturels apparaissent comme des activités plus secondaires, voire marginales. Moins de 30 pour cent des jeunes adhèrent à une structure associative socioculturelle. Dans le détail : 38 pour cent des jeunes disent fréquenter la MJC (Maison des jeunes et de la culture) et 29 pour cent la bibliothèque. Ce qui ne nous surprend pas ! Seulement 37 pour cent marquent leur souhait de pratiquer d'autres activités plus en adéquation avec leur passion.

Dans la partie du questionnaire consacrée à l'implication des jeunes dans la ville, 80 pour cent d'entre eux répondent ne pas vouloir participer à des actions de solidarité ou des actions humanitaires, ni souhaiter s'impliquer dans la vie locale. Cependant, 40 pour cent des jeunes accepteraient de donner du temps pour les autres (aider d'autres jeunes, les personnes âgées, les personnes en difficulté). L'aspect plus précis de la question recouvrant des situations en prise directe avec leur quotidien explique peut-être ce résultat plus positif.

Enfin, 22 pour cent des jeunes souhaiteraient s'impliquer dans un conseil municipal de jeunes et se sont inscrits pour y participer.

Loisirs

Trente-huit pour cent des jeunes sont adhérents à la MJC (Maison des jeunes et de la culture). Les jeunes qui ne la fréquentent pas invoquent des raisons telles qu'une mauvaise réputation ou des mauvaises fréquentations, un manque de temps, d'envie ou d'intérêt d'y aller, ou bien disent qu'ils n'aiment pas y aller.

Bibliothèque

Vingt-neuf pour cent des jeunes enquêtés sont inscrits à la bibliothèque. Ceux qui ne souhaitent pas s'y inscrire invoquent comme raison qu'ils n'aiment pas lire, qu'ils habitent à l'extérieur de la ville, qu'ils n'ont pas le temps ou pas l'envie ou bien qu'ils fréquentent le Centre de documentation et d'information de leur collège.

DEMANDES

Les jeunes consultés ont des attentes en ce qui concerne l'organisation de spectacles de musique (rap, soul, hard métal) et de danse (jazz, hip hop, battle). Le cinéma est aussi invoqué. Ils désirent voir des films récents comiques, d'horreur, fantastiques ou de science-fiction, ainsi que des comédies musicales.

Les autres demandes portent sur des aspects plus particuliers, tels que la mise en place de plus d'animations et d'associations, en direction des jeunes, de lieux, afin qu'ils puissent s'y retrouver – comme par exemple l'ouverture d'un bar et d'une «boîte» pour les 12 à 18 ans – et la mise en place d'un grand écran à la salle de la Méjane.

Les jeunes souhaitent également la construction d'une piscine, la rénovation de l'ancien gymnase, la création d'arrêts de bus supplémentaires à «En Thibaud», et également que la fête foraine soit organisée de façon différente (plus longue et plus importante). Ils souhaitent aussi que les inscriptions racistes devant le collège soient effacées.

SOLIDARITÉ

À la question «Donnez-vous de votre temps pour les autres?», 87 jeunes ont répondu positivement. Dans la négative, les raisons invoquées sont un manque de temps, le fait de ne pas habiter dans la commune, de ne pas être rémunéré, d'être trop jeune ou bien de ne pas savoir comment procéder.

À la question : «Souhaiteriez-vous participer à des actions de solidarité ? », 48 jeunes ont répondu qu'ils souhaitent participer à des actions de solidarité, avec pour objectif d'aider les gens qui sont en difficulté, de rendre service et d'apporter leur soutien, de se rendre utile et de s'occuper. Dix-huit d'entre eux ont fait des propositions pour la mise en place d'actions telles que :

- l'aide aux personnes à mobilité réduite ;
- la création d'activités adaptées aux personnes handicapées ;
- l'aide aux personnes âgées ;
- l'offre d'un toit et d'un travail pour chacun ;
- la création d'échanges linguistiques ;
- la coopération avec les pays étrangers ;
- l'aide aux devoirs pour les enfants ;
- la possibilité pour les mineurs de participer aux dons de sang ;
- la mobilisation des 16-18 ans afin d'aider les jeunes en difficulté scolaire ;
- la construction d'un foyer ;
- la participation aux associations des Restos du Cœur et du Téléthon ;
- l'organisation de collectes d'argent ;
- la création d'associations pour venir en aide au continent africain ;
- la construction d'un bâtiment pour la réalisation d'actions contre la faim ;
- la distribution de médicaments.

À la question «Souhaiteriez-vous vous impliquer dans la vie locale ? », 40 jeunes souhaitent cette implication, avec pour motivation d'aider à la préparation des fêtes générales, la construction d'un foyer pour les jeunes, la participation à des stages, ou afin de trouver un emploi. Certains se portent volontaires pour l'entretien et la propreté de la ville.

À la question « Souhaiteriez-vous vous impliquer dans le Conseil municipal des jeunes ? », 44 jeunes se sont dits intéressés par une implication, et ont pour objectifs principaux de se préparer à la citoyenneté, d'apporter des choses à la ville, d'en savoir plus sur son fonctionnement, de faire avancer les choses, d'être informés et de se faire entendre, d'avoir la possibilité de représenter l'ensemble des jeunes, d'être utiles, d'être impliqués et à l'écoute, d'aider les autres, de représenter la ville, et aussi, d'avoir l'occasion de prendre des décisions concernant les jeunes.

REGARDS SUR LA VILLE

Les critiques exprimées par les jeunes portent sur les points suivants :

- les activités proposées par la ville s'adressent plus aux personnes âgées qu'aux jeunes ;
- la piscine municipale a été fermée ;
- la Maison des jeunes cesse ses activités pendant les vacances scolaires (ce qui leur paraît inadmissible) ;
- le centre-ville n'est pas animé ;
- il manque d'activités, de magasins de jeux, de boutiques de vêtements et de clubs ;
- le cadre de vie ne leur semble pas suffisamment attrayant et agréable.

Bibliographie

Essais

Aspy, David et Roebuck Flora. *On n'apprend pas d'un prof qu'on n'aime pas,* Montréal, Actualisation, 1990, 461 p.

Barreau, Jean-Claude. *Nos enfants et nous : l'effondrement éducatif,* Paris, Fayard, 2009.

Badinter, Elizabeth. *L'amour en plus,* Paris, Le livre de Poche, Flammarion, 1980, 379 p.

Delaroche, Patrick. *Parents, vos ados ont besoin de vous !* Paris, Nathan, 2008, 155 p.

Descartes, René. *Le discours de la Méthode,* Paris, Garnier Flammarion, 2000, 189 p.

Gordon, DR Thomas. *Éduquer sans punir, apprendre l'autodiscipline aux enfants,* Montréal, Éditions de l'Homme, 2003, 256 p.

Halmos, Claude. *Grandir,* Paris, Fayard, 2009, 338 p.

Le Breton, David. *En souffrance, Adolescence et entrée dans la vie,* Paris, Métailié, 2007.

Martino, Bernard. *Le bébé est une personne,* Paris, J'ai Lu, 2007.

Moraldi, Véronique. *Gardez-vous d'aimer un pervers,* Montréal, Éditions de l'Homme, 2004, 288 p.

Moraldi, Véronique. *La fille de sa mère, de la difficulté des rapports mère-fille,* Montréal, Éditions de l'Homme, 2006, 329 p.

Moraldi, Véronique. *Le fils de sa mère, de la force du lien mère-fils,* Montréal, Éditions de l'Homme, 2008, 362 p.

Naouri, Aldo. *Éduquer ses enfants, l'urgence aujourd'hui,* Paris, Odile Jacob, 2008, 336 p.

Rousseau, Jean-Jacques. *Émile, ou De l'éducation*, Paris, Le livre de Poche, 1999.

Salomé, Jacques. *Pour ne plus vivre sur la planète TAIRE*, Paris, Albin Michel, 2003, 358 p.

Sauvadet, Thomas. *Jeunes dangereux, jeunes en danger, comprendre les violences urbaines*, Paris, Éditions Dilecta, coll. État des lieux, 2006, 190 p.

Walker, Jearl. *Le carnaval de la physique*, Paris, Dunod, 1997, 257 p.

Romans

Austen, Jane. *Orgueil et préjugés*, Paris, Le livre de poche, 2000.

Austen, Jane. *Raison et sentiments*, Paris, Le livre de Poche, 1999.

De Balzac, Honoré. *La comédie humaine*, tome 1, Paris, Relié, 2008.

Bégaudeau, François. *Entre les murs*, Paris, Gallimard, 2006, 290 p.

Beigbeder, Frédéric. *Nouvelles sous ecstasy*, Paris, Gallimard, 1999.

Cronin, Archibald Joseph. *Le chapelier et son château*, Paris, Albin Michel 1940, 574 p.

Gary, Romain. *Clair de femmes*, Paris, Gallimard, coll. Folio, 1982.

Gibran, Khalil. *Le prophète*, Paris, Le livre de poche, 1997.

Giraudeau, Bernard. *Les dames de nage*, Métailié, Paris, 2007.

Lindon, Mathieu. *En enfance*, Paris, P.O.L, 2009.

Ruggieri, Marion. *Pas ce soir, je dîne avec mon père*, Paris, Grasset, 2008, 224 p.

Schriver, Lionel. *Il faut qu'on parle de Kevin*, Paris, Belfond, 2006.

Poésie

Hugo, Victor. *Les contemplations*, Paris, Garnier Flammarion, 1995, 473 p.

Théâtre

Guillou, Jan. *La fabrique de violence*, Paris, Pocket, coll. Blanche, 1992.

Mouawad, W. coédition Leméac/Actes Sud-Papiers, 1999, 2009.

Cinéma

ALMODOVAR, Pedro. *La mauvaise éducation (La mala educacion)*, 2004.

ANDRÉ, Christophe. *La belle personne*, 2008.

AZUELOS, Lisa. *LOL*, 2008.

BARRATIER, Christophe. *Les choristes*, 2004.

BOYLE, Danny. *Slumdog Millionaire*, 2009.

BROOKS, Richard. *Graine de violence (Blackboard Jungle)*, 1955.

CHATILLEZ, Étienne. *Tanguy*, 2001.

GANSEL, Dennis. *La vague*, 2009.

HANEKE, Michael. *Le ruban blanc*, 2009.

LILIENFELD, Jean-Paul. *La journée de la jupe*, 2009.

JACQUOT, Benoît. *Villa Amalia*, 2009.

RAY, Nicholas. *La fureur de vivre*, 1955.

SORIAUX, Thomas et François DESAGNAT. *15 ans et demi*, 2008.

STEERS, Burr. *17 ans encore*, 2009.

Table des matières

Suivez les Éditions de l'Homme sur le Web

Consultez notre site Internet et inscrivez-vous à l'infolettre pour rester informé en tout temps de nos publications et de nos concours en ligne. Et croisez aussi vos auteurs préférés et l'équipe des Éditions de l'Homme sur nos blogues!

www.editions-homme.com

Achevé d'imprimer au Canada
sur papier Enviro 100% recyclé